다른 사람 강화길

別の人

カン・ファギル

小山内園子 訳

etc. books

目次

三部

別の人

主な登場人物

ソウル

【キム・ジナ】 ソウルで一人暮らしをする三十二歳の女性。職場恋愛をしていた恋人のデートDVを訴え裁判を起こす。

【イ・ジンソプ】 キム・ジナの会社の先輩で元恋人。

【キム・ミヨン】 ジナの同僚の女性社員。

アンジン市

【ダナ】 女子高時代からのジナの親友。

【ヤン・スジン】 ジナの幼なじみ。

【リュ・ヒョンギュ】 スジンの夫。

【キム・ドンヒ】 アンジン大学ユーラシア文化コンテンツ学科講師。

【イ・ガンヒョン】 アンジン大学ユーラシア文化コンテンツ学科准教授。

【キム・イヨン】 ユーラシア文化コンテンツ学科二年。

パルヒョン

【チュンジャ婆】 スジンの祖母。

【ソン・ボヨン】 ジナとスジンの小学校時代の同級生。

一部

1　ジナ

あの日のことを思い浮かべると、頭の中は透明になっていく。私に何があったのか。どんな記憶が残されたのか。

小さな湖があった。生臭いにおいが濃く、強かった。雨の降った日は湖のそばの集落はもちろん、あたり一帯の地域すべてでその暗澹《あんたん》たるにおいが鼻についた。じっとり生臭いにおいは四方に漂い、湿った空気は重く沈んで雨水とともに大きく波打った。私は周囲をあてどなくうろつきながら、道端の草を踏みにじっていた。

私に何があった？　どんなことをしでかした？

スニーカーの靴底が青臭さでいっぱいになるまでは、やめられなかった。踏みつけられた草がスニーカーのふちに緑色にこびりつくまでは、不安だった。悲鳴のように朽ちた草のにおいが体の奥深くに降り積もるまでは、忘れられなかった。やがて迫ってくるはずのさまざまなこと。それと、生臭さに湿った私の体から、とっくに饐《す》えた悪臭が漂っていることも。長い間、その記憶を思い出せなかった。でももう昨日のことのようにはっきりしている。そして、数百年が過ぎたかのようにおぼろげだ。

私の名前を呼ぶ声。

ジナあ、ジナあ?

田畑があった。巨大な田畑はひたすら広くて、見ているだけで胸が張り裂けそうになった。夕暮れには世界がまるごと緋色に染まった。一日の最後の光をふくんだ空気からは乾いた人の肌のにおいがした。手を伸ばすと太陽が揺れた。私は風をいっぱいに吸いこんで、畦道の端まで走った。赤く染まった夕方は、愛に満ちた笑い声のように優しかった。

ジナあ、ジナあ?

私の名前が響きわたった日があった。私は振り返らなかった。彼方に沈む太陽を見つめながら、ひたすら歩いた。ただそれだけが私の前にあって私に迫ってくるものだった。そんなふうにして私は、自分の体にまとわりついた声のにおいを忘れた。

ううん。

私の道を照らしていた太陽なんて、そもそもなかったんだ。

この三か月間、私は家の外に出ていない。

＊＊＊

バカ女。

今日も私はみんなに嫌われている。いつもと同じように部屋にひとり座り、ネットで自分の名前が載った新聞記事や書き込みを読んでいた。今回のお題は「バカの中身」だ。大体話が盛り上がっていくパターンは似ていた。誰かが私をバカと非難し、それにコメントがつく。これはバカっていうんじゃなくビビりなんですよ。いやいや、これはビビりでもバカでもない、単に元からイタいキャラってことで。するとまた反論のコメントがアップされる。バカっていうのがどういうものかお教えしましょう。あのお話、知りません？ 赤い靴を履いて踊り続ける女の子。棒みたいになった足を引きずる少女。踊るのを止められない女、履いちゃいけない靴に足を入れる女。最初から似合いもしない靴、欲しがっちゃダメなんだって。ヤバイ靴だって先に気がつかなくっちゃ。そもそも自分に似合うか似合わないかもわかってなくて、足が宙に浮く気がしたんだろ？

そういうのがバカってわけ。

私を知らない人が、私より私をよく知っている。

突然、けたたましいベルの音が鳴り響いた。悪戯《いたずら》を見咎められた子供のように瞬《まばた》きをくり返しながら、白く光る携帯電話に目を落とした。ダナだった。ほんの一瞬携帯を見て、またパソコンのモニターに顔を戻した。電話には出なかった。

ダナの用件が何かはわかっていた。今見ているものをそれ以上読むなと言うのだろう。間違いない。ダナは毎回退屈で電話したと言い、通話も終わりがけの頃ようやく本当に話したいことをおずおずと切り出すことが多かったから。

ジナ、つまんない言葉は気にしないで。

私はいつもわかったと返事をし、電話が終わるやいなや自分の名前をネットで検索した。それが私にとってどうでもいい言葉だとわからないわけではなかった。わからないはずがない。ただ読むのを止められないだけだった。私が他人の声の虜になっていることをダナも知っていた。だから毎回あんなふうに、口癖みたいに強調するのだ。

「ジナの味方のほうが多いんだよ。わかってるよね？」

でも、今日はどんな言葉も聞きたくない。私は鳴っている電話をそのままにした。ずっと鳴っていた。一回。また一回。また。やがて電話はぱったり鳴らなくなった。私は吹き出した。いやだ。寂しいよ。わざわざ電話を拒んだくせに、いざ着信音が途切れるとこの上なく寂しかった。強い孤独感が押し寄せてきてイラついた。私の心はこんなふうに、安っぽくって鬱陶しい。

この前の夏の、あの日のように。

恋人に首を絞められた。

そう。バカな話だ。

最近一番羨ましいのは、私の話を何の意味もないと思える人のことだ。私も、自分を理解に苦しむ女だと思いたい。そういう目で自分を眺めてみたい。永遠に理解できず、わかりたいとも思わない、自分とは完全に別の人。深い溜息に満ち満ちた声で自分の名前を口にしてみたい。やだもう、ジナってば。いったいどうしちゃったの。

感情を持つかどうかを選べればいいのに。誰かに去られるのが怖い。捨てられて、自分を価値のない存在だと思いたくない。そういう思いが強いと見透かされたせいで好き勝手にされ、ズルズル引きずられ、なのにまだ平気と自分を慰めることをやめたい。干からびてしまいたい。何も感じたくない。今の私に必要なのは、湿り気ひとつないカラカラの干し草の山の上に身を横たえることだ。乾燥してぱさぱさした草の香りを嗅ぐことだ。体の中の湿気をことごとく乾かしてしまうことだ。そしていつの日か、誰かの湿っぽい思いを前に溜息まじりにこう問うのだ。

やだもう、いったいどうしちゃったの。

なんで別れられなかったのよ。

彼は私の上司で、あれは五回目の暴力だった。

あの日、私は警察を呼んだ。

もう考えるのはよそう。

私はイスからガタンと立ち上がった。ガスレンジでお湯を沸かした。紅茶を飲むつもりだった。でなければコーヒー。だが、すでに浮かんだ考えが糸玉から繰り出される糸のように次から次へと伸びていき、頭の中でもつれていた。

ダナの言う通り、みんながみんな私を悪く言っているわけではなかった。勇気ある人間だと言う人もいたし、手を貸そうと言ってくれる人もいた。ありがたい言葉ではあったが、それでみっともなさや恥ずかしさが消えるわけではなかった。時折、彼にされたことよりも人に知られたことに押し潰されそうになった。

カチッ。音がして点火した瞬間、私はガスレンジの火を止めてしまった。そして冷蔵庫から水の入ったポットを取り出した。冷たい水が通り過ぎて喉がごくごく鳴った。あいかわらずコーヒーやお茶が飲みたかったが、面倒だった。心をつくして丁寧に何かを作りたくなかった。

いったい、何のために？

カウンセリングの医師は私に勧めた。自分のために何かをする、好きな物を食べる、家をきれいに片づける、スポーツをする、人と話す。私はその医師のカウンセリングを三回受けてやめた。話を聞くのではなく、聞いてやっているという感じがしたからだ。最後の日はアンケートだといって紙をよこしたが、一つひとつチェックを入れるたび苦痛がつのった。例えばこんなふうだった。あなたは孤独だと思うことが多いですか、あなたは自分を価値のない人間だと思いますか、あなたは自分の感情を抑えられないことがよくありますか。ネットに出回る心理テストだってあれよりはマシだろう。最後の行にはこんな質問があった。

あなたには被害者意識がありますか？

それ以来病院へ行くのはやめた。そして医師の勧めを何一つ守らなかった。特に今日はそうだ。ゴミ箱にはインスタント食品の袋や容器が山になっていて、部屋の床には髪の毛が埃と一緒にふわふわ転がっている。特別なことがないかぎり、つまり一杯になったゴミを捨てにたまに動く時をのぞいて私は部屋の外に出ない。部屋の中でもほとんど動かない。食料品をネットで注文し、注文できないものは食べない。

そんなふうにして、三か月。会社を辞めてからずっとそうやって過ごしていた。

私はしょうもない失敗の記録よ。卑下するたびダナは言った。

「あれはジナの失敗じゃないよ」

わかってる。だからダナに会いたくて、でもその話をされるのが嫌なのだ。温もりは感じたいくせに、たえず慰めが必要な人間になってしまった気がするのはつらい。友人だからといって毎回むき出しの状態で前に立つことが恥ずかしくないといえば嘘になる。それにダナと話すとなると、私は壊れている姿を見せないよう気を張らなくてはいけなかった。ダナが受け止めきれないくらい自分が壊れていることを、知られたくなかったから。うんざりしたような目で見られそうで、怖かったから。だが、今にも溢れ出しそうな不安を隠すには努力が要った。努力しなければならないという事実に苛立った。私はダナを失いたくなかったが努力もしたくなかった。そんなことを思う私は、確かにしょうもない人間だろう。

突然、最も怖ろしい考えが押し寄せてくる。そう。私はそんな人間だ。だから私は彼に殴られたんだ。

急いでもう一度冷水を出して飲んだ。その考えを必死に頭から追い払おうとしたが、結局、彼の声が鮮明に浮かんできてしまった。彼は私を殴るたび、こう言っていた。

「これですむと思うなよ」

裁判の結果、彼は暴行罪で罰金三百万ウォン（日本円で約三十万円）の支払いを言い渡された。
胸の奥が、冷たく凍りつく。

今の私を見た誰かは、心が弱い人間だと思うだろう。だがはじめからそうだったわけではない。私は心が弱くなっていったのだ。

警察が動けば彼は自宅で拘束されたり、監視の対象になったりするのだろうと思っていたが、そうはならなかった。私は法を知らなかった。被害者には保護の手立てが講じられるはずという見込みも同じだ。もちろん接近禁止の申し立てはできた。だが時間がかかった。彼が私に接近してはいけない理由が証明されなくてはならず、証明には誰かの承認が必要だった。私は法を知らなかった。裁判がそんなに長くかかることも知らなかった。そのうち処罰が決まるだろうと待っているうちに五か月が過ぎていた。

私にもわかっていた。会社にありのままを伝えて部署の異動を願い出るとか、あるいは逆に彼をチームから外してほしいと求めるべきだった。でも私は、彼と顔を合わせることより周囲に自分のことを知られるほうがもっと嫌だった。おまけに彼とつきあっている一年のあいだ、会社ではどんな友人もできなかった。最初のうちは人見知りのせいでうまく同僚とつきあえず、後のほうになると秘密の恋がバレるのが怖くて深い関係が築けなかった。さらに後になると自分が彼にされていることを誰かに知られたくなかった。何度か広報での実績を評価されてからは完全にひとりぼっちになった。同僚である前にまずライバルだということがはっきりしてしまったのだ。そんな相手に事情を打ち明け、助けを求めるなんて想像もできなかった。誰も私の味方にはなってくれそうになかった。

　やがて話が広まると、実際にある人からこんなことを言われた。まったく思いもよらなかったと。そんな目に遭う女の人のようには見えなかったと。

　愛する人に殴られそうに見える女とは、いったいどんな姿をしているのだろう。そして彼は、私がつきあっていた彼は、つきあっている女を殴りながら「殺しちまうぞ」とつぶやいていたイ・ジンソプは、他人にはどんな姿に映るのだろう。

　これだけは断言できる。彼はいい男だった。今でも私はよく覚えている。一八〇センチを超えるスラリとした長身、ぱっちりした目にスッと高い鼻筋、遠目にもわかる彫りの深い顔立ちは、どこにいても注目を集めた。でもなんだろう。個性的というわけではなかったから、整ったルックスのわりにさほど存在感がなかった。だから、皮肉なことに彼といると、大柄な男と向き合う時の緊張をそれほど感じずにすんだ。彼は強さをアピールして自分を大きく見せようとはしなかったし、たとえそうしたとしても存在感が薄いからやりすぎには見えなかった。笑えることに彼をはっきり感じられたのは、彼に見下ろされ、首を絞められている瞬間だった。床に組み敷かれたまま呼吸が遠のくたび、彼の顔をちゃんと見ることができた。かすむ視野の真ん中に、あの整った顔が近づいたり離れたりを繰り返していたから。

　彼は、自分が人からどう見られているかわかっていた。私にこう言ったことがある。一時は周囲の女全員から毎日告白されていたんだと。さらに言った。これまで私みたいな小柄で色黒の女とはつきあったことがないと。彼は自分の好みをやたら強調し、確信していた。肌がモチモチして色白の女がいいんだ。自分にはそういう女が似合うと言った。オレと絵になるだろ。

でもそんなタイプはなかなかいない、だから、めったなことではキレイと言わないんだ。私は怒らなかった。なぜなら、すっかり気後れしている私に彼はこう囁いたから。でもさ、お前のおかげでそういうの、全部どうでもよくなった。

彼の言葉はあべこべに映る鏡と同じだった。その鏡の中で私の顔は引っくり返っていた。彼の確信が消えればきっと私は何者でもなくなってしまうのに、私は逆向きのまいつも笑顔を作っていた。それが美しく見えた。

書き込みの中にこんな言葉があった。せいぜいその程度の言葉で自分を見失ってしまう女に呆れると。

みんな、そうやってずっと自分に確信を持って暮らしていればいい。

そうすれば、いつか予想もつかないことに出くわした瞬間、余計ガラガラと崩れ落ちるだろうから。

彼は当然のように自分が私を選んだと思い、私も彼を選ぶことができるとは考えていなかった。もちろん彼は間違っていた。私も彼を選択したのだ。そして私にも確信があった。赤い靴？　永遠に踊り続けることになると気づかなかった？　いや、それも間違っている。実際は、自分がとっくに踊り出していることに自分でも気がついていなかった。揺れる二本の足が自分のものではないと思いこんでいたから、信じて疑わなかった。決して彼のような男に恋することはないはずだと。

あの時も夏だった。私は転職してきたばかりの新人だった。所属する部署の係長が彼だった。

初めて残業をした日。外で夕食をすませてオフィスに戻ると、彼から呼び出された。彼は人目を気にしながらすばやくいくつかの書類を渡してきた。これまでの業務のやり方や内容をまとめたものだった。そしてコーヒーを差し出した。いい香りがした。

それだけでは不十分だった。それっぽっちじゃ意味がなかった。

私は、彼がいい男である以外のこともかなり知っていた。有能なこと。みんなの評判がいいこと。女性社員が彼と話すのを楽しみにしていること。裕福な家の息子であること。役員の誰かの親戚であること。みんなが彼を羨んでいること。自分がいい男だとみじんも疑わない人間なこと。

コーヒーを受け取る時、彼の指先が私の指先に触れた。彼が言った。

「大変なことがあったら言ってください。手伝いますよ」

あの日、私は勘違いしたわけじゃない。勘違いするかわりに、大昔にぺちゃんこに潰されたまるいものがひとつ、心の中でぐんぐん膨れ上がっていくのをそのままにしていた。

それは、感情で記憶だった。

大昔、私は二十歳で、翌年は二十一だった。ソウルの大学に編入する前、私は全羅北道《チョルラプクト》アンジン市の大学に通っていた。故郷のパルヒョン郡からバスで一時間ほどの小都市。日本の植民地時代の痕跡がありありと残る、赤いレンガ造りの建物や藍色の瓦屋根でいっぱいの場所。アンジンには小さな湖があった。雨の日は湖のじっとりしたにおいが髪の毛にまでまとわりついたものだ。私は十七歳でアンジンに出て、二十一歳でそこを離れた。

ヒョンギュ先輩を知るまで、私はハンサムで裕福で賢い男というのは女にだけ人気があるものだと思っていた。違った。男たちのほうがもっと彼を慕っていた。リュ・ヒョンギュと親しいことは一種のステータスだった。そうすれば彼と同レベルの人間になった気がするらしかった。つきあう相手で自分のポジションや階級が決まるという言い方にあてはめれば、彼はなんだろう、叶わない夢に似た人だった。

だから私も夢を見た。彼が好きだった。自分の夢だから、こっそり胸の奥へしまっておきたかった。彼の恋人に私の思いがバレてしまうことさえなければ、とても素敵な思い出として記憶されたはずだ。

彼女は私と同学年で、すべての面で私と違っていた。あの子の前に立つと自分がますますみっともなく思えた。高校生で止まったままのようなやぼったい体つきに、今と変わらない浅黒い肌に、専攻とソリが合わなかったせいで成績もさんざん。何より私はひとりぼっちだった。どこでも、いつでも、浮いていた。乾ききらない髪の毛を変にいじりながら、私はみんなの様子をちらちら窺っていた。そんな私を、もう少し大目に見てくれたってよかったろうに。身の程しらずと陰口を叩かれた。ヒョンギュ先輩を追いかけ回していると噂を立てられた。また別の噂が、そしてまた別の陰口が、数珠つなぎになっていった。それが決定打とまでは言えないが、二年生を終えた年に私はアンジン大学を辞めてソウルの大学に編入した。二度とこんな目に遭うもんかと心に決めた。

だからそれっぽっちのことで、ハンサムな顔をもう少し眺めていたいという理由ひとつで、また満身創痍になるつもりはなかった。自信があった。

でも、彼がくれたコーヒーは本当にいい香りがした。大きく膨らんでいく、まるいもの。少しずつ伸び、ぱんぱんに張りつめていく曲線。コーヒーを飲んでいる間じゅう、彼の指に触れた部分が温かかった。しばらくするとまた彼はコーヒーを差し入れてくれた。その次はお菓子だった。家にちゃんと着いたかとメールをくれた。週末は何をしているのと聞いてきた。そんなことが重要だったのかと聞かれれば、重要だった。誰かに大切に思われているという気分が、人っ子ひとりいないボロボロの空き家みたいな心に眩《まばゆ》い日差しが差し込んできたという事実が、重要だった。私は踊っていた。

夏が終わる頃、彼はデートを申し込んできた。

もう一度会いたいと言った。ずっとつきあいたいと言った。幸せだと言った。

彼に皺くちゃになった服の山のように扱われるたび、あの時の感情を思い返した。きっと彼は私を愛していた。ほんの少し変わっただけだ。だったらまた変われるんじゃないか。元に戻れるんじゃないか。ひょっとすると彼は少し疲れているのかもしれない。耐えきれないほどのストレスで少し鬱っぽくなっているのかもしれない。私が彼に寂しい想いをさせたんじゃないだろうか。だったらいけないのは私かもしれない。私が察してあげられなかったから、先に気づいてあげられなかったから、失敗したのだ。努力しよう。私がよくしてあげたら、彼が私への感情を再び取り戻してくれたら、私達は最初の頃のように幸せになれるはずだ。

三回目に殴られた日、彼は言った。

「オレはな、優しい人間なんだよ。お前がオレの優しさを引き出せないんだ。オレが優しくできるよう力になろうとは思わないのか？」

心からそう願っていた。だが私は死にたくなかった。そっちのほうがずっと重要な気持ちだと、息も絶え絶えになる瞬間を五回経験して気がついた。だから警察に相談できた。

別れる決心をした途端、それまで願っていたことすべてがどうでもよくなった。彼に認められようとも思わないし、愛されたくもなかった。こんなにも簡単だったなんて。こんなにもたやすかったなんて。ああ、こんなにも価値のないことだったなんて。彼を我慢すること、体を踏みにじられるあの瞬間に耐えることは本当に、本当に難しいことだったのに。おそらく彼は戸惑っただろう。彼にとってはすべてに耐えている私の姿のほうが見慣れたものだっただろうから。

私は示談を拒み、謝罪を受け入れず、彼に退職を求めた。刑罰を受けるべきだと言った。あの時の彼の表情を覚えている。殴れるものなら私を殴っていただろう。裁判は五か月かかった。だがとんだお笑いぐさだ。結局は彼の言っていたことが正しかったのだから。

「これですむと思うなよ」

私は心が弱いわけではなかった。心の弱い人間になりたくなかった。彼に、心が弱い人間と記憶されたくなかった。

だけど、罰金三百万ウォンとは。

彼と私は毎日顔を合わせなければならなかった。私のことを殺してやると言った人間だ。果たして彼が黙っているだろうか。プライベートでは放っておくとしても、果たして会社で私を公正に扱うだろうか。私を差別しないだろうか。不当に扱わないだろうか。変な噂を広めたりしないだろうか。あらゆる不安が押し寄せ、怒りがわき、悔しさが込み上げてきた。その時完全に正気を取り戻した。人に知られることは問題ではない。私には守ってくれる何かが必要だった。

悩んだ末、私は自分の話をインターネットに公開した。

映画レビューの掲示板だったが気にしなかった。彼に殴られた回数、暴言の内容、ケガの程度、病院の診断書と画像、判決内容まですべて。知っているなかで最も多くの人が参加している掲示板だった。映画評論家や雑誌記者も加入していたから、メディアの助けが得られるかもしれないと考えた。

初雪が降った日、私の書き込みは記事になった。彼は有給休暇を取った。それが本当の始まりだとは思ってもいなかった。

2 大人にならなきゃ

こちらにいい感情を持ってないことはわかってる、ジナさん。でもとりあえずこっちの話も聞きなさいよ。本当のところ、僕はこうして弁明するような話じゃないと思ってる。なんのはずみかメディアに出ちゃってお互い物笑いの種にされて、正直、これはいったいなんなんだ。会社はいい恥さらしじゃないか？　会社ってのは予測可能な場所じゃなきゃならないんだよ。信頼で成り立ってる場所じゃなきゃいけない。何かあった時対応できるっていう信頼が必要なところなんだ。その会社が、君らを信頼できると思うか？　まったく、恋愛だかなんだか知らないが、なんでそんなことに会社まで巻き込むんだ。どうしてネットなんかに公開するの。僕に一言あって然るべきだろ。全然知らなかったよ。ジナさんはそういう目に遭いそうな女の人に見えなかったからね。とにかく、僕に相談するべきでしょうが。いったいなんであんな真似したかな。結局は会社と君の名前が出てこのザマだ。ジナさん、ウチはイメージ商売の会社だよ。旅行会社なんだから。こんなことで本部長の僕が君を呼び出さなきゃいけないのか？　自分がどれほど無責任な行動をとったか、わかってるのか？　君は会社の収益に多大な影響を与えたんだ。

　君はこう書いていた。会社の対応が信頼できないからこうして訴えるんだって。そのことが今うちの社員の士気をどれほど落としてるかわかってるのか？　会社は君に法的な責任を問うこともできるんだ。何をそんなに驚いている？　知らなかった？　そういう行動をとれば当然責任が伴うって思わなかった？　君は一度でも会社に助けを求めたことがあったか？　僕らがそれを拒否した？　だからネットに投稿した？　違うだろう。なのに会社の対応が信頼できないって、それは口から出まかせだろ？　嘘なんだよ。君は嘘をついたんだよ。

　イ係長が僕にとって息子同然のヤツだってことは知ってるよね？　その僕が直接、アイツに休職を勧めた。ああいう真似はしちゃいけないからね。僕だってフェミニストだ。一番末の息子にも徹底的に教育している。今息子は十歳だが、いつもこう言い聞かせてるよ。女は守ってやるべき存在だ。よその野郎がお前の鼻をへし折ったらすぐやり返さなきゃいけないが、女にはダメだ。息子は冗談でも絶対に女の子には手を出さない。ちょっかい出して逃げるとか、からかって泣かせるとかってこともない。おとなしいもんさ。でも、たまに女の子にやられてくることがある。いまどきの女の子は手ごわいよ。うちのがおとなしくしてるもんだから、力で男をやりこめられると思ってるんだろうな。追っかけまわして、蹴りを入れるはグーで背中を殴るは、すごいもんさ。男を殴ってなんかの悦びに浸ってるんだろう。実際はうちの息子が見逃してやってるってことがわかってない。僕はね、女の子の親もしっかりすべきだと思うよ。男だろうが女だろうがそんなのは関係ない。暴力に訴えるってこと自体が問題じゃないか？いくら女の子でも男の子に手を出したら叱るべきなんだ。

男の子にはまかり間違って力の調節ができなかったら大事故になるから我慢しろって教育してるのに、女の子のほうには好きなだけ殴る蹴るさせておくなんて、おかしいだろ。でもそういうことをする女の子ってのは顔がイマイチなんだよ。ジナさんみたいな女性には絶対わからないだろうけど、そういう子は本当を言うと、男の子の気を引きたくて乱暴な真似をしているわけ。でなければ根っからの負けず嫌いか。僕も社会人生活が長いけど、そういう女子っていうのは大人になっても一緒だ。言うことは聞かない。気が強い。顔もちょっと残念。一般化するつもりはないが、そういう女は本当に顔がアレなんだ。男も同じ。こちらが言わんとしていることがピンと来ないヤツってのは必ずいる。そういう男は生意気だ。自分が優秀でここまできたと思ってるから、ひどく傲慢で。社会に出たら男はそれじゃダメ。ともかく、話が横道にそれたけど、僕はジナさんの味方なんだ。

ジナさんの書き込みに反論するために、ミヨンさんが社員掲示板のスクリーンショットをネットに上げるなんて、まったく思ってもいなかった。社員たちもそうだ。僕らはみんなキム・ミヨンさんを信頼していたからね。なぜかというと、僕らがあそこでやりとりしていたのはジナさんを非難したかったからじゃない。第三者としてのやりきれない気持ちを少しずつ解消してただけなんだよ。

だからさあ、僕が社員掲示板でジナさんのことを「いい男の人生をメチャクチャにした」って言ったのは、そういう脈絡でってことなんだよ。ジナさん、すべての話には脈絡ってものがある。脈絡をちゃんと見ないと。

イ係長は過ちを犯した。よくないことをした。僕はアイツの肩を持っているわけじゃない。おそらくミヨンさんだって同じだろう。彼女なりにイ係長が残念な状況に置かれていると思って、別の角度からの話を伝えたいと思ったんだろう。僕らがアイツを信頼している側だと思って、そのやりとりを表に出したかったんだろう。もちろんそれはミヨンさんの判断であって、実際にそうだったという意味じゃない。

君がインターネットに書き込みしてから大騒ぎだったろ？　みんながイ係長のことを悪く言って、ウチの会社も叩かれて。ミヨンさんはバランスが必要だと考えたんだろう。具体的な理由までは僕にもわからない。噂通り、彼女がイ係長に片思いしていたのかもしれないし、君への誤解があったのかもしれない。とにかく、ジナさんが傷ついたんじゃないかと、ずいぶん僕も気にしていたんだ。

でもね、ジナさん。僕がなんであういうことを言ったかっていうとね。その脈絡を説明させてくれよ、ジナさん。

イ係長とデートする時、食事代もロクに出さなかったんだって？　いやいや。とりあえずは僕の話を聞いてくれ。イ係長が一年前から浮かれてたから、さては恋をしてるな、と思った。僕には一発でわかる。種馬はムラムラくると顔に出るからね。ところが、それからあまり経たないうちに顔色が冴えなくなった。悩んでるようだった。それで一杯やった。

イ係長はそれでも口が堅かった。最後までジナさんだとは言わなかったよ。

つきあっている彼女がお金を出そうとしないんです。イ係長はそう言った。わかる、わかるよ。一銭も出さなかったわけじゃないよな。ジナさんだって稼いでるんだし。でも、食事代はほとんどイ係長持ちだった。飲みに行く時もアイツが出す。なるほど、なるほどね。コーヒー代はジナさんが払ってたし、映画もジナさんが前売り券を買ったと。わかった、わかったよ。プレゼント？　そうか。そんなことまで僕は知らないよ。二人でやりとりした物を全部僕が知ってるわけじゃないんだし。ジナさんはジナさんなりに一生懸命大切にしてたんだと思うよ。でもね、アイツにとって重要なのはプレゼントじゃない。

イ係長が見掛け倒しだってこと、ジナさんも知ってたよね？　見た目はいいとこのボンボンだが実際は借金まみれの家だ。知ってたろ？　毎月家に仕送りをして、借金も返済して、自分の生活費を出したらアイツの手元には何も残らない。役員が親戚だって噂もあったらしいが、みんなデタラメだ。アイツはプライドが高いから、人に弱みを見せないだけ。自分のためにはほとんどビタ一文使えない生活をしていた。傍目には悪くないところに勤めて高給取りみたいに見えるだろう。もちろん、アイツが見栄っぱりだからだ。いい暮らしをしてるように見られたがってたからね。

正直、ジナさんも最初はそこに魅力を感じたんだと思う。だろ。腹を割って話そうよ。イ係長はジナさんに比べたらハイスペックだ。これは女性差別じゃない。現実だよ、現実。だけど後になってイ係長の事情が全部わかった。それでもずっとつきあってたなんて、愛してたからだろ？　愛だよ。愛していたから、パッとしなくても我慢してられたんだよな。でもね、ジナさん。高級レストランが好きなんだって？　旅行に行った時、ビジネスホテルは嫌だからちゃんとしたホテルを予約してくれって言ったんだって？　あの中国出張の時、免税店でお土産を買ってこないってへそを曲げたこともあって。

なるほど、わかる。イ係長が全部平気だって言ったんだよな。そうだろう。ジナさんにだって全部理由があった。でもね、ジナさん、最後まで聞いてくれ。僕はね。今の人たちより世代が上だから、君らからすれば保守的だろう。男が女にお金を使うのがそれほど悪いことだとは思わない。自分の女に使うお金だもの、ちっとも惜しくないさ。当然使わなきゃ。自分の女なんだから。僕だってワイフと交際中はじゃんじゃん金を使った。できることはなんでもしてやりたかったからね。それが愛だ。僕もわかるよ、愛。でもそれは、だ。ワイフが僕に精一杯尽くしてくれたからでもある。ワイフは冷蔵庫を作り置きのおかずでぱんぱんにしてくれるようなタイプだった。僕に何が必要かを察してパパッと動いて。どれだけありがたいか。それに、ワイフは空気を読んで遠慮するのが上手だった。どれだけ助かったか。ジナさん。やってやるって言われたら全部本心だと思うのか？　自分から遠慮しなきゃ。ジナさんがそんなにセンスのない人間だとは思わなかったよ。

僕は今、アイツの味方をしてるんじゃない。ただ、僕には脈絡がわかっていたってことを話しているんだ。脈絡。ね？　そういうのがずっとのしかかって、アイツを爆発寸前まで追いつめた。家からは金くれ金くれって言われるし、銀行からも支払いを言われる。恋人にちょっと慰めてもらおうと思っても、肝心のジナさんはイ係長をじっと見つめて、今日は何もしてくれないのってコレじゃあ、正直、おかしくなっても仕方ないだろう？

ミヨンさんは間違っていた。わかるよ。彼女はやりすぎだった。だがね、大事なのはそこじゃない。ミヨンさんの書き込みのあの部分だよ。ジナさんはイ係長を利用するだけ利用して、犯罪者の烙印まで押してしまったってとこ。誤解している部分があったと僕も思う。大事なことは、なぜそんな誤解が生まれたのか、その脈絡を読むことだ。

僕はジナさんが優秀なことは知っている。記事を見てわかってるとは思うけど、その点について僕はどうこう言っていない。競争社会だからね、ジナさん。ジナさんがずっと業績がよければ、当然みんな目を光らすだろ。だったら気を付けなきゃ。一人でがんばって実績を上げてたって嫉妬の対象にされるのに、ましてや堂々とイ係長に手伝ってもらってたら誰が実力だって認めるんだ。君、こないだのプレゼンで残業した時のことを覚えてる？　そう、あの日だ。君、イ係長の机に資料の山を持っていって、早くその中から使えるもの出せってわめいたんだって？　違う？　そう、わかった。わかったけどね、大事なのは周りがそう受け取ってるってことだ。つまりジナさんの行動にも誤解を与える余地があったってことだよ。まあ物は言いようだ。ジナさんが嘘をついてるって話じゃなく、ジナさんがイ係長を利用してるって噂が会社にあったってことさ。大事なのはそこなんだ。

ミヨンさんの書き込みまで記事にされて、いったい何なんだ。芸能人のスキャンダルでもあるまいし。完全に泥沼だな。繰り返すが、僕はどちらか一方に肩入れする気はない。ミヨンさんがあそこまでした理由、つまり、彼女がどんな思いをしていたか話すつもりもない。プライバシーは守られるべきだからね。今のはジナさんが悪いっていうことじゃなくて、周りにはそう見えるって話だ。人には状況を把握する権利がある。人によっては、イ係長がジナさんに苦しめられて、我慢できなくなって暴力に訴えたと見えるってことだ。

とにかく、あの日ジナさんがイ係長を怒らせたのはそうだよね。だから、そもそもなんであいう書き込みを公開するんだよ。書くんだったらイ係長につらい思いをさせていたことも客観的に書くべきだろ。そうしたら会社の人間だってジナさんを理解してくれたさ。まるで会社がこういうことに無関心で同僚は信用できないみたいな書き方をしておいて、こちらがジナさんの味方になると思ってたのか？　なんでそう分別がないんだ。大人にならなきゃ、大人に。ジナさん。

あの日、ブランドもののバッグを買ってくれって言ったんだよね。なのにアイツに断わられたから、最低って言ったんだって？　それでイ係長のスイッチが入っちゃったんだろ？

3　ジナ

私の中にはたくさんの返答があった。あなたに、そしてあなたに。お前に。そしてお前に。

私は、いくらでも答えることができた。みんなを連れてきて経験したことをすっかり話すこともできた。相手のほうがよく知っているらしい私の問題について、ことごとく説明することができた。私はキム・ミヨンを問い質さなかった。一応は一番仲がいいと思っていた同僚が、私をさも愚かな女のように描写してインターネットに書き込んだことについて。社内の人間だけでこっそりやりとりしていた掲示板の内容を、私の評判の証拠よろしくアップしたことについて。実名まで明かされたせいで両親にも事件を知られたことについて。味方をしてくれていた匿名の人が一夜で背を向け、私をクズ扱いしたことについて。次々に暴露記事が出て、両親の家に電話がかかって、そんなふうにして周囲に私にあった出来事を知られてしまったことについて。私は何も言わなかった。

今でもたまに、私の携帯に電話がかかってくる。クスクスという忍び笑いが。わけもなく苛立った罵倒の言葉が。ただの一度も会ったことのない人が、私に向けて投げつける言葉が聞こえる。

オマエはひどい女だ。死ねよ。

どうしてそんなふうにみんな、私に死ねと言うのだろう。

私はキム・ミヨンを訴えることもできた。悪質な書き込みをした人をいちいち探し出して通報することもできた。しようと思えば何でもできた。でも、私は何ひとつしなかった。私は戦う気を失くしてしまった。そして家に引きこもった。

＊＊＊

頭の中で、コップにいっぱいになった水のように思いが大きく波立つ。眩暈《めまい》がする。私は首を反らして天井を仰いだ。壁紙に刻まれた斜めの線が、私の顔めがけて雨のように降り注いだ。じめじめしていくのを止められなかった。その時また着信音がした。今度はメールだった。やはりまたダナだった。

「今見てるもの、もう読むのをやめること」

頬がゆるんだ。相当心配しているらしい。私はダナに返信した。

「今は読んでない」

ちょっと前まで読んでいたけど、今は読んでないから。このくらいの返事は構わないはずだった。すぐに返信がきた。

「じゃあ今、何してるの？」

「何もしてない」

今度はすこし間があった。すぐに返信が来ないことが妙に腹立たしかった。手持ち無沙汰になり、携帯をつかんだり置いたりを繰り返した。そろそろとモニターに顔を向けかけたところで携帯が再び振動し、画面にメッセージが浮かび上がった。

「することがないなら、だまってアンジンに帰ってきなって」

私は返信しなかった。

ダナは、ソウルが私の具合を悪くさせていると思いこんでいた。間違いではなかった。ソウルは異郷の地だったし、友達もいなかったし、そこで出会った男は私を殴りながら罰金だけ払って逃げおおせた。勤め先には辞表こそ出したものの扱いは解雇に近く、貯金はすっかり底をついていた。

最近は、なぜこの街でひとりこんなにあがいているのか、よくわからなくなっている。なんで？　なんでこんなに必死になっているの？

でも、アンジンは恋しくない。

ダナは私たちがともにアンジンの出身だと思いこんでいるが、私の故郷は両親が住むパルヒョン郡の小さな村だ。アンジンに出たのはもともと自分の意志ではなかった。少しでも大きな町で勉強したほうがいい大学に進めると、親に尻を叩かれて引っ越しただけだった。最初は悪くなかった。子供だったたし、田舎より都会のアンジンは素敵だったから。まるで七〇年代の田舎の少年が家を傾かせてまで都会に出て勉学に励んだような感じで私はアンジンにやって来た。両親は私がアンジンの大学の教育学部か教育大学に進むことを望んでいた。さほど大それた目標には思えないかもしれないが、田舎で小さなスーパーを営みながら人の土地で農業をする両親にとって、それは野心あふれる計画だった。両親は私がアンジンに落ち着くことを望んでいた。たやすく思えた目標は、しかしすぐに難しくなった。私の成績は悪くはなかったものの教育学部や教育大に行けるほどではなく、自信を失うと余計真っ逆さまに降下した。いっそきれいさっぱり諦めればいいのに性格上そうもできず、しょっちゅう明け方に目を覚ました。自分はさして取り柄のない人間だ、これからも何一つまともにはやり通せないんだ。そんな予感に毎日押しつぶされそうだった。だが、涙に暮れていたのははじめのうちだけで、後のほうになるとそういうことはなくなった。普通に眠った。肉体の疲労のほうがもっときつかった。そうして自分の成績で入れる学科があそこだった。「アンジン大学ユーラシア文化コンテンツ学科」当時アンジンは近代文化遺産の観光地として注目されており、文化コンテンツを創造し発展させることを目標に作られた新設学科だった。お題目は立派だったが、文献情報のような記録の管理について学べ、新卒での就職口もすぐに見つかるという話に志望して入学した。今でもいくつかの授業を覚えている。「近代文化の遺跡と観光事業としての価値」、「文化コンテンツ事業に寄与する記録管理の価値」、「アンジン伝統文化保存説明会—田植えの過程で歌われる伝統民謡の録音を中心に」、「アンジンパンソリ（「パンソリ」：全羅道を中心に口承で伝えられてきた伝統音楽）記録発表会」、「日本植民地時代の地方独立運動家記録物展示」一方で『ジェーン・エア』を原書で読む授業もあった。世界を束ねる文化コンテンツを創造するため、という触れ込みだったが、単に英文科卒の講師がその講義しかできないからだということを知らない者はいなかった。おまけに他の授業ではコンテンツの創造だとかいって小説や詩を書かされた。まったく正体不明の学科だった。

私はアンジンが本当に嫌いだった。すべての困難を乗り越えて幸せをつかむ『ジェーン・エア』までもが。

もうこれ以上、行き場はない。

また電話が鳴った。今度はメッセージではなく画像だった。

深い霧に覆われた湖の画像だった。高校時代、ダナと私はよく湖に遊びに行った。学校から近かったのだ。教師は万が一の事故をおそれて湖の近くへ行くなとうるさかったが、私たちが耳を貸すはずがない。湖の畔《ほとり》でおしゃべりに花を咲かせている学生としょっちゅう出くわした。女子校だった。あの頃は同じ制服におかっぱ頭でも誰が誰だかすぐに見分けがついた。だが今頭の中で当時をふりかえると、残像の女子高生の顔はすべて同じに思える。私とダナの顔までも。

昔とさして変わらない重たげな霧を見ていたら、ふと恋しさに似た何かが込み上げてきた。

いくらあらがっても、ある種の記憶が堆積していくのを止められなかった。すでに私の一部はアンジンから汲み上げられたドロドロの汚泥に埋まっていた。固まることも乾くこともないままに。

いくら努力しても、思い出を無視することは難しい。

ダナの顔を見がてら、一度アンジンに帰ろうか。

いや。行きたくない。私はまた天を仰いで目を閉じた。少なくともこの状態、こんな有様では戻りたくない。

アンジンに背を向けた時の気持ちを必死に思い出した。どんなに恥ずかしかったか、どんなに怖かったか。自分と不釣り合いな場所にとどまろうと努力するあの感覚を、またあじわいたくはない。だったらソウルは違うのだろうか？ 私は、この街にも歓迎されているとは思えなかった。いったいどうしたら他の人たちのように暮らせるのかわからなかった。みんなが事もなげにしていること、そこそこの会社に就職して、週末には映画や読書を楽しんで、やがて素敵な相手と出会い、デートをし、遠出をし、結婚して子供を産んで。みんな、どうやってそんなことを全部こなしているのだろう。どうやってみんな、そんなにわかりやすく幸せになれるのだろう。私にはっきりしていることはひたすら自己憐憫だけなのに。

帰らない。私は目を開けた。ダナが送ってきた湖の画像を削除した。あったらずっと眺めてしまうだろうし、そうなれば心が弱るから。もうそのくらいはわかる。私は、心が弱くなるとバカなことをしでかす人間だ。だから弱くなってはいけない。

その時またメールが届いた。湖の前でダナと私が一緒に写っている画像だった。二十五歳の頃アンジンに帰省して撮った写真だ。ダナが郵便局の公務員試験に合格した時だった。私とダナはたまたま同じ大学の同じ学科に進んだ。珍しいことではなかった。小さな町だったし、当時それなりに人気のあった新設学科だったから、顔みしりがごろごろいた。だが肝心のダナはあまり大学に来なかった。ほとんどの時間をさまざまなアルバイトに費やして、ちょっとお金ができると旅行に出てしまった。一生そんな感じかと思ったら、突然、世界に送られる郵便物を管理して暮らしたいと公務員試験の準備を始めた。そして二年がかりで合格した。ちょうどその頃の写真だった。私も最初の職場に就職が決まっていた。そのせいか、どちらもリラックスした表情に見えた。今よりずっと若くて、楽しそうで、未来への期待と楽観が滲《にじ》んでいた。そんな季節があった。

そんな季節が訪れるとは夢にも思えない時期もあった。ダナは、私が唯一失敗せずにすんだ関係だ。おかげで別の人ともそういう関係を結べるはずと勇気を持つことができた。だから思えた。アンジンを離れても、ダナのような友達ときっとまた出会えると。

もともとパルヒョンでも私には友達がいなかった。大人の世界と子供の世界は地続きだ。私は両親が建物を借りている大家や管理人、関係者の子供たちとうまく仲良くできなかった。その子たちのほうもわかっていた。自分たちが学校でひどい悪戯をしたり誰かをいじめたところで、特に何か言う者はいないということを。私たちは友達ではあったが対等ではなかった。その子たちはいつでも私を仲間外れにできたし、実際そうした。その子たちが私に親切にするのは善意からだが、私がその子たちに親切にするのはいじめられないため、いい子と思われたくて必死だったからだ。今でも忘れられない子がいる。ソン・ボヨン。

パルヒョン派出所の所長の末娘だった。気分次第で誰かをいじめていた。特にソン・ボヨンは、「チュンジャ婆《ばあ》」の孫娘をしょっちゅう仲間外れにした。

チュンジャ婆は村の雑用を引き受けているおばあさんだった。チュンジャは娘の名前だった。イ・ヨンジャというれっきとした名前があるのに、娘の名前にちなんでそう呼ばれていた。チュンジャは村では知らない者のない不良娘だった。噂はずいぶんあった。十五歳で酒を飲み、村で札付きの男たちと片っ端から寝て、よその村の娘と喧嘩しては警察沙汰を起こし、家からお金を持ち出した。今思えばああいう話はすべて真実だったのだろうか。この世に存在してはならない者を描写するような、容赦ない言葉たち。もちろん、一つだけ明らかな真実があった。チュンジャはある日、妊娠して戻ってきた。子供を産むまでのきっかり四か月。それが、チュンジャが家に落ち着いていた時間だったという。娘を産むとチュンジャはまた家を飛び出した。持病で寝たきりだったチュンジャの父親も同じ頃亡くなった。チュンジャ婆は借金を返し孫娘を育てるため、手あたり次第仕事をしていた。食堂の賄いはもちろん農作業の手伝い、キムジャン（立冬前後に行われるキムチの漬け込み作業）の働き手、村の集会所の掃除もした。賃仕事も厭わなかった。村人はチュンジャ婆を哀れに思い気の毒がった。だが、だからといって彼女を丁重に扱うことはしなかった。

村人にはわかっていた。自分たちがチュンジャ婆に仕事をやらなければ、チュンジャ婆の家は食べてはいけないことを。

ソン・ボヨンにはわかっていた。自分が遊んでやらなければ、誰もチュンジャの娘とは仲良くしないことを。

ある日は優しくする。その翌日は冷たくあしらう。また次の日には優しくする。そうしておいて一か月冷たくする。私は、チュンジャの娘が泣いているのをよく見かけた。一番残酷だったのは、その子に友達を作らせることだった。ソン・ボヨンはときどき、チュンジャの娘が誰かと仲良くしても放っておいた。その上で二人を引き離した。もうチュンジャの娘とは遊んじゃダメ、と言い渡すやり方で。

私はすべてに知らんぷりをしていた。どうせチュンジャ婆の家族にひどい扱いをしているのはソン・ボヨン一人きりではないのだ。何ができただろう。私だってやはりソン・ボヨンに睨まれれば、いついじめられてもおかしくなかった。

私の祖母はチュンジャの娘が通りかかるたび、よく舌打ちをしていた。

「母親に似て面倒を起こすだろうよ」

祖母はいい人だった。心が温かくて優しい人だった。いつだったか、祖母はチュンジャ婆は手がのろいから仕事を頼めないと怒っていた。またいつだったか、チュンジャ婆はのみ込みが悪いとこんなことを口にした。

「チュンジャだって、自分の母親にイラついて家を出ちまったんだろうよ」

それがなぜあんな噂になって広まったのかはわからない。チュンジャが母親に、あんたみたいなつんぼとは暮らせないと悪態をついて出ていったという話が村中をかけめぐった。チュンジャが泣いている赤ん坊を布団の上に放り投げ、母さんと同じ耳の聞こえない子だから好きに育てればと言い放ったという話もあった。ソン・ボヨンはチュンジャの娘を自分の前に立たせて聞いた。

「あんたのおばあちゃんって、つんぼなんだって？」

私はソン・ボヨンの後ろに立っていた。学校に通っているのはソン・ボヨンだけではないのだから、他の子と仲良くすればいいはずだった。だが、それがうまくできなかった。別の友達と仲良くすればソン・ボヨンに妨害されることもあったが、正直、私はソン・ボヨンと遊んでいるほうがよかった。

先生にひいきされている子供。他の子が羨む子供。両親が渋い顔をしない子供。一緒にいると自分までそういう子になった気がした。私はチュンジャの娘にはなりたくなかった。ソン・ボヨンは私の本音に気づいていたのかもしれない。だから、あんなふうに私を自在に操ることができたのだろう。そう考えると、人はすでに幼い頃から、誰かの弱みを握ることは大きな武器になりうると知っているらしい。


「アンジン、来たいでしょ？」

ダナのメッセージがまた届いた。泣かないようにこらえていたら目が赤く燃え立つような気がした。私は返信した。

「ちょっと考える」

「また、何考えるのよ。考えるな」

思わず笑いがもれた。ずいぶん久しぶりに気持ちが一段上向いた。体の奥の深いところが清められる気がした。もしダナと出会っていなければ、自分も誰かに多くのものを与えられる存在だとは永遠に気づけなかっただろう。そう思った瞬間、床に体を引きずられる感覚がよみがえった。私はそうやってイ・ジンソプを信用した。キム・ミヨンを信用した。私はあの人たちが好きだった。

なぜなんだろう。どうしてキム・ミヨンは私にあんなことをしたんだろう。

最初にネットに書き込みをしたあの時も中傷するコメントはあった。彼の気を引こうとしてやっているという人もいたし、誇張だという人もいた。でもそういう言葉にはさほど傷つかなかった。いや、傷つきはしたが耐えられた。彼らは私を知らないから。彼らが私に投げる言葉は真実ではないと、自分自身に言いきかせることができた。私は大丈夫。私はそんな女ではない。だが、キム・ミヨンの書き込みは無視できなかった。

だからだ。

一日中、私はネットに自分の名前を探しまわり、無意味な言葉をかき集める。知らない人の語る物語を読むためではない。私を知る誰かの物語を読むためだ。

そして、それが会社を辞めた理由だった。私は三か月間毎日毎日、ツイッター、フェイスブック、ありとあらゆるSNSやポータルサイトを徘徊して自分の名前を探していた。自分に関する記事やコメントを読みあさった。知りたかった。いったい自分がどんな人にされているか。どんなふうに見られているか。本当に私はどうしようもない人間なのか。だから愛する人に暴力を振るわれ、殺してやるという言葉を吐かれ、まだ仲がいいほうだと思っていた同僚に裏切られるのか。私はどんな人間なのか。どうしてこんなことになったのか。

彼は私を殴った後、必ずセックスをしたがった。ひざまずき涙を流して謝られると、私の心は弱くなった。「オレはこんな人間じゃない。こんなこと一度もなかったんだ」彼が苦しむと余計つらかった。言えなかった。彼がいつもセックスの最中に髪を鷲摑みにしたり、突然鼻と口を塞《ふさ》いで息ができないようにしたりするのが嫌だとは言えなかった。俯《うつぶ》せになれと命じられ、それの間じゅう一度も目を合わさず、痛がっていても無理強いする彼のやり方が私を怯えさせているとは言えなかった。それをレイプだと言えなかったから、その自信がなかったから、彼に何も言えなかった。抵抗しなかったから。嫌だと言っていないから。でもずっと、踏みにじられているという感覚から逃れられなかった。惨めな気分から抜け出せなかった。だから私は赦《ゆる》すことにした。そうすれば気持ちがマシになった。誰かを憎むという重苦しい感情を軽くできるから？　違う。汚らわしくて屈辱的なあの状況を、まだ自分が統制できている気になったからだ。自分の選択であんなおぞましい状況になったと考えれば、自分の選択でいつかは脱することができるだろうと思えた。

たった一度だけ、心のままに行動したことがあった。三回目に殴られた日。そしてこれはレイプだと言い切れないセックスをした日。私は性暴力相談所に電話をした。相談員は私に質問した。見知らぬ相手ですか？　拒絶の意志は示しましたか？　途中で「止めて」というような言葉を伝えましたか？　嫌だと態度で示したことはありますか？

いいえ。

いえ。いえ。いえ。いえ。

　いいえ。

　電話を切り、私は再び赦す時間を持った。だが疑問が膨れ上がっていくのを止められなかった。なぜだろう。愛する人が私に触れようとする時、なんの愛情も感じられないものだろうか。私に何か問題があるのだろうか。知りたかった。知らなければいけなかった。今も同じだ。見知らぬ人が私を罵倒し、見知らぬ人が私に味方するその巨大な声の合間に、私は理由を探し回っていた。

　なんでこうなったのだろう。私は誰なんだろう。みんなが知っているのに私だけがわかっていない理由とはなんなのだろう。

　つまり、私が殴られても仕方のない女である理由は。

　だからアンジンには帰らないつもりだ。私は携帯電話を遠くに放り投げたままにした。パソコンの前に座った。指が先に動いた。読みかけのコメントが再び目に飛び込んできた。

　バカ？　私がバカ？

　そういうのは正しい理由にならない。うんざりだ。

　今度はツイッターをチェックすることにした。自分の名前を入力して検索した。いくつかのツイートがサッと上がった。リアルタイムのツイートより記事のリンクが多かった。ツイッターでも以前に比べると明らかに騒ぎは収まっていた。他の女の話が多かった。私のように恋人から滅茶苦茶に殴られた女たち。私のように別れられなかった女たち。今や私はそういう女たちの一人として記憶されている真っ最中だった。不思議なことだ。あらゆる中傷があふれかえっていた時は平気だったのに、関心が遠のくと自分をつつくどうでもいいコメントに胸をえぐられる。心の薄皮が一枚裂ける。

やっぱり私はたいしたことないんだ。そう。よくある話だ。バカな話だよね。

一瞬、視線が止まった。

妙なツイートが目に入った。ゆっくりとその文章を読む。少しずつ指に震えが来た。

キム・ジナは嘘つきだ。真空掃除機みたいなクソ女。@qw1234

また、胸の中に何かがぎっしりつまる気がする。ぽきん、と折れそうになる。

4　真空掃除機

練習

真空掃除機？　ああ、ハ・ユリ？

あいつ、マジで楽勝だよ。告白すれば全部オッケーだから。完璧、安いのよ。こっちがどんな人間かちゃんと調べもしないで、ただパクッと食いついてきて惚れちゃうんだよね。掃除機みたいに全部吸い込むの。

とりあえずあいつにアプローチする時は、これまでこんな恋をしたことがない、の体《てい》でいく。好きすぎてどうにかなっちゃいそうだとか言う。まるであいつに選択権があるようにふるまう。

絶対楽勝だよ。

何日かするとあいつはパアッて心を開いて、今度こそあたしを愛してくれる真実の男を見つけたわ、とか思っちゃって、目をキラキラさせるから。自己評価の低い女って、練習相手にはマジで最高なの。

そしたら、ヤル。大事なのはそこからね。冷たくするわけ。適度に。どうせあいつと本気でつきあうつもりじゃないだろ？　とはいえあまりひどい捨て方をすると後々面倒ですからねー。何をどう言いふらすかわかんないし。他の女子があいつに構うとは思えないけど、少なくとも情報は共有されるだろうし。オマエ、将来が台無しになるの困るだろ。だったらこうする。なんか俺とは考え方が違うみたいだ、お前が何を考えてるかわかんない、そういう空気をそれとなく出していく。

楽勝だろ。そもそもあいつのことは最初から何とも思ってないんだから。でもって、ずっとイラついてみせる。そっちが悪いって感じで。そっちがなってないから気分が悪い。傷ついた。努力してない。繰り返し強調する。そしてサラッと言う。「お前、俺とつきあうつもりあんの？」そしたらもうオロオロしまくるよ。今度こそ運命の恋を手に入れたと思ったのに、自分のせいでおじゃんになるっていうんで頭がおかしくなりそうになる。絶対選択権は渡すな。オマエが主導権を握って振り回すんだ。嫌ならいつでも別れられるけど、一度は本気で好きになった相手だから誠意は尽くす、みたいなことを言う。もちろん、あいつには恨まれるだろう。問い詰めてくるかもしれない。なんでそんなに変わっちゃったのって。そしたらこう言ってやる。「最初からよく知りもしないでつきあったのはそっちだろ、そっちが俺を好きになってこうなったんだろ?」大事なのは、間違っているのがあいつのほうだと言い続けること。絶対にどんな意見も認めるな。そうすればもっと認められたくて、こっちの機嫌をとるようになる。そのたびにチラッと隙を見せてやるのさ。そっちの態度次第では真実の恋が戻ってくるかもしれないぞって。それで一丁上がりよ。

別れるギリギリまでオマエの好きにできる。望むことは何でもさせてくれる。

さあ、何からやるか?

印象

ハ・ユリ? 誰? 知らないんだけど。同じ学校に通えばみんな知り合いだと思う? えっ? あれがキレイ? すごい軽そうに見えたけど。まあ、キレイといえばキレイだろうね。だからってね。せっかくキレイなのに、顔に似合わないことしてるし。

で、あの子孤児なの? どうりで。だから躾って大事なんだよ。

事件

そうだ。ユリって前に自殺騒ぎを起こしたことなかったっけ? 自殺サイトかなんかに登録して、ビジネスホテルに行って、警察が出動して大騒ぎだったらしいけど。そうだ。新聞にも出てたよ。一発芝居をぶったんだろうな。みんなの気を引きたくてちょっとどうにかなってたんでしょ。

記憶

ユリ。ああ、ユリね。

そうねえ。私の記憶だと、ユリってどこでも人目を気にしてる子だった。自分がいるせいで周りの空気を壊してるんじゃないかって心配して、水一杯注《つ》ぐこともできないような感じだよね。

言われてみたら思い出した。そう。ある飲み会でのことを覚えてる。

新入生歓迎会のすぐ後。同期だけで飲んだ日だったと思う。どうしてそういう話になったかは忘れたけど、うちの、ハハ、そう。そうよ。「ユーラシア文化コンテンツ」なんて妙な学科名でひとくくりにされてたみんなで、もう二十歳だねって言ってるうちに『ジェーン・エア』の話になった（『ジェーン・エア』は主人公の十歳からおよそ十年間の出来事がつづられている）。たぶんあんたはいなかったから知らないんだよ。

国文学科に行ったからってみんな奇亨度《キ・ヒョンド》（八〇年代に活躍し二十代で早逝した韓国の詩人）の詩を読んでるわけじゃないのと同じで、私たちだって『ジェーン・エア』を読んでるはずはなかった。おまけに英文科でもないし。なのに必修の授業でそれを原書で読むらしいって噂があったから。私、『ジェーン・エア』のことはね……。

遥か彼方の島国の荒涼としたヨークシャー地方で、ある孤独な女性によって書かれた本だってぐらいのことは知ってた。主人公は女性で、試練の末に愛する男と結ばれる、すごく美しい物語だってことも。それでみんなで一言ずつ小説について話した。そのうち話題は映画に移った。

　誰が質問したんだったかなあ。とにかく誰かが言った。

「主演女優って誰だったっけ？」

　誰かがフランコ・ゼフィレッリ監督の一九九六年版の映画の話をしてた時だったと思う。ジェーンの少女時代を演じたアンナ・パキンが挑むような目をしてヘレンの隣に歩み出て、一緒に自分の髪も切ってくれって頭をパッと下げる、あの映画のこと。うん。あの映画がすごく好きだったんだよね。

　病弱なヘレンの脇で凛とした表情をしてたジェーンが、成長したら痩せてひょろっとした女優になってて似合わないって声もあったけど、私は好きだった。ヘレンが死んでからずっと寂しく過ごしてきたジェーンなら、いくらでもそんなふうに変わったと思う。何か言う前に、ためらいでいっぱいの顔でロチェスターを見つめるところもよかったし、自信なさげに周囲を見回した後で肩をすくめる仕草も好きだった。

　映画についてはそれなりに覚えていたけど、その場ではあえて言わなかった。注目されるのが嫌だったから。わかるでしょ。自分が好きなことをぺらぺら話したところで意味ないし。アイツは知ったかぶりが好きだ。それか、ちょっとマニアックだ。そんなふうにみられるしね。それにそのくらいは誰でも知ってると思った。

　ところが、突然隣で誰かが叫んだんだ。

「シャルロット・ゲンズブールよぉ！」

すごくびっくりした。本当に大きな声だったから。耳がわんわんした。それがユリだった。

あの映画は本当にだーい好きとか、うれしすぎるーとか、大声で騒ぎ立ててた。

その時変な子だと思ったか？

ユリってちょっときれいだよね？　覚えてる？　色が白くて目が人形みたいに大きくて、長いストレートの髪を腰まで伸ばして。店に入ってきた時から男子の目がユリに釘付けになるのがわかった。でもいざ喋りだすと、男子が妙な目つきに変わるんだよ。それもそうかなって思ったのは、大声を出してる時のユリって、あんまりきれいじゃないんだ。顔を真っ赤にして鼻をひくひくさせて。話している間じゅう両手を振り回してるから、多動気味なのかなって思った。何より一番見てられなかったのはアレだよね。

あたし、その映画知ってるう！　知ってるってば！　だからねえ、あたしに聞いて！　あたしの話を聞いてよ！　そんな感じ。今ならあれがどういう状態か説明できる気がする。

ユリはあんまり寂しすぎて、声をかけられれば誰にでも惚れちゃう感じだった。

重かったんだよ。

あの時ユリに返事をしたのが、ジナじゃなかったかな？

そう、ジナだ。

ジナがユリに、自分もその映画は好きで何度か見てるって答えた。私の見た感じでは、あんまりユリがうるさいから適当に返事して黙らせるつもりだったようだけど、ユリはそのジナにパクッと食いついたんだよね。なんて言ったと思う？　ホントおかしくて、今でも覚えてるよ。

ユリはこう言った。

「やっぱり！　ここに来たら友達に出会える気がしてた！」

あの時のキム・ジナの顔は見ものだったよ。なんでって？　超恥ずかしい言われ方でしょ。映画の台詞をそのまま言ってるのかと思った。周りを意識してずっと自分を演出してるんだけど、それって笑えない？　ありえなくない？　おまけにユリはそれで止まらなくて、さらにジナに近づいて、映画のＤＶＤを持ってるから明日うちで一緒に見ようって言うし。

そのことを覚えてるのは、ジナのこともかなり印象に残ってるからなんだ。あの時ジナがユリにうんざりしてるのは見え見えだったから。いや、どうかな。これは自分がジナに感じたことも混ざってるから、ちょっと客観的な記憶じゃないかも。あんたは聞いてていい気がしないかもしれないけど、ジナって好きになれなかったんだよね。傲慢だと思ってた。成績であの大学を選んだのはジナだけじゃないのに、毎日陰気な顔して現れて、他の子を無視する感じで。なんか、私はここにいるような人間じゃないって態度を出しすぎだと思った。なんで自分がどんな気分かを周りのみんなに見せつけるんだろう。何様？　正直言って、ジナはユリに自分と似たものを感じたからああいう反応をしたんだと思ってる。頑張って新入生歓迎会に来たらユリみたいな子が隣にいるわけでしょ。嫌だったんだろうな。それに自分の正体までバレるような気がして怖かったんだと思う。気を悪くしないでよ。当時そう思ったってだけだから。とにかく、あの時のジナの返事は今でも覚えてる。二度と話しかけるなって顔で、冷たくユリを睨みつけてこう言った。

「明日は、自分の友達と約束してるから」

自分の友達って、ねえ。すごい冷たいと思った。あの時は嘘だと思ったけど、後で聞いたらダナ、あんたのことだったらしい。こっちがそう思ったってだけの話で、全部当たってるかはわからないよ。自分のことだってよくわからないんだから。でもまあ、ユリがジナを気に入ったことは間違いなかったと思う。授業のたびにジナの隣に座って、食事の時についていくのを何度か見かけたから。ジナはうんざりしてた。ひどいとは思ったけど、どうしようもないよね。助け船を出したらユリ、こっちにきちゃうから。それに耐えられる自信はなかった。

ユリって重い子だったし、いろいろ噂もあったしね。

ユリとどれくらいで寝られるかって賭けもあった。そう、そうだよ。どれだけ時間をかけるかの賭けじゃないよね。当然、どれだけ早くあの子の上に乗っかれるかの賭けだった。本当に虫唾が走る。

でもさ。私、そういう噂は卑怯な男子の間だけで広まってるんだと思ってたんだ。卑怯な話って、それだけ卑怯な奴から始まるもんだから。相手の弱みを見つけて、何とか利用しようとしか考えない人間。男女の関係をセックスだけに照準合わせて、共感とか癒しとかの心のかよい合いは無視する変態だけの話だって。ところが後でわかったんだけど、平凡でおとなしそうな男子までユリを簡単に寝られる女だと思ってたのよ。

ヒョンギュ先輩、覚えてる？　同じ学年の男子から聞いたんだけど、あの立派な彼でさえ、ユリを安い女だと思ってたらしい。そりゃヒョンギュ先輩だって男だよ。並みの男よりちょっと礼儀正しいってだけ。単に私がイメージしてた変態みたいに好き勝手しないだけで、実際はユリを、みんながそんなふうに思っていた。

まだ自分が手を出してないだけで、その気になればいつでも寝られる女だと思うんだよ。あんまり寂しがり屋で弱いから、いつでも服を脱がせられる女。

なんなんだろう。好きになる女と簡単に寝られる女を区別する基準って。

弱いこと？　寂しいってこと？

弱みって、どうして保護されるんじゃなくて、攻撃されたり利用されたりの対象になるんだろう。

ユリを尻軽だって嘲って決めつけてた男子は、あいつは男とみればメロメロなんだって言ってた。でも、違うと思う。

思うんだけど、ユリって、人だったら誰にでもほだされちゃう子だったんだよ。

事実

ユリは二十一歳の時交通事故で亡くなった。冬だった。

5　ジナ

「パッと見ただけでも適当に作ったアカウントだよ。ジナの話が騒がれてるのを見て、思いつきで適当に書き込んだんだって」

ダナが私をなだめた。だが私は気が治まらず、受話器の向こうに声を張り上げた。

「だったらこれが何の意味もない言葉だと思う？　真空掃除機が？」

ダナが溜息をついた。

「他の友達にも聞いてみたんだってば。そういう言い方をしてたのはあの頃変態扱いされてたヤツらだけだった。それに、当時そう呼ばれてた女子がハ・ユリだけだったと思う？　ものすごく一杯いたんだよ」

「まあ、そうかもね。私だってそう呼ばれてたかも」

言い捨てると余計悔しさが募った。私が真空掃除機？　私があの子と同じ？

いや。落ちつけ。ダナの言うことは間違いではなかった。幼稚でふざけたあだ名だ。なのに妙にこの言葉が胸に刺さるのは、真空掃除機と呼ばれていたユリを覚えているからだろう。あの子がどんなふうに扱われていたか、あの子についてどんな言葉が投げ交わされていたか、私ははっきりと覚えている。私が嘘つき？　死んだ子まで引っ張り出してそこまで言う理由は何なのか。全身が熱くなった。この書きこみの主は明らかに私を知っている。間違いない。十二年前の私を。それと二十一歳のキム・ジナを。ユリを、知っている人間だ。

私をあの頃の記憶に引きずりこんで侮辱しているのだ。なぜなら当時、ユリはユ文科の真空掃除機で、私はユ文科の嘘つきだったから。

ダナが淡々とした声で言った。「ジナ、あんたは嘘つきじゃない」

喉が塞がるようだった。でもダナは知らない。あの時ダナは私の隣にいなかった。一学期のあいだずっとアルバイトだ、旅行だと言って学校に来ず、夏休みにはそもそもアンジンから出て行ってしまった。世界旅行へ。なんと、一年ものあいだ。

原因は男だった。ダナは十七歳の時、妊娠したことがあった。あの時ダナの恋人は、ふたりが愛し合ってできた子だから産んで育てようと切々と語ったが、実際は金がなかったからそう言っていただけだった。言った本人も不安で仕方なかったらしく、ダナと会うたび間違いなく妊娠なのかと確かめ、その次に本当に自分の子なのかと言い出した。そして最終的にはダナが信じられないと言った。もう愛し合っていないのに子供を産む必要があるかと言った。

クソ野郎。いっそ最初から嫌だと言えばいいものを。恰好はつけたい、かといって責任は取りたくない。子供は男と女で一緒に作るものなのに、実際に腹が迫り出すのは女のほうだ。

あの野郎は疑わしいだのミスだっただのありとあらゆる口実を並べてその状況から逃げ出すことができたが、ダナはそうはいかなかった。親にも相談できなかった。不思議なことだ。自分を生んでくれた人たちなのに、一番重要な問題は決して言えない。

ダナの両親は中絶に反対する敬虔なカトリック信者であり、厳格な公務員だった。ダナは、両親に知られるぐらいならいっそ死んだほうがマシだと考えていた。私たちは女の子だった。してもいいことよりしてはならないことを多く教えられる女の子。「よし」という言葉より「ダメ」という言葉を多く聞かされて育った女の子。ダナは最後まで両親に隠し通した。

だから、イ・ジンソプのことを誰にも言えずにもがき苦しんでいる私を、ダナはすぐに理解してくれた。彼女は私にこう言った。そういうこともあるよと。そういう気持ちになって当然だよと。

こんな状況が、理解できるだなんて。

理解できてしまう出来事が、周りでしじゅう起きているだなんて。

そのクソ野郎が姿を消したあと、私は中学から貯めていた貯金を引き出してダナと落ち合った。病院は人づてに紹介してもらった。私たちは病院に入ってから出てくる時まで、ずっと手をつないでいた。私はそれでダナの問題は済んだものとばかり思っていた。傷つきはしたが、うまく乗り越えるのだろうと。

あの日から世界旅行に出発する直前まで、毎日「死んだ子」宛ての手紙を書いていたと聞かされるまではそう思っていた。

「平気な人もたくさんいるってわかってても、ダメなんだよね。なんで私ってこうウジウジしてるんだろう。どうして過去にずっと縛られてるんだろう」

旅行に出る前日、手紙を書き続けていたことを打ち明けながらダナはそう言った。申し訳なさや罪悪感、自責の念を、ありとあらゆる形で手紙に吐き出していたと言った。だから旅行に出るのだと言った。これ以上耐えられないから。おそらくは私のせいもあったと思う。私はすべてを知っている人間だったし、記憶の中に一緒に存在していたから。そして戻ってきたダナは完全に変わっていた。私はダナが本当に恋をしていたのだと気がついた。彼女を愛おしみ、心から大切にする相手と、互いのすべてを捧げあえるはずだった恋。古い写真が色褪せていくように、愛がゆっくり消えていくその経験まで。

一方私はといえばメチャクチャだった。成績がふるわなくて奨学金をもらえずに両親をまた落胆させ、ヒョンギュ先輩の恋人とこじれて良くない噂まで広まっていた。ヤン・スジン。あの子には心底苦しめられた。そういう嫌なことだらけだった。せっぱつまって寄りかかれる相手を求め、たまたま同学年だったキム・ドンヒという男とつきあったが、あまりにも中途半端な恋愛で四か月で自然消滅した。そのくせリュ・ヒョンギュ先輩を一目見たくて飲み会には相変わらず参加していた。状況を打開するために思いついた方法がソウルの大学への編入だった。アンジンにはうんざりだと。おさらばだと。問題があるのはこの場所で、私ではないのだと。

ダナが戻った頃の私はそんな状態だった。それでもダナは私の唯一の友達で、多くを相談できる相手だった。私はダナが戻ってきてうれしかった。でもすべては打ち明けられなかった。

私はようやく声をしぼり出した。

「ダナは知らないんだよ。あれは私のことなの。あんたにはわからない。あの頃アンジンにいなかったでしょ。それに、なんで真空掃除機を持ち出すの？　今になってユリにそんな真似していいと思う？　どうして人が人に、そこまでできるのよ？」

言葉にすると、実際に我慢できないほどの怒りがわいてきた。そうだ、どうして人が人に、そこまでできるのか。どうして私に、そこまでするのか。

私にそこまでできる人は誰だろう。私を憎んで、嘲って、あくまで嫌うであろう人。

私の不幸を率先して喜ぶ人。

私を決して赦すはずのない人。

見覚えのある顔がひとつ、瞼に浮かんだ。その時ダナが言った。

「うーんと、あの時ジナがつきあってた彼、いるでしょ」

「キム・ドンヒ？」

「うん。あの人じゃないの？」

「それはない」

私は即答した。ドンヒのはずがなかった。確信があった。痩せすぎて、握られた手が錐で突かれるようだった男。ドンヒはデートの時間の大半を大学への不満や予備役（兵役後の八年間、年に数回召集され、数日間の再訓練を行う服務）の先輩の悪口に費やしていた。リュ・ヒョンギュ先輩のこともどこか胡散臭いと嫌っていた。だが私にはリュ・ヒョンギュ先輩に嫉妬しているように見えた。ドンヒは学科を主導する立場になりたがっていたし、重要な人物と認められたがっていた。彼に好かれているという気持ちも、彼を好きだという気持ちも一切感じられない男だった。いつだったか、ダナからなぜキム・ドンヒとつきあうことになったのかと聞かれたことがあった。答えられなかった。たまたま、たまたまこうなったの。そう返した。妙な答えだったが事実だった。キム・ドンヒにとっても私は大して意味のない人間だったろう。それに、ドンヒは何か言いたいことがあれば表に出て注目を浴びることを選ぶはずで、こんな幼稚な言葉遊びはしない。

何よりこういう真似をしそうな人がひとり、すでに私の頭の中に浮かんでいた。

「ないね」私はもう一度きっぱり言った。

「ドンヒとは、こんな言われ方をするようなことも特になかったし」

「そうだっけ?」ダナが不思議そうに聞き返した。「でもドンヒと、最初の頃なんか揉めてたよね?」

パズルのピースがはまったような気分になって鳥肌が立った。ダナの言葉は正しかった。私とドンヒには確かに一悶着あった。だが、そもそものきっかけはやっぱりあの子だ。彼女のせいだった。

張り気味のエラに神経質そうな口元。私を睨みつける険しい瞳。私をあくまでも嫌い、憎む人。彼女のせいで私は誰にも信じてもらえなくなった。

そう。みんなが私を嘘つきだと思うようになった事件。

ヤン・スジン。

私はダナに聞いた。「ヤン・スジンって覚えてる?」

「ヤン・スジン？　ああ、リュ・ヒョンギュ？　うん。覚えてるよ」

ダナはしばらく黙り込んだ。そしてゆっくりと聞き返してきた。

「ジナ、さっきのあれ、ヤン・スジンが書きこんだと思ってるの？」

信じられないという口ぶりだった。ダナは何も知らない。アンジン大学を去るまでに、私がどれほどヤン・スジンに痛めつけられたか。本当に私は、ダナにすべてを打ち明けてはいなかったから。

どうせアンジンを出る予定だった。ダナが戻って来た時、私は未来のことばかり話していた。計画、夢。絶対に顧りみられないさまざまな失敗。

だから、いまだにダナは、ヤン・スジンと私の間に多少の行き違いがあったくらいにしか思っていない。私がリュ・ヒョンギュ先輩を好きだったことがバレて、ヤン・スジンとその友人たちの手前、少し気まずい思いをしたと。

ほんの、少し。

ダナが慎重な口ぶりで言った。

「まさか、あのことが原因で今もそんな真似をすると思ってるの？」

返事はしなかった。私のほうが知りたかった。まさか本当にヤン・スジンなのか。あの子は今まで恨んでいたのだろうか。もちろんヤン・スジンがいまだに私を恨んでいてもおかしくない。私もやっぱりヤン・スジンが憎いから。それに、真空掃除機。私は、ヤン・スジンがユリを眺める表情を目撃したことがあった。軽蔑しきった眼差しだった。そう、理解できなかったんだろうね。疎ましかったんでしょ。

だが、だとしても死者まで引っ張り出して私を非難しなければならなかったのか。知らなければならない。私は思った。この書き込みは誰のものか、そして私になぜこんなことを言うのか、知りたかった。万が一本当にヤン・スジンなら、こっちにも言いたいことはあった。あのことがあってから十二年ほど経っている。あのことについて、私にもやはり言い分があった。そして、もしヤン・スジンが書きこみの主でないのなら、少なくともこの煮え立つような怒りの感情ぐらい鎮められるはずだった。どうせダメでもともとだ。私はダナに、ヤン・スジンの連絡先を調べてほしいと頼んだ。


アンジンの雨の日を思い出す。重たげな霧の立ち込める湖。草の青臭さが震えていた霧の中。何もできないから、本当に何もしなかった時間。

記憶はふやけた皮のようにめくれ上がっている。潰れた熟柿のように饐えたにおいを漂わせている。

あの時、私は何をすべきだったのだろう。どうするべきだったのだろう。

大昔、祖母はチュンジャの娘を見かけるたびにこう言っていた。

「母親に似て面倒を起こすだろうよ」

もう祖母はそんなことを言えないだろう。だが祖母は間違ってはいなかった。

ヤン・スジンはチュンジャの娘だった。


翌日、ダナがヤン・スジンの連絡先を送ってくれた。もう一度だけ考えてから連絡して、とメッセージが残っていた。私に余計な失敗をさせたくないと言っていた。
でもね、ダナ。失敗はあの頃、もうさんざんしてるの。

ユーラシア文化コンテンツ学科は新設学科だったから上の学年がいるはずはなかったが、大学側が複数専攻や転科をかなり勧めていたため、よその学科から移ってきた人もいた。そのうちの一人がヒョンギュ先輩だった。彼は軍隊を除隊して復学すると、すぐに英文科からユ文科へと専攻を変えた。後で知ったが、ヒョンギュ先輩は文化コンテンツ学科ができると知って入学を決めた人だった。噂によれば彼はアンジン大学のレベルをはるかに上回る成績で入学したらしい。アンジン新聞社を経営する一族の末息子だからそうなんだろうと思った。地域で様々な文化事業がさかんに行われていた時期だった。先輩の一家にはアンジンでの基盤を確かなものにしたいという思惑があったらしい。

ヒョンギュ先輩が勉強している姿はほとんど見たことがなかった。産学連携プロジェクトでアルバイトをしたり、教授、あるいは大学の役員と会食したり、総長室で勤労奨学生（学内で補助業務をし、奨学金として手当を受け取る学生）として仕事をしたりしていた。卒業後はアンジン大学のロースクールに進み弁護士になった。数学の公式の解のように完璧に計算された進路だった。だが、先輩がどんな人間か知っていれば、それをありがちなコースとは思わないだろう。彼は親切で、正義感が強くて、完璧な男だった。法律家の道を進んで正しいことを口にしている姿がとてもお似合いだった。ヒョンギュ先輩がヒーローみたいな人だったから、当然ヤン・スジンはヒロインだった。

ヤン・スジンは講義室の後ろの席に陣取り、他の女子の外見について品評会をしていた。あの子は頭が大きすぎる、足が短い、猫背だ。あの子、最初に会った時は可愛いと思ったけど見慣れたらイマイチだね。えっ？　あの子が可愛い？　やだあ、あれは可愛いっていうには中途半端でしょ。顔が残念賞だよ。みんな、もうちょっと自分をわかって服着てくれないかなあ。そこには当然私も入っていたしユリもいた。非常勤講師のイ・ガンヒョンも嘲笑の的だった。『ジェーン・エア』を原書で読む授業をしていたのがまさに彼女だ。男みたいな名前だったから今でも記憶に残っている。胃が悪いのか少し口臭があり、ヤン・スジンはそれをからかいのタネにしていた。止める者はほとんどいなかった。ヤン・スジンは中傷をしてもさして問題にならない相手だけを選んでいたから。ユリのように。

イ・ガンヒョンはおそろしく講義が下手な年配の女性講師だった。それでいて授業のテキストは必ず原書だった。『ジェーン・エア』や『マルバニー一家』、『心は孤独な狩人』などの英米小説を読ませ続けた。講師の器ではないのに指導教授に取り入って、ずっと必修授業を割り当ててもらっているという噂もあった。何を考えているのかさっぱりわからない上に、ときどき私たちのことを蔑むような目で見ていた。

あの頃ヤン・スジンは、自分が絶対にイ・ガンヒョンのような女にはならないという自信があったからあんなことを言っていたのだろう。いい歳なのに実力はなく、どう世渡りするかしか頭にない女。その彼女がいまやユ文科の准教授だ。

当時は誰もそうなるとは夢にも思わない、それこそイタい女だった。ヤン・スジンは彼女の口臭をかぎたくないと後ろの席に座っては悪口を並べ立てていた。いつだったか、一度授業の途中でそのまま出て行ってしまったこともある。『マルバニー一家』を読んでいた日だった。イ・ガンヒョンの英語の発音がひどくてみんな笑いをこらえていた。ヤン・スジンは、これ以上聴いていられないというように講義室を後にした。イ・ガンヒョンがプライドを傷つけられたような顔をしてヤン・スジンが去った席を睨みつけていた。ヤン・スジンは意に介していなかった。

だが、ヒョンギュ先輩があれほど優しい娘《こ》とは会ったことがないと触れ回っていたところを見ると、恋人の前では決して本性を現さなかったらしい。噂によればヤン・スジンは先輩を誘惑するため、ありとあらゆる手を使ったそうだ。いつもミニスカートの恰好で現れるとか、お酒を飲みながら急に胸へしなだれかかるとか、理由を作っていつも寮まで送らせるとかいうやり方で。要するにウブな先輩をヤン・スジンがあの手この手すべて使って落としたというわけだった。同情はわかなかった。完璧なヒョンギュ先輩も女を見る目はないらしい。そう思ったのは私一人ではなかったのだろう。先輩に告白している女子を毎日のように見かけた。つまりは彼女たちもヤン・スジンを侮っていたのだ。だがヒョンギュ先輩はなびかなかった。先輩はヤン・スジンが卒業するのを待って結婚した。彼女は今、大学街で大きなカフェをやっている。一等地だ。

先輩を最後に見かけた日のことを覚えている。日付も頭に残っている。二年生の年末、十二月八日。実を言うと、私がその飲み会に出向いたことをみんなは知らない。場所は大学街のサムギョプサル屋だったが、私は店の中に入らなかった。近くまで行っただけだった。

私はただただヒョンギュ先輩に会いたくてそこへ出かけた。彼に別れの挨拶がしたかった。サムギョプサル屋は暗い路地の真ん中あたりにあったが、店から漏れる光で通りは明るく照らされていた。私の立っていた場所だけが暗かったおぼえがある。

　曲がりくねった路地を抜けるなり賑やかな人の声がして、店内にいるみんなの姿が見えた。ヒョンギュ先輩は立っていた。先輩が科の代表をしていた学期だった。最後の挨拶を兼ねてみんなに何か挨拶をしていたらしい。隣にはヤン・スジンが座っていた。さらにその隣にはヤン・スジンの仲良しの女子が並んで腰を下ろし、向かい側には別の先輩や後輩がずらりと並んでいた。ヒョンギュ先輩と親しい人間ばかりだった。店に入れば、先輩からかなり離れた隅のほうに座ることになりそうだった。今に始まったことではなかった。私はいつも無理矢理そういう場所に居場所を見つけて、遠くに立つヒョンギュ先輩を盗み見していたのだから。

　店のそばの電信柱の脇で彼らをうかがった。私は自分の手に入らないもの、自分のものでないものを手に入れたがっていた。それが叶わなかったから、陰に隠れて自分を責めるだけだった。なんでここに来たんだろう。もうここを去るつもりだと伝えるために？　うちよりいい大学に行くと？　ソウルに行くと？　つまり、あなたが気づかなかった私の真価に、今からでもいいから気がついてくれと？　だが私にはわかっていた。先輩は何の興味も持たないだろう。彼にとって私は存在していないのと一緒だから。彼は私のことなど、何も知りたくないだろうから。本当にバカな真似だった。店の中には、私を羨んだり、名残惜しいと思ってくれるような人は誰もいなかった。あの人たちはあの中で幸せを感じ、楽しんでいた。私は単に同じ大学にいてある日忽然と姿を消す一学生に過ぎなかった。私は、ヒョンギュ先輩と彼をとりまく人々をしばらく眺めた後で家に帰った。

　それが最後だった。

ときどき思う。あのことがなかったら、私はあの大学に通い続けていただろうか。今とは別の人生を生きることになっただろうか。

かわいいスジン。いい子のスジン。真面目なスジン。

何があった？　どんなことをしでかした？


最初は、ヤン・スジンと自分が同じ大学に進学したことが少しショックだった。パルヒョンにいた頃のヤン・スジンの成績は私の半分にも届かなかったのだ。ところがアンジンでは誰もヤン・スジンをチュンジャの娘と呼ばなかったし、あの子は母親に似るだろうとも言わなかった。信じられなかった。大学生になって再会したヤン・スジンは私より優秀だった。この子と同じ大学に来るなんて、そしてすべての面で逆転されるなんて。私は一学期で成績が下位に転落してからは親にはあまり電話をせず、パルヒョンにも帰省しなかった。行けばヤン・スジンの話題でもちきりだったからだ。あの子がまさか国立大学に入るとはね。奨学金をもらったそうだよ。合間にアルバイトをして、婆さんに小遣いを仕送ってるってさ。もう誰もあの子をチュンジャの娘とは呼ばなかった。かわいいスジン。いい子のスジン。真面目なスジン。いやあ、スジンは孝行娘だ、孝行娘。

私はひとり図書館で音楽を聴いたり、人の少ない時を見計らって早朝や深夜の映画を見に行ったりした。学科のイベントでも隅のほうに座り、無関心を装って袖口をいじっていた。

だが目ではヤン・スジンを追っていた。あの子の笑顔、余裕、友人たち。ヤン・スジンを見ていると自分が何を欲しているか知ることができた。愛する人に出会い、温かい承認を受け、素朴な日常に幸せを感じること。

そんな一年生の秋。同学年数人が集まった席でヤン・スジンがヒョンギュ先輩とつきあい始めたと聞かされて、私はどうにかしてしまった。

チュンジャの娘が。まさか、チュンジャの娘が？

そして。私はしでかした。

おやまあ、スジンの彼氏はそんなに金持ちの息子なのかい？　いやあ、スジンが成功するってことはこの村のみんなが知ってたさ。

私は同学年のその子たちに言った。

「リュ・ヒョンギュ先輩と？　やだあ、違うって。ヤン・スジンはキム・ドンヒとつきあってるんだもん。二人が高速バスターミナルの近くのカフェで会ってるところ、私、見たよ」

嘘ではなかった。夏休み、私はヤン・スジンとキム・ドンヒを目撃していた。一学期ぶりにパルヒョンに帰省して戻ってきたところだった。それまでキム・ドンヒとこれといって話をしたことはなかったが、彼が誰かは知っていた。ドンヒは身長が一八九センチで、ヒョンギュ先輩より二センチ高かった。どういう人物かわかるほど話したことはなくても、その目立つ長身でドンヒのことを覚えていた。うちの学科で背が高い男を探そうとすればキム・ドンヒかリュ・ヒョンギュの二人だった。

真夏で、猛暑注意報が出ていた。バスから降りた途端、日差しが頭のてっぺんに降り注いだ。

視界がかすんで息が苦しくなった。歩いている間じゅう、額から汗のしずくが滴り落ちて目元を濡らした。早く寮に帰ってエアコンの風に当たりたかった。私は横断歩道に立つと溜息をついた。自分の吐いた息で火傷しそうだった。

道を挟んで向こうの橋沿いに三メートルほど下ると、大学行きのバス停があった。つまり、横断歩道を渡ってもすぐにバスに乗れるわけではなかった。そのバス停は本数が少なく、運が悪ければ三十分近く待たされるかもしれなかった。そこまで考えて私はげんなりした。本でいっぱいのバッグはこの上なく重く、空気はうっすら埃じみていた。私は少し首を傾けながら信号が変わるのを待っていた。首を回した時、右手に見覚えのある顔が見えた。キム・ドンヒだった。体格でわかった。カフェの前で携帯を覗いているところをみると、誰かを待っているらしい。なぜ中に入らずに外に立ってるんだろう?

そう思った時信号が変わった。急いで渡った。横断歩道を渡りきってもう一度振り返った。キム・ドンヒはいなかった。かわりに、カフェの前にはヤン・スジンが立っていた。

〈なにこれ〉ふと思った。

〈もしかして二人はつきあうことにしたの?〉

数秒ほど、その通りでヤン・スジンを眺めた。真夏に黒い服を着て髪を一本に結んでいたが、暑苦しいどころかひどく寒々しかった。ほんの数歩で渡り終わるぐらい短い横断歩道だったから、ヤン・スジンの表情はよく見えた。顔が歪んでいた。何かに困っているようだった。実際は私がそう思っただけで、あの暑さならそんな表情になってもおかしくなかった。なのに私はそう思いたがった。ヤン・スジンに何か不幸が起きたのだろうと。その時、カフェの大きな窓ガラス越しにキム・ドンヒが飲み物に口をつけるのが見えた。ヤン・スジンがカフェの店内に入っていく姿も。そこまで見て私は顔を前に戻した。橋を下ってバスを待った。

〈二人はつきあってるの？　そうみたい。秘密にしてるのかな。かもね〉

私は手の甲で首筋の汗をぬぐった。雨が降ったらいいのにと思った。

誰にもその話はしなかった。二人は噂になることを恐れ、大学から遠く離れた場所で会っているのだろうと推測した。彼らから何か頼まれたわけでもないのに、私は勝手に口を噤んだ。いい気分だった。ヤン・スジンの秘密を守っていることで、自分が彼女よりマシな人間になった気がした。

その相手がドンヒではなく、ヒョンギュ先輩だと聞かされるまでは。

ヤン・スジンのはずがない。畏れ多くもあんな相手とつきあうはずはない。本気でそう思った。私が手に入れられないものをヤン・スジンが手に入れたはずがない。あれは絶対あの子のものじゃない。だから、これは嘘じゃない。

私は言ってしまった。リュ・ヒョンギュじゃなくキム・ドンヒだよ、と。私、見たの。

噂は広まった。大昔、チュンジャ婆はのみこみが悪いと言った祖母の言葉が、チュンジャ婆はつんぼだという噂になったように。

どんな話が広まったんだっけ。あの言葉はどんなふうに広がったんだっけ。

ヤン・スジンは、リュ・ヒョンギュではなくキム・ドンヒとつきあっている。

ヤン・スジンは、リュ・ヒョンギュとキム・ドンヒという二人の男に二股をかけている。

ヤン・スジンとキム・ドンヒは、体だけの関係だ。

ヤン・スジンは、ヒョンギュ先輩を利用している。

噂は私に戻ってきて、みんなから聞かれるようになった。彼らは確かめたがっていた。何が本当か、私がどうやってその真実を入手したか。私は戸惑い、途方に暮れた。やがてヤン・スジンがやってきた。

祖母がいい加減なことを言った時、チュンジャ婆は黙っていた。だがヤン・スジンは違った。怒りでいっぱいの顔でやってきて私を問いつめた。ほぼ四年ぶりの会話だった。

「私を、どこで見たっていうの？」

いつ、どこで。私、その時何してた？　本当に私だった？　キム・ドンヒと？　私は何をしてた？　キム・ドンヒと立っていた？　それともどこかに座ってた？　抱き合ってた？　食事してた？　手をつないでた？　名前を呼び合ってるのを聞いた？　それともあんたを見て親しげな顔でもした？　どう見えたの？　見たんでしょ？　何を見たのよ？　あんたが見たのって何？　教えてってば。噂を広めるのはあんたの家の得意技でしょ。言いなさいよ。いつ、どこで、私が何をどんなふうにしていたか、言ってみなさいよ。

私は質問に正確に答えられなかった。すでに一つ前の季節の出来事だった。はじめのうちは「確かにあんただった」と答えた。だが質問が続くにつれ、もともとかすかだった自信が完全に消えてしまった。私は「なんとなくあんたみたいな気がした」と言った。後のほうになると「ごめん。あんただと思った」という答えになった。会って挨拶を交わしたわけでもなければ、すぐ目の前で顔をつきあわせたわけでもない。遠くから「あ、キム・ドンヒだ。それにヤン・スジンだ」と思っただけだったから。

それでも最後に残った中途半端な確信にすがってなんとか持ちこたえていた時、ヤン・スジン越しに、こちらへ近づいてくるヒョンギュ先輩の姿が見えた。その瞬間、自分が何をしでかしたかはっきり自覚した。ようやくわかった。私はヤン・スジンにだけミスを犯したわけではない。ヒョンギュ先輩にもひどく失礼な真似をしたのだ。

私は大急ぎで背を向け、そのまま歩き出した。後ろでヤン・スジンが私の名前を呼んだ。私は急ぎ足になった。その場から逃げ出したかった。次の瞬間、後ろから強い力でバッグを引っ張られた。振り向くとヤン・スジンの冷たい表情が目に飛び込んできた。

「なんのつもりよ？　ふざけてるの？」

私は急用を思い出したと言い訳をした。先輩はヤン・スジンのすぐそばまで来ていた。どうにかなりそうだった。なんとかして消えてしまいたかった。一度もまともに話したことのないあの人に、私はなんということをしでかしたんだろう。もうあの人には嫌われているはずだ。最低のヤツと記憶されているはずだ。それしか頭になかった。私は顔が火照るのを感じながらキョロキョロとあたりを見回して逃げ場を探した。ヤン・スジンと目があった。ヤン・スジンは私を見ていた。全部わかったという表情で。やっと理解できたという表情で。

「あんた」ヤン・スジンが言った。「ひょっとして、わざとああいうことを言いふらしたんだ？」

違う。

それは違う。

「あの人のせいで？」

ヤン・スジンがヒョンギュ先輩を指さしてもう一度聞いた。落ち着いた声だった。少し震えているようでもあった。私が憎くて。腹が立って。そして我慢できなくて。わからない。今となっては多くのことが曖昧だ。あの瞬間、私は悲しくつらかった。ひたすら恥ずかしかった。あの場で説明すべきだったとは思う。違うと。そうじゃないと。だが、何がそうじゃないのだろう。いったい何が。私はチュンジャの娘相手に延々と言い訳をしたくなかった。私はヤン・スジンから顔を背け、急ぎ足でその場を立ち去った。ヤン・スジンは追ってこなかった。

そうやって、私は「嘘つき」になった。

私は、後ろの席のヤン・スジンから最も悪口を言われる女子になった。デマを流す嘘つき。身の程知らずの女。ヒョンギュ先輩を追いかけまわす女でもあった。そして。それと。私は……な女だった。私はどんな人間にもなりえたし、すでにそうなっていたし、これからもなんだって、いくらだって、することになっていた。

そういうことを怖ろしいと感じない人がいたら、首を絞めてしまうだろう。

十二年前の出来事だ。なのに、今ごろなぜ。嘘つき？　私があいかわらず嘘つきだと？

これ以上考える必要はない。私は携帯を手にとった。番号を押し耳にあてた。呼び出し音が聞こえてくるなり、長い間抑えこんできた言葉が舌の下まで這い上ってきた。

私は嘘つきじゃない。

それにユリは死んでいる。誰にもちゃんと記憶されることなく、永遠に真空掃除機にされたままで。ありえない。こんなのは正しくない。そういう扱いを受けていい人などいない。

呼び出し音がとぎれた。

「もしもし？」

ヤン・スジンの声だった。尖っていて自信に満ちた声。私はすぐにわかった。どうしてあんたの声が忘れられるだろう。スジン。唾を飲みこんだ。もう怖くなかった。あの時ヤン・スジンはこの声で私に言った。誰かのデマを流すほどバカなことってないと。バレると思わなかったんでしょ？　だよね。思ってないから、そうやって言いふらせるんだよね。あんたはバカだから。

私は今、あの言葉をそのまま返すつもりだった。できるはずだった。

「もしもし？　どちらさまですか？」

瞬間、喉までせりあがっていた確信が萎えるのを感じた。今度も間違いだったら？　私がまた間違っていたら？　またヤン・スジンの声がした。

「もしもし？　どちらさまですか？」

「私」

腹を括って応えた。相変わらず確信はなかった。でも聞くことはできるだろうと思った。あんたがあんな書き込みをしたの？　もしかしてまだ私のことを怒っているの？　そう、聞くことはいくらでもできる。もっと早くそうするべきだった。

私はイ・ジンソプに殴られながら、殴られないですむ方法ばかり考えていた。彼の機嫌を取り、気持ちよくさせ、手出しされない方法を。

でも本当に必要なのは自分の声だった。やめて。

私を殴らないで。


「はい？　どちらさまです？」

ヤン・スジンが聞き返した。私は答えた。「私よ。キム・ジナ」

やっとの思いで長い息を吐き出した。ヤン・スジンは無言だった。私は準備していた言葉を舌の下にかき集めた。これ以上先送りにしてはいけない。早く、きちんと、正確に聞いてみよう。

話し出そうとしたその時、呆れたような舌打ちが聞こえた。そして言い渡すような声が続いた。

「イカレ女」

電話は切れた。ヤン・スジンはもう電話に出なかった。

6　検討

最後にもう一度だけ聞かせて。これ、本当にあんたの記録じゃないんだよね？

わかった。心配だから言ってるの。これがあんたの記録なら、今すぐ病院に引っ張っていこうと思って。

そう、今から説明するね。

結論だけ言うと、この患者はものすごく病院にかかってて、状態はよくなくて、だからかなりつらかったろうと思う。

子宮頸がんの検査で異型細胞が見つかって、次の段階の検査を受け、結果ヒトパピローマウイルスのハイリスク群が二つとローリスク群が一つ見つかった。ハイリスク群のウイルスについてはあんたも知ってると思うけど、子宮頸がんに発展するウイルスのことね。この患者は組織診も受けている。だから異形成の段階のものも発見された。がんになる手前の段階があって、それが異形成なの。

　異形成にも段階がある。がんの直前まで三段階あるとすれば、この患者は二段階目から三段階目にさしかかったところ。わかるよね？　稀に経過観察ですむ場合もあるけれど、このレベルだったらうちの院長は手術を勧めると思う。

　手術は円錐切除っていって、病変のある頸部を丸く切り取る。でもこの患者の記録はここまでだから、手術をしたかどうかはわからない。


　病院にいるといろんな患者と会うし、影響される。産婦人科の看護師として勤めてて一番感じるのは、悔しさだよね。特に、今のこの記録みたいな患者を見ているとすごく感じる。知ってると思うけど、ＨＰＶウイルスは男の体では特に反応が出ない。なのに女の体では爆竹みたいに弾けるんだよ。

　あたしはときどき、創造主ってマトモな精神の持ち主だったんだろうかと思うことがある。女に子供を産ませるだけじゃ足りなくて、病気も女にさせるのかって。あたしが創造主なら、子供は男と女のどっちが産むことになるかわからないようにしたね。セックスしたら、二人のうちどちらが子供を身ごもるかわからない。そうすれば、男がコンドームつけると感じないってごねたり、男は欲求を抑えられないようにできてるとかなんとか、そんな話はほとんどなくなるだろうに。あたしは、病院で泣いている女の人をたくさん見てきた。特に性病に感染した時。あれはたいしたことじゃないんだよ。本当にたいしたことじゃない。普通に生きていればかかることもあるのに、ある種の女性は本当に怖れている。自分が汚《けが》れたと思うんだね。何それ。病気と汚れにどんな関係があるのよ。

菌によって引き起こされる性病は服薬して治療すれば平気になる。ところがウイルスはがんになりかねない。自分の体が病気になって死ぬかもしれないってことなんだって。一緒に楽しんだのにそういう病気が出るのは女だけなんて、ひどい話よ。ホント、創造主は告訴されるべきだよね。だから女の人はそんな状態になると言う相手も、恨める相手もいない。

考えてもみて。他の病気はそれでもどこに原因があるかわかるでしょ。普段から刺激物を食べてるから胃炎になったとか、運動不足で太ったから成人病になったとか。ＨＰＶウイルスは、自分が明らかに感染してるのに、その直前にセックスした男には見つからないことがほとんどなの。男は尿道の内側まで綿棒を突っ込んで検査しないかぎり、そう簡単にはウイルスが検出されないからね。だから、中には自分にウイルスはない、これはお前の問題だって言いきれちゃうタイプの男がいるわけ。ウイルスは男女両方が持つものだってこともまともに知られてないからなおさらそう。検査名だって「子宮頸がん検査」でしょ。まるで、女が自分で自分の身体に責任持たなきゃならないみたいに。

それに何よりもだよ。とにかく本人が病気なわけじゃないからね。病気ってそういうものなの。いくら親しい人でも、心底優しくて心が広くても、自分が病気でないかぎり、理解には限界がある。おまけに男女で身体の構造は違うでしょ。女性の性器は内側に入り込んだ構造だし。だから、ちょっと見てみるってことができない。異常かそうじゃないかがわからない。ただただ不安になる。生理が遅れたりお腹が痛かったりすると、見えない場所を意識してずっと不安を感じる。自分は大丈夫だろうか。どこか悪いんじゃないかって思いながら。その状態でずっと暮らす。それで実際に病気だったと考えてごらん。具合が悪くなったと想像してみてよ。体はつらい。隣にいる男は慰めてはくれるけど、結局自分の問題だとは思っていない。

ひとつ、聞かせてあげる。

ある女の人が、結婚して子宮頸がんになった。夫は献身的だった。重症ではなかったから、女の人も多少苦労はしたけど完治した。幸せな話だよね？　でもこの女の人が何に苦しんでいたかわかる？　夫にだった。彼女を愛して、献身的に尽くす夫。

夫は、この弱った女をちゃんと面倒みなきゃってことだけ考えていた。自分のスケジュールは全部妻に合わせる。セックスは当然できない。それは本当に当たり前のことなのに、周囲は立派な旦那さんだって褒めそやした。なかなかそういう人はいないってね。そう、立派だよ。残業の帰りでも妻に食べさせるイチゴを買いに有機野菜の店へ立ち寄るような彼が立派でないはずがない。みんなは、彼が尽くしたおかげで快方に向かっているって言っていた。間違いではなかった。とりあえず看護っていうのは大変なものだから。彼はやりがいを感じていた。愛する女に尽くす男というやりがい。人々の賞賛。妻にマフラーを巻いてやっただけで出来た夫になれるわけだから。妻の面倒を見れば見るほど自分がいい男に思えるし、それは彼にとってとても有意義な経験だった。じゃあ妻はどうだったか？

手術を受けて抗がん剤治療に耐えて、食事療法をして、運動もして、病気からくる鬱症状とも闘わなくちゃならなかった。それがある日、ヤンニョムチキン（コチュジャンやにんにくなどで濃い目に味付けした鶏のから揚げ）か何か一つ食べただけで自覚がないと言われなければいけなかった。今までの努力は全部水の泡で、たったそれ一つで不良患者にされてしまうんだから。おまけに、夫が彼女のために何かするたび頑張らなくちゃいけない。なぜこうなったのか。そういうことに頭がいかないように。もしも夫の愛情が冷めたらどうなるだろう。自分が彼を縛りつけているんじゃないか。ひょっとして夫はある種の責任感からそばにいるんじゃないか。それで彼女の病気が完治することだけを待っているとしたら？　彼女に耐えているのだとしたら？　そういう考えを抑え込んででも。

彼女は夫を愛していた。だからさらに努力しなければいけなかった。彼との愛を守るため病魔と闘わなければならなかった。彼女が疲れ切ったら彼はがっかりするだろうから。今まで彼女に尽くしたことが無意味だったと思うから。それに、そんなふうにがむしゃらにもがいているほうがよっぽどマシだった。絶えず怒っていれば誰かを恨む暇がなくなるから。そう。こう考える暇を作らないようにしなくちゃならなかった。自分がなぜ、この病気にかかったのか。


痛みって、白い画用紙に赤い絵の具を撒き散らすみたいに鮮明で単純なものなんだ。毎日同じ痛みが体に加わる。痛み以外何も感じられない。味も、音も、感触も。心も。

肌の下に痛みを感じるたびにわかる。ひたすらそれだけ感じているうちに気づく。感情っていうのも、消えることがあるんだなって。

それでも平気なふりをしなくちゃいけなかった。泣き叫びたくなる気持ちと闘わなきゃいけなかった。彼女は自分が死ぬんじゃないかと怖かったし、夫を失うんじゃないかと恐ろしかったし、だから病気になった自分を恨んだ。憎かった。

そう。あたしがあじわった時間の話だよ。

寂しかった。たまらなく寂しかったね。

治療をしている時、こんな患者にも会った。病気のせいで女としての価値が下がったからって、どんなにつらくてもそれを人に伝えられなくなる患者。男は彼女が平気だと思ってずっとセックスを求めるし、応じるたびに彼女はますますボロボロになっていく。病状を悪化させるんだよ。そういう女の人はバカだと思う？　そうね、バカ。愚かだよね。でも、あたしにはわからない。病んでいると心は弱くなる。未来が見えないと視野は狭くなる。そういう患者にとって、すぐ隣にいてくれる人が世界のすべてになる。それってダメなこと？　病気だけでも十分苦しいのに、なんで患者が寂しくて誰かにすがりついてしまう気持ちまで、情けないって評価を受けなきゃいけないんだろう？　もともと性交渉による病気でしょ。両方の責任だって認識さえちゃんとあれば、そんな状況にはならなかったはずだよ。まあね。毅然として自信にあふれた女の人はいっぱいいる。どんな状況でも自分のすべきことをやりぬく女の人たちね。でも、みんながそういうふうには生まれてこない。みんながそんなふうには成長できないでしょ。なのになんで、その状況でさらに評価基準がつり上げられるんだろう。どうして、患者が自分の精神力までふりしぼって頑張らなくちゃならないのかな？

たしかに、一番心にあるのは病気のことだよね。どうかよくなってくれ、なくなってくれって。

すっかり追いつめられてるから、すべてにしがみつくようになる。あたしはそうだった。欲がなくなる人、すべてを手放せる人もいたけど逆だった。何もかも守りぬきたかった。そう思ってしまうことが心底嫌だった。せっぱつまってて、必死で。ベストを尽くそうとばかりして。そんな、残り滓みたいな感情を掻き出しながら過ごしてたある日、思った。頼むから終わってほしい。この苦しみを全部終わらせてほしい。とにかく、休みたい。

死にたい。

病気になるってことは、自分の幸せを他人に委ねるのと同じでね。不安でむごいことなんだよ。

この患者は、本当につらかっただろうと思う。

言葉にできないくらいに。


カルテを見ながらこんな感傷的な話はしたくないんだけど。とにかく続けよっか。

八月二十日から十二月一日まで、ほぼ月二回のペースで通院していた。症状の聞き取りを見ると、大体こんな感じだね。

八月二十九日、膣内に出血が認められる。裂傷の強い痛み。結果は膣内損傷。

九月十四日、膣入口部の痛みで来院。この時に性病検査をした。医師が性交渉の中止を指示してる。

そして九月二十四日、引き続き膣入口部の痛みを訴える。また傷ができて来院したんだね。

性病検査の結果はここを見ればわかるけど、トリコモナスとクラミジア菌が検出されて、医師がまた性交渉の中止を勧めた。薬を処方されて再検査もしてる。菌が消えたって結果が出た。これが十月五日。

次は十月二十四日、二十五日と連続で来ていて症状は同じ、やっぱり性交渉の中止を勧められた。再度性病検査も受けている。そして一週間後、またトリコモナス、クラミジアの検出。

これは、相手が治療をしてなかったたって意味よ。それでまた感染したってこと。感染しても無症状の人もいる。だからうっかりうつすことになるんだけど、そうなると誰が誰にうつしているかわからないって話になる。にしてもまた検出されたってことは、おそらく相手には病気のことを言わなかったんだろうね。

なんで言わなかったのか、そこはあんまり想像力を発揮したくないな。

しばらく来ていなかったのが、十一月にまた来院。この時は少し深刻だ。外陰部に膿まで確認されている。そして子宮頸がん検査を受けて、一週間後にものすごい量のウイルスが検出された。この日組織診もしてる。

検査結果が出たのが十二月八日。異形成の二段階目という診断を受けた。

私は、他のことについては判断したくない。でもこれ見てごらん。医師はずっと性交渉の中止を求めていた。それでトリコモナス、クラミジアの治療もしたのにまた同じ菌が検出された。ありえない。体調が悪いのにセックスを続けてたってことでしょ。相当皮膚に痛みがあったろうに、そういう状態でのセックスが気持ちいいと思う？　そうでなければ痛いのが好みなんだろうけど、そんな人だろうか？

この患者は治療をしたかったんだよ、きっと。

誰なの、この人。

知ってる人？

そう、わかった。もう聞かない。でもね、知ってる人ならすぐに病院に連れていってあげて。

ところでこの記録、いつのだろう？　一年前かな？　ああ、この時か。じゃあそっちは何。

あ、今持ってるノートよ。それも病院の記録なの？　違う？　だったら何？

なんでそんなに隠すのよ。

そう、わかった。聞かないでおく。とにかく、私が言えることはこれだけだよ。

この人、誰かが必ず助けてあげなきゃ。

二部

7　ドンヒ

「やってられるか」

　ドンヒはベッドに体を投げ出すなりつぶやいた。「あのイカレ女をどうしてやろうか？」

　いくら考えても身に覚えがなかった。あの日は明らかに何もなかった。彼の授業を取っていた学部生五人と食事をし、酒を飲み、カラオケに行った。少し酔っていたからはっきりとは覚えていないが、四曲ほど歌ったと思う。学生が歌っている時、彼は席でおとなしくしていた。もちろんキム・イヨンの隣の席ではあった。彼の授業を聴講している中で一番賢い学生だった。現在二年生だが、作品分析と読解の視点は卒業間近の先輩たちより優れていた。だがカラオケを楽しむ才能は皆無だった。最近では成績優秀な女子も遊びには手を抜かないのに、キム・イヨンは典型的なガリ勉タイプだった。彼女は隅に座って友人たちが歌っているのを眺めるだけだった。最初からそんなふうにおとなしかったわけではない。二次会までは楽しげに騒いでいた。それがカラオケでは憂鬱そうに壁を見ているのだ。猫をかぶっているのかとも、友達と口喧嘩か何かしたのかとも思った。あんまり静かだから煙たがられているみたいでかえって居心地が悪かった。何かしたほうがいい気がした。だから彼は、どうしたのか知らないが元気を出せ、という意味で、イヨンの背中をぽんと叩いた。本当に、ぽん、だった。

教師が学生にする、典型的な仕草。人は、頑張れと応援する時も背中を叩くし、子供を叱った後で励ます時もぽんとやる。久しぶりに会う友人との再会を喜ぶ表現でも背を叩き、知らない人に道を尋ねる時だってそんなふうにする。本当に「ぽん」だ。それ以上でも以下でもなかった。ただ背中をぽん、と叩いた。だから数日後、イヨンがドンヒのセクハラを学生相談センターに告発したと知って、彼はひどく狼狽《ろうばい》してしまった。

ぽん、と叩いた。

他には何も思い出せなかった。ドンヒの記憶では、それが唯一イヨンに身体接触したアクションだった。

なのに、俺がイヨンにセクハラをした?

イヨンは学生相談センターの両性の平等相談所で、こう陳述していた。

「友人たちが歌をうたうのに夢中になっている間に、ユーラシア文化コンテンツ学科のキム・ドンヒ先生が私の隣に座りました。私はお酒を飲みすぎて気持ちが悪くなっていました。体が少し麻痺したような感じだったので、席でじっとしていました。その時、キム・ドンヒ先生が私の背中を触ってきたんです。ブラジャーのストラップのあたりを探っていました。先生の指先が私の背中に触れたのをはっきり覚えています。驚いた私が体をよじると、先生は笑いました。そして立ち上がって歌をうたったんです」

相談センターから電話が来た時、ドンヒは吹き出した。冗談だと思った。

「僕が、何をしたですって？」

だが、キム・イヨンと酒を飲んだのは事実かと聞き返してくる相談センターの室長の声は冷たく、重々しかった。その瞬間、ドンヒは何かミスを犯したことに気づいた。今積極的に対応しなければさらにマズいことになる気がした。彼はすぐさま相談センターに駆けこんだ。足を踏み入れるやいなや、職員たちの視線が彼に集中した。みな彼を非難しているようだった。

室長はドンヒを認めると、すぐに硬い表情で声をかけてきた。彼とは長いつきあいだった。だから直接事情を話せばわかってもらえるだろうと思っていた。ところが、室長は急にドンヒと距離を置こうとしているようなそぶりを見せた。せいぜい二十一かそこらの娘の話をみんな鵜呑みにしているのだ。ドンヒはアンジン大学に十二年いる。こんなバカな話があるか。室長のことは学部生の頃から知っていた。人文学部の職員で、その後行政室長まで昇進した。ドンヒが奨学金の問い合わせに行った時もいたし、大学院で助手になる時もさんざん顔を合わせた。当時室長は心理学科の大学院博士課程に在籍していた。歳はかなり上だったが一応は同じ学生だったから、大学院の飲み会でも顔を合わせることが多かった。気さくで男らしい人物だった。ドンヒに好意的だった。ある飲み会で、一度こんなことを言われたこともある。最近の男子学生は人文学の研究を避けがちだから、ドンヒのような意欲的な男が大学に残ってくれて本当によかったと。室長はドンヒの肩をぽんぽん叩いて言った。

「男気があるよな、男らしいよ」

ドンヒは、一般職員だった彼が行政室長まで昇進するのを見守ってきた。その間に二十代から三十代になり、学生から講師になった。室長は二年前、学生相談センターに異動になった。その時ドンヒは彼に鉢植えも贈った。白いアジサイが見事に咲き誇った、清々しい鉢植えだった。それに決めるまで、ドンヒは花屋で十三分も頭を悩ませた。他方、キム・イヨンはこの大学に通ってせいぜい一年半のガキだ。せいぜい一年半！ ドンヒとは十二年のつきあいなのに、ケツの青いあの嘘つき娘の話のほうを信用するつもりか。自分が被害者だと主張しているだけで？ ただそれだけで？

室長は彼を奥の相談室へと案内した。警察の取調室に入っていく気分だった。室長は今、おのれの評判を気にかけているのだ。セクハラは非常にデリケートな案件だった。被害者と加害者の間の問題では済まなかった。その後機関が申し立て手続きにどう対応したか、どれほど迅速かつ合理的に対処したかといったことも合わせて問題にされた。調査過程でのミスが被害者へのまた別の暴力になりうるからだ。その場合、機関には加害者を擁護しているという非難が殺到することになる。加害者と被害者だけの問題では終わらなくなる。機関と加害者がセットで烙印を押されるのだ。ましてやキム・イヨンのように、とことん突きつめる賢い女子学生が被害者なら？

席に腰を下ろしながら、しまいにドンヒは苦い顔になった。キム・イヨンは室長に、女子学生の人権やら非常勤講師の権力やらという言葉をちらつかせたのだろう。つまり、今この事件にキチンと対応しなければ、マスコミに言って問題にすると伝えたのだ。室長は震えあがったに違いない。ドンヒは状況を完璧に理解した。ドンヒもキム・イヨンと最初に会った時、手強い娘だと思った。考えることや行動の仕方が他の学生とは違っていた。自分が優秀だと知っていて、それにふさわしいポジションにつくためならいくらでも努力するつもりのひよっ子。正直、それもあってイヨンに興味を持った。学部時代の自分を思い出したのだ。ドンヒは非常勤講師など食い扶持《ぶち》に過ぎないと思うタイプではあったが、とりあえず教師の気質はあった。その気質が、イヨンという原石を前に強く反応したのだ。イヨンはよく質問する学生だった。

ドンヒはイヨンが理解できた。

大学には、学生に発表をさせておいて後ろで寝ている老教授や、高校と同じように適当に板書をさせる教授、やたらレポート課題ばかり出して何も教える気のない教授がわんさかいた。学生の講義評価が高いのは単に彼らが気前よく単位をくれてやるからだった。逆に著名な教授の講義は受講申請のたびに大混雑だった。百名近い学生が押し合いへし合いして講義室に陣取り、焼き芋でも分けあうようにして知識を聞きかじらなくてはいけなかった。当然質問はできず、討論も不可能。ただ学者の肉声を聞いたというだけで満足しなければならなかった。ドンヒもやはり遠い昔に経験していた。十二年前のドンヒ同様、イヨンが不満で押しつぶされそうになっていることは一目瞭然だった。そんな小娘に気をとられたわけでもなかったのだが。今までしてきたことがすべて水の泡になるのかと思うと、ドンヒは途方に暮れた。なぜこんな状況に巻きこまれたのだろう？　それにイ・ガンヒョン。吐気がしそうな口臭をまきちらすあの魔女みたいな女は、ドンヒの姿に舌打ちしながら計算機を叩くはずだ。もうお払い箱だと言わんばかりの冷たい表情で彼を眺めるのだろう。

室長は来年、センター長の座を狙っていた。つまらないことですべてを台無しにはしたくないだろう。当然、ドンヒとの十二年より自分のキャリアの十二年のほうが大事に決まっている。ドンヒは冷静になろうと努めた。それでも怒りが込み上げてきた。キム・イヨンは幼稚なガキとしても、室長がこう出るとは。ふと彼は、大昔、何一つ騒ぎたてずに大学から消えた誰かのことを思い出した。

真空掃除機。笑いが出そうになった。一度、同じ学年の男子が無理矢理ハ・ユリにキスをしたこともあった。しかしハ・ユリは彼にどうこう言わなかった。面倒を起こさなかった。聞き分けのいい女だった。だよな。財力なり、権力なり、性格なり、何かひとつこれといったものがない限り、被害者とは名乗れないものだ。


「これは罠なんですよ」

ドンヒはなんとか声をしぼり出した。室長が彼の前に冷水の入った紙コップを置いた。ドンヒは自分が覚えている状況を詳しく説明した。一次会はサムギョプサル屋で肉を食い焼酎を飲んだ、二次会はホップの店に行ってビールを飲んだ。室長が慎重に切り出した。

「ホップの店で、先生から酒を強要されたと言ってるんですが」

ドンヒは溜息をついた。キム・イヨンの顔が浮かんでは消えた。さんざん食事を奢りコーヒーをご馳走してあれこれ教えてやったのに、そういうやり方で人を陥《おとしい》れるのか？　後悔が押し寄せた。だが気を取り直して再び状況を説明した。五人の学生のうち三人は男子だった。キム・イヨン以外の女子学生もいた。その女子学生はドンヒよりいける口のようだった。いい飲みっぷりだったからずっと酒を注いでやっていた。キム・イヨンは飲めないらしかった。男子学生とその女子学生一人で十分酌み交わすことができた。だからドンヒは、あまりキム・イヨンのことを気にしていなかった。ハッキリ言ってキム・イヨンが結構飲んでいたかどうかすら記憶にない。ただ、みんなが酒を飲んでいるのにひとりでちびちび水をすすっているから、「お前も一杯ぐらい飲め」と何度か声をかけたことは事実だ。酒を注いで口に無理矢理流し込んだわけでもなければ、飲まなければタダじゃおかないと脅したわけでもない。

ただ少し飲めと言っただけだ。ちきしょう。

ドンヒは、飲めない後輩や新入生を目障りだと言い、無理矢理酒を飲ませてゲラゲラ喜ぶような、そんな老害オヤジではない。ドンヒは老害を憎んでいた。そういうオヤジにならないよう数限りない自己検閲を重ねてきた。自分はまんざらでもない男だというプライドがあった。

ドンヒは自信たっぷりに答えた。

「絶対にないですよ。それは他の学生たちが証言してくれます。確かですから」

室長の表情は変わらなかった。ドンヒは苛立った声で付け加えた。だったらなぜ別の女子学生は自分を告発しないのかと。ドンヒが飲めと煽ったのはむしろそちらの女子学生だったのだ。

話を聞いていた室長が、くだけた口調になった。

「だから、なんで学生たちと一杯やったりするんですか」

ドンヒはやっと話ができると思った。すぐに言った。自分の講義を三学期の間ずっと聴講していた生徒たちだったので目が向いたのだと。大学院に進む気もありそうだったから、少し話をしておきたかったと。そしてドンヒは強調した。そもそも、先生とお酒が飲みたいと言ってきたのは学生たちのほうだ。キム・イヨンからだった。キム・イヨンがドンヒに、お酒をご馳走してくださいと言ったのだ！

普段なら笑って聞き流したろうが、あの日は午後の約束がキャンセルになっていたし、もうすぐ学期が終わるタイミングでもあったから、一度ぐらい学部生と時間を作ってもいい気がしたと。

だが、その飲み会を衝動的に決めたことは言わなかった。

原因はイ・ガンヒョンだった。事件の前日、ドンヒは前年から準備にあたっていた研究センターの設立が正式決定したことを知った。指導教授の話によると、前学期に手を上げていたプロジェクト事業チームが中心になってセンターを運営するということだった。企画書作りから関わっていたから、ドンヒは当然チームに合流するはずだった。ユ文科では五年ほど前から重要プロジェクトはすべてイ・ガンヒョンが指揮していた。そしてその日、イ・ガンヒョンが直接電話をよこした。これからドンヒが担う職責についての説明があり、お疲れさまという労いの言葉があった。そして彼女はこう言った。

「それはそうと、翻訳の件、早くならない？」

ドンヒは電話を切ってから心の中で毒づいた。魔女みたいな女め。大学院に進学してから今に至るまで、ドンヒはイ・ガンヒョンの研究論文に必要な資料の翻訳作業をしていた。論文の一部を代わりに書くこともあった。ドンヒとイ・ガンヒョン以外知らない話だった。学部時代に陰で口臭をバカにしていたイ・ガンヒョンとそんな関係になるなんて、ドンヒにはまったく思いもよらないことだった。

彼の基準でいけば、イ・ガンヒョンはとっくに大学を去っていなければならない人間だった。十二年前から今まで、十九世紀の英文学に現れる女性性の研究、みたいなことを教えている女だ。そのことが問題なのではない。ドンヒはフェミニズムを授業することに異論はなかった。むしろフェミニズムの授業はより多く、多彩に行われるべきだと主張する側だった。しかし、男性は無条件に女性を抑圧する存在、女性は長い間差別されてきた被害者という論理を十二年間同じテキストで、オウムみたいに繰り返し授業するのは暴力だと思っていた。研究者とは何か。新しい論議を生み、進歩をリードするのが仕事じゃないか。もちろん、それに限界があることをドンヒもよく心得ていた。率直に言ってドンヒも論議を生産する学究派には属していなかった。

彼の目標は別なことだったから。だがイ・ガンヒョンはマズい。最低限の責任も果たしていない。イ・ガンヒョンは十九世紀イギリスの女性文学を研究している人間とは言えなかった。ただそのテーマを自分の旗印にして、この大学で化石のように生きながらえている女だった。フェミニズムだ？　ドンヒは心の底からイ・ガンヒョンをあざ笑った。四十まで独身だったあの女はおととし、准教授に昇進した後でアンジンの韓方医と結婚した。無数に見合いをしていた。飲み会では公然と言ってのけた。「家を持っていて、家柄もよくて、そこそこ稼ぎのある男じゃなきゃ結婚しませんよ」

ふざけた女め。ドンヒは心の中で毒づいた。大学では『ジェーン・エア』を読んで女性の経済的自立がどうのこうのと言っているくせに、家は男が準備しろだ?

あの女はペテン師だった。英文学科出身だが原書で授業ひとつまともにできない。にもかかわらず講義評価は最高レベルだった。やはり単位のせいだ。子供にタダでキャンディーか何か配るみたいにあちこちにA評価をバラ撒いていた。必須教科と絶対評価の授業だけを担当しているからだ。指導教授や人文学部のあらゆる教員を丸め込んだ賜物だった。

だが、ドンヒはイ・ガンヒョンを尊敬してもいた。彼は彼女のことを心の底から嫌ってはいたが、その政治力には恐れをなしていた。大学院に進学してすぐ、近しくするべき人間はイ・ガンヒョンであることを本能的に察知した。しかしイ・ガンヒョンのほうがドンヒを嫌っていた。彼女は何かというとドンヒを「中途半端なマッチョ」と呼んだ。理解不能だった。彼はイ・ガンヒョンの前でそんな行動をとった覚えがなかった。

正直、ドンヒをそんなふうに呼ぶ人間はイ・ガンヒョンだけだった。彼の友人、特に同じ学年の女子たちは不思議がっていた。どんな女も彼を「マッチョ」だとは思っていなかった。ドンヒは、イ・ガンヒョンが被害者意識でいっぱいのおかしな女なのだと気づいた。さもありなん。あの歳まで一度もまともな恋愛ができず、勉強だけしてきた女だった。美人ではないし口は臭い。どんな男が彼女を選ぶだろう。男に好かれない理由をフェミニズムみたいなもので説明して八つ当たりしながら生きてきたんだろう。そして、ドンヒのように女とうまくやっている男を見るとたまらなくなって怒り出すのだ。普段ならドンヒはそんな女を避けたはずだった。だが、大学院でイ・ガンヒョンを避けて通るわけにはいかなかった。ドンヒは努力した。飲み会に行けば隣に座って酌をし、カラオケに行けば出もしない高音を精一杯張り上げて歌をうたった。毎回、帰宅するまでぴったり横についてタクシーに乗せてやり、名節（韓国の伝統的な節句）ごとにきちんきちんと挨拶の電話を入れ、贈答品を送ることも忘れなかった。

なのにイ・ガンヒョンは冷たかった。理由がわからなかった。ドンヒはイラついた。いまやイ・ガンヒョンは学科で一番影響力を持つ教員になりつつあった。イ・ガンヒョンの立場ならそろそろ教授の座を狙うべきであり、それ相応の成果が必要になってくるはずだ。イ・ガンヒョンはやたら多くの論文を発表するのはもちろん、大学のプロジェクトにも深く関わっていた。いまどきあんな無能な人間を教授にするとはどういうつもりだという声も多かったが、ドンヒからすれば、それはまったく世間知らずの物言いだった。実力？　大事だろう。しかし真に大事なのは統計に表れる圧倒的な研究実績だった。イ・ガンヒョンは実績を積むことにおいて著《いちじる》しく有能だった。実力のある研究者は多いし高学歴の研究者も少なくないが、イ・ガンヒョンのような人間はいなかった。

それはドンヒだから気づけた才能だった。ドンヒもやはり実利的な人間だからだ。ドンヒは博士課程を修了するやいなや授業を持ち、論文を四本続けざまに発表した。楽ではなかったがやりとげた。ドンヒは学問が好きだったが、それは学問そのものへの情熱とは違った。正確に言えば、彼は学者という地位が好きだった。彼には地方大学で学問をして食い扶持を稼ぐという選択が何を意味するかわかっていた。彼は学問そのものがやりたくて大学院に進んだわけではない。誰かが大企業に就職したり公務員試験を受験したりするのと変わらない。それは職業だった。学者という職業。教授という地位。自分の文章に誰かが注釈をつけ、その意見が大きくなって新たな理論が生産されること。自分自身が誰かに参照される名誉。ドンヒは露骨にその職位を欲した。しかし、賢い者ばかりであふれかえるこの業界で正攻法をとるつもりは毛頭なかった。

どんなに努力しても年に論文一本出すのがせいぜいという研究者がいる一方、ハイレベルな論文を数か月に一本発表する研究者もいる。率直に言って学歴の差は大きい。ソウルの大学には外国語を自由自在に操るネイティブに近い研究者がごまんといた。だったら情報はどうか。大部分の言論はソウルを中心に生産され、消費されていた。ドンヒは地方大学の研究者だ。そういう輩《やから》と同じテーマで互角に張り合うつもりはみじんもなかった。

彼の目標は明確だった。常にそうだった。十二年前、この地方都市の地方大学に十分釣りがくる成績で入学を決めたのは、二つのものを確実に手に入れられるからだった。一つ目は奨学金、二つ目は就職口だった。当初彼は在学中に文献情報関連の資格をすべて取得して公的機関へ就職するつもりだった。大学に通ううちに考えが変わった。とりあえず勉強が面白かった。彼は英語ができるほうで、第二外国語には日本語を勉強していた。ユーラシア文化コンテンツ学科の名にふさわしく外国語テキストを使用する授業は多かったから、彼は頭角を現した。同じ学年で彼より優れた人材はいなかった。次第に大学院への進学を考えるようになり、彼は様子を探りはじめた。

テキストについて文章を書き討論をするなかで、研究という分野にも才能が必要なことがなんとなくわかった。テーマを選択する眼力、議論を引っ張る文章力、膨大な量のテキストを読みこなす理解力。すべて才能が必要だった。兵役から戻って半年が過ぎた頃、彼は大学院への進学を決めた。自信があったか？　あった。才能はあったか？　それはなかった。ドンヒは自分に才能があるとはこれっぽっちも思っていなかった。ただ、できることとできないことは正確に把握していた。

彼は新しいテーマを牽引するタイプではなかったが、少なくともテーマの周辺で話題になりそうな別材料を選ぶセンスはあった。文章を書くのが早く、勘所が良かった。そして外国語ができた。外国語に堪能な研究者は多いとはいえ、アンジンでは違った。新設学科だった。編入したり転科したりの先輩を除けば彼が一期生であり、初の大学院生になる予定だった。教授はもちろん講師までもがやる気満々だった。早く成果を出して学科を軌道に乗せることが、彼ら自身の足場を固める手段でもあったからだ。ドンヒは学部時代、教授や講師によく呼び出される学生の一人だった。彼らはしつこくドンヒに大学院進学を勧めた。全額奨学金、研究費支援、プロジェクトでの活動。生活の心配をせずに学問ができる道はいくらでもあるとドンヒを説得した。公的機関への就職にかかる時間、費用、そして、入社してから昇進までの時間を計算した時、ユ文科大学院への進学は悪い話ではなかった。おまけにアンジン大学卒の肩書がメリットになった。首都圏から地方にやってくる教員とアンジン大学出身の教員は半々だった。学閥は新羅の時代の骨品制《こっぴん》（新羅で導入されていた階級制度）に似ていた。ドンヒはいくらでも首都圏の大学院に進学できたが、それは骨品制の中で黙々と積みあげられてきた人脈と既得権は超えられないという意味でもあった。ドンヒは自分をよく知っていた。とてつもなく優秀な人材ならともかく、首都圏で彼の実力が六頭品（骨品制で王族を除く貴族階級の最上位）を抜け出せるはずがなかった。だが少なくともアンジンなら地方豪族として生き残れるはずだ。ドンヒは実利的な人間だった。彼は、確実な成果を出せるものにのみ挑戦する価値があると信じていた。学部出身、大学院、新設学科、語学力。あれこれ組み合わせた結果、彼は下手な会社に就職するよりも大学院に進学したほうがより早く出世できる道であるとの結論を下した。たとえ少し時間がかかっても、大学院卒の肩書を使ってアンジンの企業と連携し、いくらでも他のことができるはずだった。大学院に進む頃には目標ははっきり固まっていた。彼はアンジン大学の第一人者になるつもりだった。

イ・ガンヒョンは彼と似ていた。彼女が選ぶプロジェクト、発表論文のテーマ、大学での人脈、すべてが実利的だった。人々が彼女を見くびる理由もそこにあった。彼の同期や先輩の、別名「学問に魂を捧げる研究者」たちは、イ・ガンヒョンのような人間がいるから真の実力者が認められないと嘆いていた。研究より政治を優先し、学問の純粋性よりうまみのあるプロジェクトに注力するとはなんたることというわけだ。彼らは、イ・ガンヒョンのせいでアンジン大学が発展できないと怒り心頭だった。ドンヒは反論しなかった。誰かの意見に反論し、反目するのは彼のスタイルではなかった。彼らの前では適当に顔をしかめ、懐疑と苦悩に陥った若き研究者という演技をしていた。だが、ドンヒが軽蔑していたのは、学問に魂を捧げるまさに彼らのほうだった。学問、情熱、大学の本質？　学問そのものが好きで研究しているという類いの言葉を彼は軽蔑していた。人間の言語というのは実にたいしたものだ。本質を隠して外見をつくろうのに、言語ほどお誂《あつら》え向きのものはない。真実と言わんがために添えられる修飾語の多さときたら驚くほどだった。学問とは真実を追究しなければならないのであり、人間存在を問うためにこの世界に残された最後の砦？　冷酷な自己検閲を重ねて学問とは何かを探究し続けなければならない？　ただ成果ばかりを良しとするこの資本主義社会にあって、学問は常に不都合な問いを投げかける存在でなければならない？

だが、そんなふうに訴える者が真に欲しているものはイ・ガンヒョンの地位だった。彼らがイ・ガンヒョンを嫌うのは、その地位に彼女がいるからだった。真に認められ、しかるべき待遇を受けているのが学問の徒の「自分」でなく、彼女であることが嫌なのだ。加えて彼女が女だからだろう。ドンヒの見たところ、承認欲求と学問への愛情を区別できない生半可な学究派より、イ・ガンヒョンのほうがはるかに有能だった。イ・ガンヒョンさえ彼を嫌っていなければ完璧だったろう。

いったい、なぜ？

イ・ガンヒョンに授業で大っぴらに「中途半端なマッチョ」とこき下ろされたり、あるいはつまらないものを眺めるような目つきをされる時、彼の背筋に冷たいものが流れた。イ・ガンヒョンの前でだけは言葉や行動を慎んだ。俺がいつ、彼女の機嫌を損ねたっていうんだ？　ドンヒは本当に女たちからの評判が良かった。これまでつきあった恋人たちはみんなドンヒを好いていた。もちろん別れの時に罵倒されたこともあることはあったが、この世で別れ際がきれいなカップルがどこにいるだろう。彼は女の前で権威的にふるまったり、暴力に訴えたりはしなかった。女たちが求める男性像がどんなものか、ほぼ完璧に理解できていた。もちろん最初から長《た》けていたわけではない。彼は学んだのだ。だいぶ前に、リュ・ヒョンギュ先輩から。

ヒョンギュ先輩を見ているうちに、女というのは親切で優しい男が好きなのだとわかった。彼は私を、自分の一部のように大切にしてくれる。そう女に思わせるのがポイントを稼ぐテクニックだった。そういう意味でリュ・ヒョンギュ先輩は本当にすごかった。最初は不愉快な奴だと思った。多くのものに恵まれているのだ、生まれつき余裕があってあたりまえだろう。ところが彼は本当にいい人だった。あんな人はそう世の中に生まれない。つまり、めったにお目にかかれない人物だ。ドンヒが恋人たちから「ひと味違う男」と評価してもらえたのも彼のおかげだった。彼から学んだ通りに行動していればすべてが簡単だった。唯一イ・ガンヒョンをのぞいては。彼女はまるで、どんなに努力したところでお前はリュ・ヒョンギュみたいな男にはなれないと言っているようだった。

クソアマ。

口の臭いバカ女が、公然と自分を無視しているのが我慢ならなかった。ある日、彼はとうとう直談判をしようとイ・ガンヒョンの研究室を訪ねた。

イ・ガンヒョンはちらりと彼に目を遣《や》ると、何の関心もなさそうにまた本に視線を落とした。ドンヒは彼女の前に歩み寄った。イ・ガンヒョンが溜息をついた。ドンヒは息をこらえた。一歩近づくごとに口臭がひどくなった。

しばらく、ドンヒは無言で彼女の前に立っていた。

相変わらずイ・ガンヒョンは無視していた。ドンヒは一度唾を飲みこんだ。イ・ガンヒョンが見ている本をちらりと盗み見た。英語の原書だった。彼はあることを思いついた。

そして口を開いた。

「僕が、先生のお役に立てるんじゃないかと思って来たんです」

イ・ガンヒョンがようやく目を上げた。口元に笑みが浮かんでいた。小馬鹿にするような笑みだった。

「役に？」

「先生のお手間を減らせればと」

ドンヒをだまって見つめていたイ・ガンヒョンが口を開いた。「そう？」

それが始まりだった。彼はイ・ガンヒョンの英語の論文をチェックした。資料を翻訳した。草稿の一部を代筆した。イ・ガンヒョンはそれから驚くほどドンヒに親切になった。重要な場に彼を連れて行き、教授たちの前で褒めちぎった。以降ドンヒはイ・ガンヒョンの英語論文をほぼ一手に引き受けた。卑屈だとは思わなかった。搾取されているとも思わなかった。明らかにギブ・アンド・テイクの関係だった。ドンヒがイ・ガンヒョンを手伝えば、イ・ガンヒョンは彼に相応の待遇をしてくれた。イ・ガンヒョンはドンヒの指導教授でなかったから誰かに関係を怪しまれることもなかった。ようやくドンヒはわかった。イ・ガンヒョンは、ドンヒが汗をかかずにいい思いをしようとしていることが気に入らなかったのだ。なんでそれに今まで気がつかなかったのだろう！　イ・ガンヒョンこそ、ドンヒに負けず劣らずの実利主義者じゃないか。

だが、いずれにしろイ・ガンヒョンが有利な牌《パイ》を握っていることは事実だった。イ・ガンヒョンは与える側に属し、ドンヒは与えられる側だったから。だからあの日みたいに、イ・ガンヒョンが至極当然のようにドンヒをこき使うことがあった。

「クソアマっ」

あの日。イ・ガンヒョンとの電話を終えた彼は車の中で声を張り上げた。イ・ガンヒョンとビジネスの関係になってからも、居心地の悪さは消えなかった。何の問題かはわからないが、イ・ガンヒョンはドンヒについて何か知っているらしかった。いつもドンヒを胡散臭そうな目

で見ていた。〈みんなはあんたを感じが良くて賢いと言っているが、私は騙されない〉

傲慢女。かろうじて子宮から引っ摑んできたその政治力さえなければ、とっくに死に体の分際で。イ・ガンヒョンは今、衝突するには高すぎる地位にいた。たまに真実を明らかにしたくなることがあってもドンヒはこらえた。そんなことをしてこれまでの成果を台無しにするわけにはいかなかった。彼は下剋上を気取ってあまたの被害を受け入れるほど愚かではなかった。

その時、キム・イヨンが人文学部の前を通りがかった。イ・ガンヒョンの学部時代よりは百倍賢いだろうが、性格はあのアマと同じの、ケツの青い小娘。もし過去に遡ってあのくらいの年頃のイ・ガンヒョンに会っていたら、決してこんなふうにされてはいない。きっちり玩《もてあそ》んでやったはずだ。彼にすがりつき、哀願し、涙を落とすまで。彼は車から降りた。大股に進んで彼女を呼んだ。

「キム・イヨンくん！」

イヨンが振り返った。そして彼に明るい笑顔を向けた。瞬間、胸を満たしていた怒りが和らいだ。若かりし頃のイ・ガンヒョンよりはるかに賢く気立てのよい女子学生が、口臭もなくずっと美しくて女らしいその学生が、ドンヒに尊敬の目を向けている。彼はイヨンと並んで講義室へ向かった。イヨンからは香りがした。かすかで柔らかい、その年頃の若い娘からしかしない、優しい香り。イ・ガンヒョンのような女には決して嗅ぐことのできない匂いだった。ドンヒの言葉すべてを信頼するキム・イヨン。彼の中に世界の真実があると信じきったまなざしで、あらゆる質問を投げかけてくるキム・イヨン。彼女が彼の隣にいた。ドンヒは話しかけた。

「一杯やりたくなる季節になったね」

その時もまだキム・イヨンは明らかにドンヒを尊敬していた。顔を赤らめ、待ってましたと言わんばかりに返事をした。

「ですね、先生。いつか一度お酒をご馳走してください」

ドンヒが言った。「じゃあ、今日の夕方はどうだろう？　三学期ずっと聴講してくれたみんなと、飲みに行きたいんだが」

「はい、先生。ちょっと聞いてみますね。みんな大丈夫だと思います」

ドンヒは笑顔になった。そしてイヨンの背をぽん、と叩いた。また思い出した。酒の席だけでなく、人文学部のまん前で、学生たちが見ている前で、すでにイヨンの背をぽん、と叩いていたのだ。だったらなぜそのことには何も言わない？　到底理解不能だった。まったく、女ってのはこれだ。クソな女はどいつもこいつも、自分を被害者だと思いこんでやがる。

「キム先生」

室長が彼を呼んだ。「ずっと言い分が食い違うようであれば、真相調査委員会を開催することになります」

「どうぞ開いてくださいよ。こっちだって被害者なんだ」

ドンヒは鋭い声で言い返した。室長が溜息をついた。反対なのだ。ドンヒにもわかっていた。これで真相調査委員会まで話が進み、調査され、下手をして警察まで出てくることになれば本当に大ごとになる。ドンヒには室長が何を勧めているか察しがついた。よく覚えていないが酒の勢いでミスを犯した。そう認めてやりすごせというのだ。

「何もしていないのに、どう認めろっていうんです？」

ドンヒは再び声を荒らげた。すると室長は、ドンヒの置かれている状況はあまりよろしくないと言った。真相調査委員会の開催は実際に事件化されることを意味するが、そうなれば今みたいに適当なところで折り合いはつけられなくなるという。聞いているうちにドンヒは、キム・イヨンが何かを要求しているのだと気づいた。でなければこれほど遠回しに話す必要はない。室長は、まずはドンヒが不利な立場にあることを伝え、キム・イヨンの要求をのむしかないとわからせようとしているのだ。ドンヒが聞いた。

「望みはなんだと言ってるんです？」

室長は伏し目がちになった。キム・イヨンが望んでいたのはドンヒの解雇だった。ドンヒが再び怒鳴り出すと思ったのか、室長はすぐに言葉を続けた。

「示談は可能だと思います」

室長はドンヒの前の紙コップを彼のすぐそばまで押し出した。

「ただ最低限、次学期の講義は取り止めていただくことになります。大学のプロジェクトも含めて」

ドンヒは無言で席を立った。そしてまっすぐ家に帰った。

寝付けなかった。眠れるはずがなかった。

「あのイカレ女をどうしてやろうか？」

彼はベッドから起き上がって呟いた。彼のキャリアはすべて大学内でのものだった。退職するわけにもいかないし、いまさら公務員試験や民間の採用試験を受けることもできない。彼は枕を壁に叩きつけた。なんでこっちが逃げなきゃいけないんだ。なんでこんなことで、今まで慎重に築き上げてきたキャリアをドブに捨てなきゃならないんだ。おそらく噂は学科にも届いているだろう。指導教授にも連絡は行ったはずだ。なのに今の今まで電話の一本もなかった。誰も彼に事情を聞いてこなかった。彼の真実について。学部生へのセクハラ加害者の肩を持つことになるから、そっと関わりを断ったほうがいいとでも思ったか。

ゲラゲラ笑いが出た。昔の恋人全員に連絡を入れてみるか。一度聞いてみよう。俺がただの一度でも、同意なく何かをしたことがあったか。間違いを犯したことがあったか。つまらない思いつきと一緒に惨めな気持ちが押し寄せた。

ドンヒはパソコンの前に座った。どうせ眠れないに決まっていた。頭を使いすぎて息もできないくらいだ。何か見よう。彼は思った。映画でもドラマでも、雑念を吹き飛ばしてくれる何かを探し、一瞬でも息をつかなくては。彼はインターネットのお気に入りに入っているダウンロードサイトにアクセスした。だがポータルサイトの記事に目を引かれた。交際相手の女性に暴力をふるい訴えられた男が、罰金三百万ウォンの支払いですんだという記事だった。

「つきあうんならきれいにつきあえよ。騒ぎを起こさずにさ」

何も考えずにその記事をスクロールして、レスの中に事件に巻き込まれた女性の名前を見つけた。

「ん？　キム・ジナ？」

まさかと思って年齢を確認すると、彼と同い年だった。「マジか？」

彼はコメントを読み続けた。これ以上個人情報を晒すのはやめろという書き込みがあった。大事なのはその女性が苦しんだ事実だと、女性が最初に投稿した掲示板のサイトのリンクが貼りつけてあった。掲示板に飛んだ。そしてドンヒは大笑いした。

キム・ジナが殴られていた。自己憐憫と被害者意識に満ち満ちた文章。殴られたのは気の毒だ。だが正直、ドンヒは男の側の気持ちが少しわかる気がした。キム・ジナはドンヒがつきあった中で最悪の女だった。いったい何を考えているかわからず、自分の感情ばかりに夢中で、隣にいる人間がどんな状況かに関心がない。それでも恋人は欲しかったのか、周囲の男たちにチラチラ秋波《しゅうは》を送っていた。それが妙に気になってなんとなくつきあいだしたのだが、ともかく終わり方がふざけていた。四か月間うまくいっているとばかり思っていたら、ある日突然、これまで一緒に過ごした時間は全部偽物だっただの、一度も幸せだったことはないだの言い出し、滂沱《ぼうだ》の涙で別れを言ってきたのだ。

頭のイカれた女だと思った。

全部偽物だった？　飯食って旅行に行って楽しんで、一緒に試験勉強だといっては一晩中イチャついて、冬の海に出かけて砂浜に落書きして遊んで。あの初々しい時間が全部嘘だった？あの時はそれなりに傷ついた。だが怒らなかった。気持ちよく送り出してやった。やがてキム・ジナがリュ・ヒョンギュ先輩を見ていることに気がついた。

ドンヒはまた大笑いした。正直言えばつきあっている間じゅう、ドンヒは自分をキム・ジナにはもったいない男だと思っていた。決して表には出さなかったが事実だった。キム・ジナはキレイどころか性格も変だから、どんな男も彼女には目をくれなかった。本当に出来心でつきあっただけだった。四か月間どうにかこうにか続いた関係だったが、ドンヒはできる限りのことはした。なのにリュ・ヒョンギュ先輩を見ていたとは。それを知ってドンヒは滑稽に思ったし呆れもした。キム・ジナはいったい何様のつもりなのだろう。

〈さんざんよくしてやったのに。身の程知らずめ〉

人は変わらない。キム・ジナは相変わらずだった。恋人が普段から自分に暴力をふるい、好き勝手に扱い、自尊心を踏みにじっていた？　なるほど事実かもしれない。路上で殴りつけられ、首を絞められ、足蹴にされたと。事実だろうな。それで殺されるかと思ったら怖くなった。ああ。やっぱり事実だろうさ。で、他のことは？　キム・ジナは自分が男に殴られたことばかり書いているが、自分が男にどんな真似をしたかについてはまったく触れていなかった。まさしくキム・ジナだった。お前が被害者？　幸せじゃなかった？　じゃあ加害者の言い分も聞いてみなくちゃ。お前とつきあっていた四か月というあいだ、俺がどれほどつまらなくて退屈でおかしくなりそうだったたか、気にしたこともないだろ？

ドンヒはそのまま掲示板をうろついた。明らかにもっと何かあるはずだ。ドンヒが知っているキム・ジナは、自分中心の作り話をする女だった。そう。キム・イヨンと同じ類いのバカ女だ。似たようなバカ女に二度もやられるとは。イ・ガンヒョンの顔が頭をよぎった。イ・ガンヒョンも、いつもそんなふうにドンヒのことを眺めていた。お前がどんな真似をしているかお見通しだと言わんばかりに。まるでドンヒがイ・ガンヒョンに何かしたみたいに。だから、いったい何の話だよ！　お前らは、俺に何もしてないと思うのか？

やっぱり。

キム・ジナの同僚の書き込みが見つかった。彼女が職場でどんな人間だったかをやりとりしているグループチャットのスクリーンショットもあった。加害者にブランド品まで要求し、あげくにデートでは一銭も払わなかったと。だろうな。お前、本当に相変わらずだよ。

悪辣な気持ちが彼を包み込んだ。彼は毎日、一生懸命生きていた。自分の側の人々に最善を尽くし、迷惑をかけないよう努力していた。過ちがあるとすれば、こういう嘘つきどもに隙を見せたことだ。被害者は彼女たちではなくドンヒのほうだった。嘘つきどもがたやすく罪をなすりつけ、たっぷり自己憐憫に浸れるよう親切にした彼が間違っていた。

彼はツイッターで適当なアカウントを作った。@qw1234。

キム・ジナ。悔しがるだろうな。でも、これがお前の偽らざる真の姿さ。さぞや驚くだろう。

彼は打ちこんだ。

キム・ジナは嘘つきだ。

何か足りない気がした。彼女が自分の本質に気づいて良心の呵責《かしゃく》を抱くには、これでは足りない。突然、それまで無視し続けてきた学問への純粋な魂が首をもたげてきた。真実から目を背けない。本物だと思うものに問いを投げかける。テーマを作りだす。人々が真実と嘘を区別できるよう、境界となる基準を指し示す。それこそまさに研究者の務めだった。状況が状況だから人々は男性の暴力的な面ばかりに騒いでいるが、真に注目すべきは暴力性の背後に二人の問題が存在していることだ。誰かが被害者になった瞬間、加害者の立場は少しも顧みられなくなる。それが真実だろうか。ひたすら被害者への憐れみばかりが権利として追求される。それが真実だろうか。腐りきった世の中め。みんな犠牲者になる方法ばかりを教えている。本物か偽物かが区別できないものばかりが量産されている。キム・イヨンを賢いと思ったのは錯覚だった。あのクソ女こそ、最も愚かで虚勢に満ちたガキだ。お前は今、何かやり遂げた気でいるだろう。自分の些細な嘘で目の前の権威が崩れ落ちたとな！　しかし真実は必ずや明らかにされるものだ。世の中にはそういう嘘とは無縁に、真っ当に生きていく人がいるんだ。その時だった。ドンヒの脳裏に、長く忘れ去っていたあの顔が甦った。

ハ・ユリ。

あらゆる噂に取り巻かれながら、孤高に、けなげに座っていたユリ。ドンヒは当時、ユリにかすかな敬意すら感じていた。どうすればあんなふうにひっきりなしに、たやすく、誰かを信じられるのか。あんなふうにひとりで傷を耐え忍べるのか。哀れな女だった。ドンヒはハ・ユリとつきあったことはなかった。だが、いつもハ・ユリに目が行った。彼女を一番軽蔑していたのは誰だったか。女たちだ。自分たちはハ・ユリとは別の人間だと、まるで真実に向き合っているかのようにペラペラ喋っていたクソ女ども。ハ・ユリとは違うってことが自慢だったんだろ。お前らが一番の悪魔だったんだよ。お前らみんな、同じクソ女だ。ドンヒは続けてこう打った。

キム・ジナは嘘つきだ。真空掃除機みたいなクソ女。@qw1234。

そしてパソコンの電源を落とした。ベッドに横になった。心穏やかだった。胸にあった憤怒をドッと吐き出した気分だった。徐々に理性を取り戻し、状況を把握しつつあった。指導教授からはまだ連絡がなかった。教授は真面目な人物だった。他のことならいざ知らず、この手の問題には厳格なタイプだ。ドンヒが今まで捧げた忠誠など役に立たないだろう。もちろんドンヒを庇《かば》うこともできるが、それには引き受けなければならないことが多すぎる。なかでも大きいのは汚名をかぶることだろう。ドンヒは忙しく頭を巡らせた。だったら、汚名をかぶってでも手を貸さざるを得ないようにするには？　メリットがなければいけない。引き受けるだけの価値がなくてはいけない。ならば話は変わってくる。イ・ガンヒョンのように。

そうだ、イ・ガンヒョンのようにならなくては。ドンヒは思った。大学に有用な存在にならなくてはいけない。それには手助けが必要だ。やはりすべての答えはイ・ガンヒョンにつながっていく。

イ・ガンヒョンは、さもこういうことには潔癖だといわんばかりに今もだんまりを決め込んでいるが、絶対にドンヒを切ることはできないはずだ。どうせこんな形で大学を追われるのなら、最後のカードまで出しつくし、いくらでも爆弾を投げる覚悟ができていた。そうだ。

イ・ガンヒョン。彼女のところへ行こう。

最初に彼女の部屋を訪ね、直談判した時のように。

そうだ、イ・ガンヒョン。

あんたは俺と同じ船に乗っている。そんなふうにやり過ごさせはしない。

明日、研究室に行くなり言ってやろう。今まで先生に代わって翻訳してきた作業のリストをすべて公開するつもりです。あの高慢ちきな顔に当惑の色が浮かぶのかと思うと笑いが漏れた。安堵の溜息が出た。これで眠れそうだった。彼は横になって目を閉じた。そしてツイッターにつぶやいた滑稽な真実のことは忘れてしまった。どうでもいいことはいつもそうしてきたように、きれいさっぱり忘れてしまった。

8　ジナ

「いらっしゃいませ」

　カフェのドアを開けて体を入れると、すぐにカウンターにいるヤン・スジンの顔が目に入った。客だと思って暢気に声をかけた彼女の表情が、私を見るなり強張《こわば》った。ほぼ十年ぶりだった。彼女は黙って私を眺め、こちらが何か言う前に私の肩越しを指差した。振り返ると空席があった。横柄な態度にかちんときたが、何も言わずに進み、腰を下ろした。

　いくら朝だからって、これじゃ客が少なすぎるんじゃない？　商売がうまくいってないの？　意地悪な想像がちらりと頭をかすめた。

　昨日、電話を切ったあとで私はすぐに高速バスターミナルに向かい、アンジン行きの夜行バスのチケットを買った。ダナは驚くこともなく私を迎え入れた。一睡もせずに夜を明かし、朝が来るなりカフェに来た。眠れなかったせいか、それとも起きがけにがぶ飲みしたインスタントコーヒーのせいか、ここにくるまでずっと心臓が早鐘のように打ち続けていた。胸がドクドク言っていた。

一分ほど待ったところで、ヤン・スジンが私の前に座った。

「何か飲む？」彼女が聞いた。

私は首を横に振った。目の前にスジンが座っていた。後ろめたいことはないかのように、じっと私を見つめていた。私は目をそらさなかった。どこから話せばいいだろう。言葉を選んでいると、突然スジンが攻撃的な口調で言った。

「あんた、ここで何やってんの？」

「えっ？」

「アンジンで、今、何をしてるのって」

額に皺が寄った。昔も今も、人を踏みつけにするのが一枚上手の子だ。結婚し三十も過ぎれば多少は変わったかと思ったが、全然そんなことはなかった。まあ、変わっていればそもそもネットにあんな書き込みはしないだろう。私は彼女を真っ直ぐ見据えた。ヤン・スジンがそういう出方をしているのに、こちらがわざわざ礼儀正しくする必要はない。

「どうして、あんな書き込みしたの？」

「なんの話？」ヤン・スジンが眉をひそめて聞き返した。

私は用意してきた言葉を並べたてた。ツイッター。@qw1234。あんたなのはわかってる。警察に突き出すこともできる。これは名誉棄損だ。あんたはこれまで平気でそんな生き方をしてきたから何の問題もないと思うのだろう。でもこれは警察にも訴えられる話だ。

スジンは相変わらず何のことかわからないという顔で私を見つめていた。呆れているようでもあった。自分の話が少しも深刻に受け止められていないと思った瞬間、怒りが込み上げ前のめりになった。早口になった。私のことだけでなく、学部の頃スジンがひどく言っていた子のことも次々にぶちまけた。言葉を重ねるほど悔しさは厚みを増し、顔が火照った。

「自分が人にどんな真似をしてるか、考えたことないんでしょ？」

返事はなかった。すでに私の声は上擦り始めていた。

「人のことを悪く言っちゃダメなんだよ。あんただって大したことないじゃない。なのに人を侮辱して、せせら笑って」

その時、ヤン・スジンが私の言葉を遮った。

「あんた、いったいここに何しに来たの？」

昔と同じだった。スジンは誰かをさんざんこき下ろした後で、そんなことをした覚えはないというように知らんぷりをした。気遣うふり、思いやりのあるふりで人を崖っぷちまで追いつめ続けた。今回も同じだ。私はスジンが書き込みの主だと確信した。

私は声を荒らげた。あの日、電話をかけた時、私はあんたと話し合おうと思ってた。あんたは私の話を聞きもせずにひどいこと言ったよね。喋っているうちに勇気がわいてきた。そう、何も間違っていない。私は臆さなかった。いくらでもあんたを訴えることはできるし、そうするつもりだと。あんたに私を侮辱する権利はないと。どれほどあんたと話し合いたかったかわかる？　私はずっと喋っていた。

「今度のことで私が何に気づいたか、わかる？　誰にも、私を好き勝手する権利はないってことよ。人の状況をのぞき見して一言コメントを入れるって気持ちいいだろうね？　偉くなった気がして。でも、結局はどん底に落ちた人のプライドを食い物にしてるだけなんだよ。それに、ユリのこと」

　私は少し息を整えた。

「亡くなった人のことを……人が人に、どうしてあんな真似を……」

　それ以上言葉が続かなかった。ユリがどんな思いをしていたか、よくわかってるじゃない。そんな言葉が出かかった。あんただって覚えがあるでしょ。孤立すること。寂しい思いをすること。瞼が熱くなった。すぐにでも泣き出してしまいそうだったが、不思議と恥ずかしさはなかった。よくわからなかった。スジンを前にすると、ダナにも見せられない正直な部分がぽんと飛び出すことがあった。パルヒョンの村のにおいを、夕暮れどきに黄色い原っぱが赤く染まる一瞬の光景を、一緒に記憶に刻んだからだろうか。私は言いたかった言葉を口にした。

「あんただって、同じ女でしょ」

　しかしスジンは相変わらず面倒くさそうな表情で私を見つめるだけだった。私の行動がオーバーで安っぽいと言わんばかりの、げんなりした顔つきだった。ひとりで熱くなって涙まで見せたことが決まり悪かった。スジンは短い溜息を吐くと、私を正面から見つめて冷たく言った。

「嘘つきは本当じゃない」

　みっともないと思った。こんな人間を前に涙ぐんだだなんて。相手の真心など少しも重要と思わないこんな人間の前で、故郷だなんだ思い出して感傷に浸ったなんて。私は冷静になることにした。二度とスジンの前で変な感情に走りたくなかった。精一杯落ち着いた口調で言った。

「じゃあ、法的な手段をとるしかないね」

私の言葉にスジンが吹き出した。

「だね、そうしたら?」そして疎ましげに続けた。「あんた、本当に何一つ変わってない。ゾッとするよ、ものすごく」

これ以上ここにいる理由はなかった。そう、出るとこに出てやろう。私はバッグをつかんだ。するとスジンが言った。

「じゃあ私もひとつ、聞いていい?」

私は顔を上げた。

「あの冬、本当にうちの夫を見たの?」

「えっ?」

「とぼけないでよ。あんたがまた作り話を言いふらしてたこと、全部知ってるんだから」

私の顔が歪んだ。なんの話?　言い返そうとして、不意によみがえった記憶があった。

二十一歳の冬。十二月八日。サムギョプサル屋の路地を通り抜けた、あの日。

私はハ・ユリと出くわした。

「ジナあ!」

電信柱の傍にいた私が振り返ると、ユリが私の名前を呼んで隣の路地から飛び出してきた。

「来たんだ、ジナ！　いつ来るかなあって思って、向こうでずっと待ってたんだ！」

「ああ、アンニョン」

私は戸惑った。誰にも気づかれないうちに帰ろうと思っていたのに、よりによってここでこの子に会うとは。私はいつもユリが鬱陶しかった。新歓コンパで一度話をして以来、ユリは私のことを親友だと触れ回っていた。ユリを友達だと思ったことは一度もなかった。適当に挨拶をして帰ろうと思った。急いで踵《きびす》を返した。ところがユリは私を追ってきた。

「ジナあ、入んないの？」

私は聞こえないふりをした。それでもユリはしつこくまとわりついてきた。私は家で用事があるから帰らなければならないと言った。ユリの目に失望の色が浮かんだ。聞かなければよかったのに、気がつけば声をかけてしまっていた。

「どうして私を待ってたの？」

ユリは、台詞でもいうみたいに妙に芝居じみた口調でこう言った。

「うん、ちょっとね、話したいことがあったからなんだ」

そして私のすぐそばまで近づき、声をひそめて囁いた。

「あのね、あたしのこと、ちょっと助けてもらえる？」

耳元にじっとりとユリの生温かい息がかかった。私は神経質に耳をこすった。苛立っていた。ここに来たことがとっくに誰かにバレているという事実に苛つき、それがユリであるという事実に余計不愉快になった。どうしてよりによってこの子と並んで立っているんだろう。どうしてヒョンギュ先輩や他の子たちじゃないの？　ユリが何か言おうとまた口を開きかけた瞬間、私はケンカ腰に切り返した。

「何を助けろっていうのよ」

ユリが深刻な表情で私を見た。不愉快だった。何かを演出しているのがありありの顔。溜息が出た。ぞっとした。私はどうしてこの子と喋り続けているんだろう？　ユリの返事がどうであれ、とにかく家に帰ろうと思ったその時だった。

「ユーリッ！」

路地の向こうで誰かがユリの名前を呼んだ。男の声だった。ユリがビクッとして振り返った。どこか聞き覚えのある声に、私は耳をすました。だがそれ以上声はしなかった。ユリがおずおずと後ろを確認した。街灯に照らされて、男の影がぼんやりと浮かび上がっていた。背が高そうだった。ユリは男と私を順番に見比べながらもじもじしていた。男のところに行きたそうな雰囲気だった。もう私は用済みだとでもいわんばかりの態度に腹が立った。男が来たから、もう私には用がないわけ？　結局、私がアンジンで最後に会った人間はあんたなんだ。それと、あんたのたくさんいる男のうちのひとり。私はユリに腹いせしたくなった。だがグッとこらえて回れ右し、前に歩き出した。

「ジナあ！」

ユリがもう一度私を呼んだが振り返らなかった。二度とここへは戻らない。ユリが私を呼ぶ声が、ずっと路地に響いていた。

帰る途中、同じ学年の学科代表から電話がかかってきた。もちろん私に会いたいという口ぶりではなかった。みんなが揃う席に顔を出していないから、とりあえず一回連絡を入れたという感じだった。私は、そういう理由をひた隠しにした声が耳元で響くのを聞いていた。仲間外れにしたわけじゃないよ。あんたの誤解だってば。だってほら、今日の集まりのことも知らせてあるし、今もこうやって電話してるでしょ？

彼女は私に、今日は欠席かと聞いた。行かないと答えると、チラリとあてこすってきた。

「そうなの？　ユリがさっき、あんたのことを見たって言ってたけど？」

私は無言で顔を顰めた。やっとわかった。当然呼び出すために電話をかけてきたのではなく、私が近くまで来て引き返したことを確認したかったのだ。あんたたちの尻を追っかけ回してるって陰口が言いたかったわけね。私は、ユリと顔を合わせたのは「さっき」ではなく「けっこう前」だと言い訳をし、話をはぐらかした。大方の人間がもう勘弁というふりをしながら実は好奇心満々の、まさにあの話。私は、ユリにまた新しい男ができたみたいだと告げた。

「それって今に始まったことじゃないでしょ」

予想通り、学科代表は関心のないそぶりをしながらもユリの男の話に食いついてきた。「で、今度は誰よ？　またうちの学科？」

私は答えた。「わかんない。でもその人、ものすごく背が高かったんだよね」

みんながヒョンギュ先輩と誤解するかもしれないとは思った。また迷惑をかけたくないとも思った。だが言い直しはしなかった。もう私の知ったことではなかった。最初から私には無縁のことだ。この場所も、この人たちも。私はここを出て二度と戻らないのだ。ヤン・スジンのことを思うと笑いがもれた。今度はソウルまで問いつめに来るかな？　そうね、勝手にすれば。

私は、背が高いとしか言わなかった。

その数日後、ユリは亡くなった。

「おかげでうちの夫はハ・ユリとそういう関係だって噂になった。知ってるでしょ？」

「いや、私は……」

何も言えなかった。実は知らないわけではなかった。ひょっとしたら本当にそういう話になっているかもしれないと確かめたから。みんな、まったくふざけていると思った。あの頃、背の高い男はヒョンギュ先輩とドンヒだけではなかった。新入生にもいたし、除隊した予備役の先輩の中にも背の高い人はいた。人文学部全体をひっくり返したら十人は下らないはずだった。なのに結局ヒョンギュ先輩だと決めつけて噂が広がるなんて、唖然とした。とはいえすぐに忘れてしまった。私はすでにアンジン大学とは無関係だった。そして正直に言えば、その噂のせいでヤン・スジンとリュ・ヒョンギュが別れたかどうか、そっちのほうが気になっていた。彼らは別れなかった。私は興味を失った。完全に忘れたとは言えない。でも、記憶していたことはなかった。それは、よその家に届いた宅配の荷物をこっそり持ち帰って封を開け、中身をダメにしてしまうのと似ていた。その後で私がしたことといえば、品物を箱に戻して密閉し、元の場所に置きなおすことだった。何事もなかったように。身に覚えのないことのように。だからスジンは今まで怒っていたのだろうか？　だから私は嘘つきだと書き込んだのだろうか？

スジンの冷たい声がした。

「そういうの、得意だもんね。見ていないのに見たように言うこと。知らないくせに知ったかぶりすること」

後ろめたかったし恥ずかしかったが、逃げてはいけないと思った。そういうつもりじゃなかった。今度こそ、本当にちゃんと伝えなければならない。その時スジンが言った。

「そのツイート、私じゃないから」

そして席から立ち上がった。もう話すことはないとでも言うように。訪ねてきたのは私なのに、スジンだけが言いたいことを言って終わったのだ。彼女は私をひとり置き去りにすると、肩で風を切ってカウンターへと戻ってしまった。私は歯を食いしばって立ち上がった。そしてスジンに近づいた。

「警察に捜査してもらうことだってできる」

スジンが冷ややかに言った。「してもらえば？　私じゃないもの」

私は言葉もなく立ちつくした。妙な気分だった。問いつめにきたはずなのに、過ちを犯した人間にされている。引き下がりたくなかった。私は言い返した。

「だから、その噂のことがあってイカレた女だって書いたわけ？」

返事はなかった。理解できなかったし納得もいかなかった。

私はもう一度聞いた。「じゃあ普通に聞いてくれればよかったじゃない。なんであの時聞かなかったのよ？」

幼稚だ。あの時のことが理由でこうしてるなら、本当に幼稚だった。私がどんな目に遭ったか全部読みながら、どんな気持ちだったか全部知りながら、どうしてあんな真似ができるんだろう。スジンが私を見て笑った。本当にバカなことを聞いてくるというように、冷たく。

人は絶対に変わらない。驚くほどに。

「わかった」決めつけるような口ぶりだった。「そのツイートは私じゃないし、あんたの言ったことは間違って噂になった。それでいいんでしょ？　話はおしまい。それと」

スジンが少し口ごもった。私はスジンが不快だった。あんただけがうんざりしてるんじゃない。私だってやっぱりそうなんだから。スジンが言った。

「私、女じゃないから。だからもう消えてくれる？」

＊　＊　＊

スジンのカフェを出てしばらく歩いた。適当なレストランに入ってひとりで昼食をとったが、侮辱されたという思いが吐気のように込み上げていた。私は外に出ると息をこらえて歩き続けた。気がつけばアンジン大学の校庭に出ていた。

通いなれた道だった。

正門から入ると、両脇に街路樹のように桜並木が延びていた。桜はアンジン大学のシンボルだった。満開の春にはアンジンの住民が桜目当てに大学を散策にきた。だが見応えがあるのは夜の光景だった。桜並木の間の街灯に照らされて、透けた花びらの白い輪郭が夜空に浮かび上がった。風が吹くと花びらは頭上を舞い、地面に白く散らばった。冬の今は春とはまったく違う雰囲気だったが、趣きはあった。

私は体を震わせながら歩いた。寒さのせいか不愉快な気分のせいかわからなかった。ひたすら前へ進んだ。いつのまにか正門ははるか後方に遠のいていた。ここから五歩先の一つ目のカーブに沿って道を曲がれば、人文学部に続く細い道になる。私は心の中で数えながら歩いた。いち、に、さん、し、ご。

待っていたかのように木立が消え、細い道が現れた。大学に入学したばかりの頃、私はこの道を童話によく出てくる狭い洞窟のようだと思った。完全な別世界へとつながる、細くて深い連結部分。大学に来るまで、私にとってアンジン大学は夜桜が美しい場所だった。大学に入ってから、桜の向こうにまた別な世界が広がっていたことを知った。私が行くべき、いるべき場所。洞窟を這い進むように桜の下をそろそろと通り抜け、その世界へ歩を進めたのだ。

足が止まった。目の前に人文学部の建物があった。若い学生たちが建物の周りをうろついていた。建物からは酒のような鼻につくにおいがした。記憶の中を歩いている気分だった。私はいざなわれるように人文学部の建物へと進んだ。建物の裏手にもやはり桜の木がたくさんあった。そこは裏門につながる人文学部の小さなグラウンドだった。裏門の向こうに学生向けのワンルームマンションが密集していた。学校の寄宿舎よりもそちらのほうが人文学部に近かった。講義室に入ると、まだ乾ききらない髪のクラスメイトを見かけたものだ。寄宿舎にいた私はワンルームに暮らす子たちが羨ましかった。そこにはキム・ドンヒが住んでいた。ハ・ユリもいた。一年の終わりにはヤン・スジンも寄宿舎を出て一人暮らしを始めた。彼らはみな寄り集まって暮らしていた。

思い出のようなそうでないような過去の日々に浸っていた時、突然、携帯メールの着信音が鳴った。私は携帯の画面を確かめ、すぐに電源を落とした。イ・ジンソプだった。

本当に今日はいろいろある。心が重かった。このまま帰ろうかとも思ったが行く当てがなかった。ダナの仕事が終わるまでまだしばらくあった。玄関のナンバーキーの暗証番号は教えてもらっていたが、無人の家に入るのは気が引けた。私は周囲を見回した。ひょっとしてイ・ジンソプはここまでついて来てるんじゃないだろうか。私はあたりを気にしながら人文学部へ近づいた。気持ちを落ち着かせるためにも、小グラウンドを一周りしてからキャンパスの外へ出ようと思った。その時だった。人文学部の前に貼られた壁新聞に目が留まった。

私はぽかんと口を開けた。

「ユーラシア文化コンテンツ学科のキム・ドンヒ講師を告発します。去年の十二月十六日、彼と一緒の飲み会で、私はセクハラを受けました。彼は、私の背中の下着の部分を撫でさすりました。その席には友人四人がいましたが、みんなが歌をうたうのに夢中になっている時にこっそり行われた行為だったため、誰にも気づいてもらえませんでした。私は体をよじって避けようとしましたが、キム・ドンヒ講師はますます露骨に手を伸ばし、私の背中をずっと触り続けていました。

大学の両性の平等相談所に申し立てをしました。相談所からは、私が公式手続きと非公式手続きのどちらかを選択でき、加害者の懲戒処分も求めることが可能だと言われました。非公式手続きとは相談所の仲裁で被疑者と協議をすること、公式手続きは真相調査委員会を開催して事件の調査を行うことでした。私はとりあえずキム・ドンヒ講師の解雇を求めました。公式手続きをとりたいとも考えましたが、大学で自分のプライベートなことが噂になるのが心配でした。そんな中、相談所からは非公式手続きでの話し合いを勧められました。キム・ドンヒ講師が和解を求めているということでした。私は結局、非公式手続きを受け入れました。私とキム・ドンヒ講師の供述は食い違っていたし、目撃者はひとりもいなかったし、証拠物もなかったため、真相調査委員会が開催されても解雇まで持って行くのは難しいと思ったからです。結果、キム・ドンヒ講師には一学期休講という懲戒処分が下りました。背中を撫でさする行為はセクハラとみなすことができるが、そのレベルやセクハラされた部位が解雇を決定づけるほど絶対的なものではなく、証拠や目撃者がないから、です。私の感じた絶対的な羞恥心を、果たして客観的な項目で評価できるのか疑問です。でもキム・ドンヒ講師の一学期の休講で、ある程度の処罰はなされたと判断し、受け入れることにしました。ところが、次の学期にキム・ドンヒ講師が工学部や自然科学部で人文学関連授業という名前の講義をすることがわかりました。さらにキム・ドンヒ講師は大学院のプロジェクトで重要な任務を担当し、ひきつづき対外的な活動も行うと知りました。相談所に抗議したところ、キム・ドンヒ講師の人文学部での授業はなくし被害者である私が顔を合わせなくてすむようにしたので、十分合理的な措置だという返答でした。私はこの件を学生の皆さんに伝え、訴えたいと思います。一度申し立てをして結論が出た事案は再申し立てができません。キム・ドンヒ講師は私の尊敬する先生でした。私を守り、導いてくれると思っていたその人のせいで、消すことのできない傷を負いました。大学は名目上相談所を置いているだけであり、実際の被害者の要求や立場を考慮していません。だから学生の皆さん、力を貸してください。真相調査委員会を開催し、前学期の事件をきちんと調査できるよう、ご協力をお願いします。

ユーラシア文化コンテンツ学科　キム・イヨン」

長い間忘れていたドンヒの顔が脳裏をよぎった。彼とつきあっていた四か月のあいだ、ずっと苦しかった。真っ当な恋愛じゃなかったから。いくら初めてで何も知らなくても、そのくらいのことはわかった。ドンヒと私の関係は決して恋愛ではなかった。ふとイ・ジンソプの顔が浮かんだ。そういえばイ・ジンソプと初めて会った時初対面の感じがしなかったが、その理由がわかった気がした。

これまではヒョンギュ先輩のせいだと思っていたが、考えてみると、ひょっとしたらドンヒが理由だったのかもしれない。そこまで考えて鳥肌が立った。

男が二人、建物の中から出てきた。二人は壁新聞を一気にビリビリと引き裂いた。驚いた私は後ずさった。私の様子にひとりが言った。

「行政室の者です。無許可の掲示物ですので。仕方ないんです」

すると、もうひとりの男が余計なことをと言うような叱責のまなざしを向けた。彼らは剝がした壁新聞をゴミのように丸めて人文学部の中へ消えていった。キム・イヨンが書いた文章は跡形もなく消し去られた。

夢の中にいる気分だった。私は人文学部に足を踏み入れた。古い建物の埃っぽいにおいが鼻の奥に潜り込んできた。キム・ドンヒ。あんたも嫌な歳のとり方をしたね。もしやと思い周囲をおそるおそる見回した。ひょっとしてキム・ドンヒと出くわすのではないかと心配になった。

決して会いたくなかった。

あの男は私の人生で、何物でもなかった。

私は足を速めた。外へ出るとすぐ目の前に小グラウンドが広がっていた。男子学生がサッカーをしていた。小グラウンドの周りにもやはり桜の木がぐるりと植えられ、木の下にはベンチが集まっていた。あいにく、外に出ると余計はっきりキム・ドンヒとの記憶がよみがえった。デートだといってよく腰を下ろした場所がほぼ毎回そのベンチだったのだ。もちろんひとりで座っていたことも多かった。

あの頃、たくさんの人を見かけた。友人たち、先輩たち。空きコマで時間をつぶしている人文学部の学生がいて、ドンヒと私のようにデートしている恋人たちがいて、昼酒を飲みに集まったサークルのメンバーがいた。そしてユリがいた。私はぎゅっと目を閉じてまた開いた。ハ・ユリの姿が写真みたいに鮮明に像を結んだ。

ユリはいつも、向こうのほうにひとりで座っていた。

私はもう一度目を瞬いた。はるか遠く、壁新聞を貼っているひとりの女子学生の姿が見えた。キャップを目深にかぶり、パーカーの上にくたびれたミリタリーコートを羽織った女子学生。あの学生がキム・イヨンだろうか。私はじっと彼女を見つめた。つらそうだった。たくさんの人が通りすぎていった。だが誰も彼女に目をくれなかった。

交通事故だった。ユリは登校途中だったらしい。大学の正門の真向かいでの事故だったから。「コンテンツ創作」という授業のレポートを提出しにいく途中だったようだ。その日は十二月十五日で、かなり締め切りを過ぎていた。だから、おそらく教授に直接手渡しして受け取ってもらおうと大学に向かったのだろう。最後にユリとメールを交わした同学年の子がそう言っていた。ウザかったとも言っていた。レポートが間に合わなくてどうしようと朝からずっとメールが来るので、じゃあ直接手渡せば？　と返事をし、それからは携帯を見なかったと。なんとなく私の耳にも入っていた。実際、あの課題へのユリの態度は異常だった。自分がどんな人間だと思うかを自由に表現するという内容で、二学期のはじめに出された課題だった。ユリは二学期の間じゅう、しょっちゅうクラスメイトにメールしてはああでもないこうでもないと騒いでいた。私にもそのメールは来た。わかんないの。難しくて。書けない気がする。こういうのはつらすぎる。本当にキツくって。こういうことを書くの平気？　自分をどんな人だと思ってる？　あたしってどんな人？　どう見える？　あたしってどうなりたいんだろう。どんな人になりたいんだろう。ううん、もうなっちゃってるんじゃないかな？　絶対そうなりたくないって人に。みんな、大丈夫、きっとできると気休めを言ってはグループチャットでユリの陰口を言っていた。イカレ女。また注目されたくて大騒ぎだよ。面倒くさくて死ぬ。ウゼーんだよ。やだ、だから適当に返事しときなって。そんなことしたらほぼ毎日、ごはん食べようメールがくるよ。耳に入らないはずがなかった。みんな、座りさえすればその話だったから。私はユリのメールに一度も返信しなかった。

ユリの事故は轢《ひ》き逃げだった。それまで私は死を経験したことがなかった。祖父母の葬式が立て続けにあったが、それは突然の死とはかけ離れたものだった。静かに世界を整理する感じに近かった。だがユリは違う。死を実感するのに二十一歳は若すぎた。私にはそうだった。その数か月前にユリは自殺騒ぎのようなものを起こしていたから、ショックは余計大きかった。私は、ユリがみんなの気を引こうとしてそんな騒ぎを起こしたと思いこんでいたのだ。面倒だし幼稚だと思った。だからあの日、サムギョプサル屋の前で、輪をかけてユリに冷たくしたはずだ。その後ユリが亡くなったと聞いて、あの子がどんな気持ちだったか少しだけ真面目に考えた。道で私の名前を呼んでいたあの声を思い出した。ユリに、本当に何かあったんじゃないだろうか。

自殺騒ぎと失笑を買ってはいたが、実際はかなり深刻な事件だった。新聞にまで載ったほどだった。自殺志願者のサークルに加入し、決行場所のビジネスホテルまで出かけたのだ。

その日集まったのはユリも入れて五人だった。記事に書かれていた通り、命を落とした者は誰もいない。ダナに聞いた話によると、そのサークルのリーダーは現在、アンジン教会の合唱団で伴奏者をしているらしい。いつだったか彼は当時を振り返って、虚勢ばかり張っていた頃の気の迷いだったと話したそうだ。死を崇拝し、世間を小馬鹿にし、自分で自分の体を自由にする権利があると思いこんでいた頃の若気の至りだったと。そしてそのサークルにユリがいた。実際にあの子が亡くなる四か月前の出来事だ。ふと思った。だったら、交通事故も自殺の可能性はないだろうか。どうせ死ぬつもりだったんだから。そんなふうに。結局、そんなふうに。

葬儀はこぢんまりしたものだったという。身寄りがいないため喪主の成り手もなく、簡単に済まされた。遠い親戚が一人やって来たが、火葬が終わるとすぐに帰っていった。だからユリがどこに埋葬されたか誰も知らなかった。ダナが言うには、ヒョンギュ先輩が最後まで葬儀を手伝ったという。主《あるじ》亡き後の部屋を掃除したのもヒョンギュ先輩だった。大家が家財道具を全部廃品業者に売りとばすつもりだと聞いて、ヒョンギュ先輩が男子の後輩を連れユリの部屋へ向かった。掃除をし、遺品を整理し。そういうことをみな先輩がしたと聞いた。

ユリはあのレポートに、どんな物語を書いていたのだろう。


当時を思い出しながらしばらく歩いていると、いつのまにかワンルームマンションが集まる地域に来ていた。ドンヒに会いにしょっちゅうこの辺には来ていた。彼の部屋はわかりやすかった。まずコンビニの看板を探してその道を上がり、水漏れ点検の表示板が出たら左折して、二ブロック行くと集合住宅が現れる。その半地下にドンヒの部屋があった。斜め向かいの新築マンションの五階にはユリが住んでいた。ユリがゴミ出しをしたり買い物に出かける姿を何度か見たことがあった。

私は一時ユリの部屋があった建物の前に立った。十一年前より古びていた。だが周りの風景や玄関ドアはあの頃のままだった。再び二十一歳の頃に戻ったようにぼんやりしていると、ふと心のかんぬきをこじ開けて一つの疑問が浮かんできた。

なぜヒョンギュ先輩は、わざわざユリの家を掃除しに来たんだろう?

確かに、そのことはいつも引っかかっていた。もちろんいかにも先輩らしい行動ではあった。他人に心を配り、細かいことにも気が回る人。とはいえ、普段関心のなかった子の部屋をなぜ片づけてやったりしたのだろう。でも先輩ならするかもしれない。あの性格だから、気にかけてやれなかったその後輩に同情心がわいた可能性はある。当時はさして不思議とも思わなかった。ユリと先輩の噂が広まっていることを、その時点では知らなかったからだ。今は納得がいかなかった。怪しい仲と噂されていた相手の家を、わざわざ片づけてやった?

スジンの顔が浮かんだ。私のせいで良くない噂は広まったかもしれない。でも、かなりの時間が経っている。いまだに私をおかしな女呼ばわりして怒るほどのことだろうか。

もしかして、わだかまりが残っているのではないか。

私は唾を飲みこんだ。何か胸の奥に秘めておきたいこと、絶対に知られたくないことが思いがけずよみがえり、それで頭に来たのではないか。こんな今になっても。

つまり。

本当にそういう仲だったから、家を掃除しに行ったのではないか。

妄想がスピードを上げて頭の中を疾走した。絶対にそんなことをしなさそうな人。そんなことをするように思えない人。誰にも疑われない人。

もう私は、そういう賞賛される人間を信じていない。イ・ジンソプはみんなから信頼される男だった。みんながしきりに褒める男。一年間、私が何をされていたか誰も気がつかなかったように、他人を完璧に欺《あざむ》ける人間は確かにこの世に存在する。そしてイ・ジンソプこそ嘘つきだった。人によく見られるために、羨みの対象になるために、自分をとりつくろっていた。裕福な家の息子、愛される息子、妹たちを大切にする兄、愛情こまやかな恋人。私も、人を欺いていた。

彼氏に愛されているふり、自分がすべてを理解できているふり。

彼に初めて殴られた日のことを覚えている。

あの日、私たちは昼から酒を飲んでいた。酔いが回ったのか、彼はあれこれ身の上話を始めた。彼はパルヒョン同様さびれた田舎の生まれだった。自分が田舎の出身であることをよく思っていなかった。家族のせいだった。彼は「長男」という単語を嫌っていた。一家の責任を負わなければならないという事実に憤っていた。あの日私は、彼がゼロから這い上がるようにして生きてきたことを初めて知った。会社でみんなにしていた話と違って少し驚いた。人には、親にたっぷり愛されて育った、妹たちとも仲がいいと何度も言っていたのに、その日聞いた内容はまったくの別物だった。彼の話では、大学から今に至るまで、親から何の援助も受けずに暮らしてきたという。にもかかわらず家族は彼をかなり優遇したつもりらしかった。

「もちろん、支えてもらうことはもらった。でもよくわからないんだよな」

妹たちよりも肉を一枚多く食べさせてもらったこと？　高校時代に自分だけ塾に行かせてもらったこと？　やっぱり自分だけソウルの私立大学に通わせてもらったこと？　もちろん、それはしてもらった。だが彼は大学に在学中ずっと奨学金をもらい、アルバイトで生活費を稼いでいた。塾といっても近所の小さな補習塾だったし、妹たちが結婚する時は彼が借金をして婚礼家具を揃えてやった。そして就職してすぐから今まで、毎月家に仕送りをしていた。なのに妹たちは顔を合わせればブツブツ文句を言う。お兄ちゃんだけひいきされていたと。だからちゃんと親の面倒を見て暮らせと。

「そういうことを言われると、ガキの頃みたいに一発ぶん殴ってやりたくなるんだって」

彼は冷蔵庫からビールを取り出して話を続けた。「ガキの頃はよかったよ。あの頃はアイツらに一発ずつ食らわしても、誰も何も言わなかったしな」

その時彼はすでに酔っていたのだと思う。それ以上彼が自分の話をしないほうがいいと思った。私は自分の家の話を始めた。

父方と母方、両方の祖父母が亡くなってから、我が家は身軽になった。親戚といえば伯父一人とおば二人だった。伯父はアメリカに移住し、二人のおばは両方とも別の地域に暮らしていてめったに会えなかった。おばたちは盆暮れにそれぞれの夫の実家に行くからパルヒョンには来られなかった。いつからか両親は、お盆や新年の行事を簡単に済ませるようになった。幼い頃から農作業にかり出されていたせいか、手の込んだ家庭のイベントみたいなものを好まなかった。我が家の行事はあっさりしていた。

そう話すとよく、地方の人なのに珍しいという言い方をされるが、地方だからといって必ずしも伝統を守って暮らしているわけではない。その家がどんな嗜好かのほうが大きいと思う。うちの両親はいつも仕事と借金に追われていた。スーパーにさして客の来ない連休ぐらい休みたかったのだろう。そんなこともあって我が家では年中行事の食卓にあまり手間をかけることはなかった。おまけに母は私が台所に入るのを嫌がった。だから、私はそれまで料理の手伝いをしたことがなかった。どうせ結婚すれば一生盆暮れの料理を作ることになるのに何も今からすることはないと、母は、手伝おうと言う私をいつも追いはらった。ある時、見るにみかねてジョン（季節の材料に粉と卵をつけて焼く料理。誕生日や名節など特別な日のメニューともされる）を一緒に作ろうと母を買い物に誘うと、こんなふうに言われた。「そうね、今年のジョンは市場で買ったものにしよう」

法事《チェサ》での料理作りも同じだった。私は彼に言った。

「だから、私は一度も手伝ったことがないの」

「なるほどな」彼の顔がいきなり歪んだ。「そんなことだろうと思ったよ」

私は彼の口調に戸惑った。非難されている気分だった。どう答えたらいいかわからずにぽかんと彼を見つめていると、突然彼が手の甲で私の頬をぱちん、ぱちんと二回ぶった。それは、撫でているというのとは違った。力が入っていた。頬に痛みを感じた。

なに？　ふざけてるの？

混乱した。頭の中もこんがらがった。なぜ自分がそんな言い方をされるのか理解できなかった。私が盆暮れの料理を作らないのは我が家では自然なことだった。皿洗いや洗濯、掃除なんかはもちろん手伝っていた。私が台所仕事をするのを母が特に嫌がったからしなかっただけの話なのに、まるで私が家で何もせずゴロゴロしている人間のような口ぶりだった。でも反論しなかった。いずれにしろ自慢できる話ではない気がした。もしかして私のほうが間違っているのだろうか？　いくら母が嫌がっても手伝うべきだったのだろうか？　当然すべきことなのに、空気が読めずにスルーしてしまったのだろうか？　相変わらず頬には痛みが残っていた。じゃあこれは何なのだろう。彼は今、私をぶったのだろうか？　それともうっかり力が入ってしまっただけのミスなのだろうか。私は思った。

ああ。彼は、酔ったんだ。

そう、酔えばこういうこともあるよね。

表情を強張らせている私を見て、彼がほほえんだ。そして、また手で私の頬をぶった。ぱちん。

ぱちん。

ぱちん。

私は彼の手を摑んだ。

「やめて」

彼は声を出して笑った。「おい、冗談だよ。冗談。冗談もわかってくれないの?」

私は手を放した。彼が私の頭を撫でた。ムキになったことが少し恥ずかしかった。彼はまた自分の家の話を始めた。盆暮れはいつも彼が家事を担当していると言った。法事の準備から親戚の出迎え、食事の支度はもちろん墓掃除まで、すべて彼がやっていると言った。よその家には嫁がいるが自分は独り身だから、誰にも手伝ってもらえないと言った。かといって老いた母親にすべて任せるわけにもいかず、仕方がないから自分がやっていると言った。父親は常に何もしようとしないと言った。そのくせ彼が台所に入ると、男がなんの真似だと舌打ちすると言った。妹たちは里帰りを理由に箸ひとつ動かす気もないと言った。彼はまた言った。

「ホント、殴りたいよ」

私は思わず聞き返した。「お父さんを?」

その瞬間、彼がまたひどく顔をしかめた。「何言ってんの。オレがそういうヤツに見える? 妹だよ」

「ああ」

私は言葉が見つからず、ぎこちない笑みを浮かべた。彼が私を見て言った。

「殴りたくなんない?」

私は迷った末につぶやいた。

「そうね。とりあえず、男でも料理ってするんだ」

一瞬、周りの空気が低く抑え込まれた気がした。私は顔を上げた。彼がひどく怒った表情で私を睨みつけていた。弁解するように、急いで付け加えた。

「うんと、あなたんちは男もしてるから」

その時、パンッという音が耳に響いた。私は手で顔を覆った。

「男でも?」

彼が激高して言った。

「家でダラダラしてるのが自慢かよ?　お前の親に理解があるとでも思ってんのか?　勘違いすんな。それは理解してんじゃない。黙ってるだけなんだよ」

そして私の肩を突き飛ばした。私はイスから転げ落ちて床に倒れた。ずっと顔を覆っていた。彼の顔を見られなかった。

「男でも?　そんなこと言って恥ずかしくねぇのかよ?」

恥ずかしかった。

両頬が熱く疼《うず》き、驚きのあまり心臓が破裂しそうにドクドクいっていることよりも、自分が「男でも」という言葉を使ったことのほうが本当に恥ずかしかった。小学生の時、女子はやっぱりスカートのほうが可愛いという男子によく見られたくてスカートをはいたことを思い出した。なのに、あんたがそんなことを言うなんて。アンジン大学時代、有名翻訳家の講演を聴きに行って打ち上げに参加した。翻訳家は男性だった。男子学生より女子学生のほうが数倍多かった。翻訳家は大学時代につきあっていた女の話をした。あらゆる男を虜にし、さんざんヤキモキさせられたその女が、彼が有名になった途端連絡をよこしたという話だった。翻訳家は言った。「会ってみたら実にガッカリでした。ずいぶんと醜く老けこんでてね」そして女子学生を一瞥して言った。

「だから、お手入れはちゃんとしてくださいよ」

私は笑った。その場で笑った。雰囲気を壊す人間になりたくなくて。そういう冗談をうまくかわす、余裕のある女に見られたくて。ソウルの大学での、卒業を控えた最後の学期。ある老教授が私たちに、女子に、こんなことを言った。

「君らがここでこうやって座っているから人口が減るんじゃないか！　早く出てって結婚して、子供を産みたまえ！」

怒った女子学生数人が大学側に老教授を告発する署名を集めた。私は名前を書かなかった。卒業学期だった。「そんなこと」で被害をこうむりたくなかった。女って都合が悪くなると差別って言い出すから。前の職場には上司をセクハラの疑いで告発した女子社員がいた。私は力を貸さなかった。自分のことではなかったから。もっと大事なことがあるのに、つまらない事件で職場の雰囲気を壊す面倒な女だと見られたくなかったから。

それなのに。そんな分際で。

恥ずかしかった。

男でも？　どうしてそんな言葉を口にしたんだろう？　いまどき男も女もないだろうに。

「女が」という言葉を聞きたくないと言いながら、自分の口から「男でも」なんて言葉を吐いてしまうなんて。いや、私は今まで、そういう話に積極的に発言したこともないのに。どうして「男でも」なんて言葉を使ったんだろう？　殴られざるをえない状況を自分で作ったのだ。私が失敗したんだ。彼の状況を知りながらそんなことを言うなんて。あんたは資格がないんだよ。

だが、彼が私を殴ったのは事実だった。彼がトイレに行っている間に私は荷物をまとめ、外へ飛び出した。そして三日間、彼からの連絡を無視した。彼は連日、悪かったというメールや音声メッセージを送ってきた。気持ちを制御できずに衝動的にやってしまったと。二度とあんなことはしないと。

「ごめん。君に怒ることじゃなかったのに」

彼は、両親が事業に失敗して作った借金を自分が返済していると言った。

「ただ、もう少し慎重に言葉を選んでくれたらとは思う。もちろん、自分の状況をきちんと説明してなかったのはオレのミスだよ。でもオレはすべてに責任を負ってる。ただ長男だってだけで。両親が健在なこと自体すごい負担だ。こう思うのだってどれほど気が咎めるか。なのに、男でもやるんだ、ってのはさ。ああ言われて、頭の中がプチッと切れた気がした。ごめん。本当に悪かった。自分でも驚いた。信じられない。こんなのオレじゃない。わかってくれるよね。オレは優しい人間なんだ。オレの優しさを、君が引き出してくれないか？」

四日目、彼は私の家の前まで来て土下座をした。彼は身長が一九〇センチ近かったが、そうやって目の前で土下座しているととても小さく見えた。私の赦しを得るため膝を折る姿に、気持ちが軟化した。堂々として自信たっぷりの人が、みんなから羨望の目を向けられているこの人が、今、私に赦されることだけを求めていた。

自分でもわかっている。彼が私を殴ったことは、頭で理解して受け入れる問題ではなかった。だが私は理解しようとした。自分の身に起きたことに自分で納得できなければいけなかったから。自分が男から好き勝手に暴力を振るわれる女だと、認めたくなかったから。だから私はすべてを「本心」だと受け取った。私のせいで彼もやはり傷ついたという言葉。生活が大変だという言葉。本当に悪かったという言葉。にもかかわらず、私を本当に愛しているという言葉。

愛している。

本当に愛している。

だから、私を一番深く欺いていたのは結局私自身なのだ。人はそうやって誰のことでも騙せる。ありうることだ。ヒョンギュ先輩だからといって違うだろうか。本当の彼は、私の記憶の中のああいう姿なのだろうか。

その時、マンションの玄関が開いた。中年の女性が電話をしながら出てきた。

「ああ、こちらが不動産屋さんに伺いますよ」彼女は携帯電話を耳に押しあてて話していた。すぐにわかった。マンションの大家だった。以前、通りすがりに見かけたことがあった。このあたりは小さなワンルームマンションが集まる地域で、学生たちはその中を転々としていた。だから学生の間ではいい物件の大家数人の顔は知られていた。私のように寮住まいで一人暮らしがしたいとうずうずしていた場合はなおさらはっきり覚えていた。このおばさんもずいぶん老けたな。だが単にそういう気がしただけで、本当に当時の大家か確信はなかった。やがておばさんのほうが目線に気づき、ちらりとこちらを見た。私はすばやく駆け寄った。そうだ、どうせこういう成り行きなら一度確かめてみよう。

「おばさん！」

私に呼ばれて彼女は振り返った。私はすかさず尋ねた。

「おばさん、ハ・ユリ、覚えてますよね？　前にそこの最上階に住んでたんですけど」

おばさんは訝《いぶか》しげに私を見ると、ゆっくりと答えた。

「ああ……、あの亡くなったお嬢さんね？　いきなり何です？」

やっぱり当たりだった。おまけにユリのことを覚えていた。私は急いで話を切り出した。

「私、ユリの大学の時の同級生なんです」

彼女は溜息をつくと、面倒くさそうな口ぶりで言った。

「もう、なんでこんなに同級生が多いのよ」

「はい？」私が聞き返した。

「それで？　お嬢さんも小説を書いているわけ？」

返事ができなかった。何を言われているのかわからなかった。大家は言った。

「なにかっていうと小説家だ、記者だって言って人が訪ねてくるのよ。お嬢さんは何？　小説？　それとも記事？」

私は首を横に振った。大家が追い返すように手をひらひらさせた。ユリさんについて特に話せることはないと言った。私は急いで言葉を続けた。

「おばさん、その時のことなんですけど。掃除しにきた男の人、いましたよね。背がとても高くて。覚えてます？」

早口で説明した。部屋の明け渡しの時、男たちが来て掃除をし、荷物をまとめて行かなかったかと。

「ああ、それがどうかしたの？」

「もしかして、どんな人が一緒に来ていたか覚えてますか？　来たのは男子三人ぐらいらしいんですけど。具体的に何を片づけていったのかとかも、ひょっとして覚えてらっしゃれば」

大家が私をまじまじと見つめた。「どういうこと？　なんでそんなことを聞くんです？」

「それは……」私は息をのんだ。

「もう行ってちょうだい。そんなふうに死んだ人のことを根掘り葉掘り探るもんじゃないの。小説を書きたいならひとりで、想像で書きなさいな」

私は背を向けようとしている大家を引き止めた。「私が疑われているんです。お願いします。どんな人が来ていたかだけでも教えてもらえませんか」

何を言い出すのかという顔つきで大家がこちらを見た。私は言った。

「私が嘘をついてるっていう噂が流れていて」

「どんな嘘？」

「その先輩と一緒に、私がユリの部屋を片づけたとみんなに疑われているんです。違うのに。もうその先輩とは連絡もつかないし。しょっちゅう私が何かを盗んだような言い方をされていて……」

私は言葉尻を濁して大家を見た。本当に嘘をついているからか、顔が火照った。大家は渋い表情だった。相変わらず怪訝に思っているらしい。どうせ嘘をついたついでにもう一押しすることにした。そう、自分だって上手に騙せたのに他人を騙すのが難しいだろうか。

「話がどんどん深刻になってきているので、誤解が解けないようなら警察に相談しようかと思ってるんです」

するとと大家の表情が険しくなった。そんなことで警察沙汰にしなくても、と舌打ちをした。

「やあね、みんな取り違えてるのよ、あの女子学生さんとお嬢さんのことをね」

私はだまって聞いていた。大家が言葉を続けた。

「あの時来たのは三人じゃなくて二人よ。男子学生さんと、ユリさんのお友達と」

「ユリの友達、ですか？」

「ええ、ユリさんの家にしょっちゅう来てた女子学生さん。あの子がユリさんの遺品整理を手伝ってほしいと恋人に頼んで、一緒に来たの。仲よくしてた子だから荷物の整理もできるだろうと思って部屋に上げたのよ。ユリさんは身寄りがなかったし。それにしても、何を盗んだって言われているの？　大事なものは全部あの女子学生さんが持って行きましたよ。親戚に送るんだって言って」

下手をすれば自分が疑われるかもしれないと思ったのか、大家は説明を並べ立てた。警察の話を出したかららしい。決して面倒には関わるまいというように、断固とした口調で続けた。

「はっきり覚えているけど、ユリさんのお友達よ。昔ユリさんに、本当の親友だから、もし自分のいない時に部屋に出入りしていても変に思わないでくれって直接紹介されたしね。ああ、やだやだ。とにかくあの学生さんは変わってたから。契約したその日に自分はみなしごだのなんだのいろいろ身の上話をして、かと思えば今度は突然来て、しばらく友達と同居することになったって大はしゃぎよ。私もユリさんにはずいぶん迷惑したんです。こうしてお嬢さんみたいに話を聞かれるのだってすごいストレスだし、ねえ？　とにかく、あの子がユリさんの友達だったことは間違いない。一日だけじゃなく、何日もあの部屋に閉じこもってたから。覚えてるわよ。ユリさんは私と会うたびに、親友を見かけても話しかけないでくれって何度も頼んできてね。だから見覚えがあって部屋に入れたの。いくら亡くなったからって、誰にでも部屋を見せたりしませんよ」

やましいことなど何もないと言わんばかりに大家はどんどん声を張り上げた。嫌気が差しているようだった。私はただ聞いていた。納得したからではなかった。何ひとつ理解できないからだった。

だって、スジンとユリは親友だったことなんてなかった。

忙しいからこれでと、大家はきた道をまた歩いて行った。私はその場に立ちつくした。目の前に何本か路地が延びていた。

私を睨みつけていた、小さくて目鼻立ちの整った顔。そういえばスジンは今朝こう言っていた。

私は女じゃない。

どういうこと？

最初に聞いた時は、私みたいな女とは違うという意味のあてこすりだと思った。でなければ、女をどうこう言って同情を買おうとするなという嘲笑の言葉か。私の話を否定したくて、子供のように意地になっているのだとばかり思っていた。だが、急にその言葉に別の意味がひそんでいる気がした。隠された別の意味。

スジンとユリ。ユリとヒョンギュ先輩。そして私。

しかし、深く考えれば考えるほど何もわからなくなり、気がつけば日は傾いて夕闇が広がっていた。私は古い記憶をたどりながらその場に居続けた。どこに行くべきか、ちっともわからなかった。

9　スジン

今日もスジンは出勤の途中、わざわざマンションの保育園の前を通り過ぎた。男の子がひとり、母親の胸から離れないと大泣きしているのが見えた。スジンは見ないそぶりでその子の顔をじっくりと眺めた。歪ませた顔に悲しみが滲んでいた。目尻で玉になった涙が流れ落ちる瞬間、スジンの心も、とぷんと沈むような気分だった。母親はどんな気持ちだろう。必死に子供を引き離そうと後ずさる母親はずいぶんと疲れて見えた。

スジンは顔を背けた。何も見ていないふりをした。

夜十一時、カフェを閉めて家に向かっていると夫から電話が入った。どうも残業になりそうだから、待たないで先に休めと言う。スジンはわかったと返事をした。そして二人は少し沈黙した。

スジンは帰り道でも保育園をしばらく眺めていた。うんざりな習慣だと思った。

わかりやすすぎて、笑える。

誰かと九年一緒に暮らせば、そしてその前の三年も共に過ごしていたならば、相手の習慣や気分には察しがつくものだ。沈黙は彼の習慣ではなかった。頻繁な残業も習慣ではなかった。以前は夫の心をすぐ隣で、手で触れられそうなくらいいつもくっきりと感じていたのに、最近スジンは彼の気持ちがつかめないでいた。

ヒョンギュはいい夫だった。いい恋人だった時以上にいい夫だった。しかし最近彼らはギクシャクしていた。一年前だったか、コンサートに出かけた後くらいから夫の様子が少しおかしくなった。コンサートでは何もなかった。大学で同じ学年だった二人と、たまたま顔を合わせはした。教育庁勤めの公務員と図書館司書になった子だった。だが実はスジンはその二人と親しかったことはなく、正直なところ彼女たちが先に夫に気がつかなければ挨拶もしなかっただろう。

ひょっとしてあの二人は夫と特別な関係だったのだろうか？　かもしれない。夫は学科で一番人気があった男だし、スジンが初めての恋人だったわけでもない。だがスジンは、夫が学科の教授とつきあっていたと聞かされても、単に「あ、そう」と思うだけだったろう。

スジンはあのことがあって以降、大事なのは現在だと心に刻んで生きてきたから。

もっとも、彼女たちは夫と過去に何かあったようなタイプでもなかった。大学時代に勉強ばかりしていた子たちだった。自分の将来に必ずしも誰かいなくても平気そうな子たちだった。

あの子たちはそうだった。恋愛に関心がないとか、一生独身を貫こうという感じではなかった。だがパートナーについて特別焦るふうでもなく、ひとりで十分楽しそうだった。本、勉強、友人、さまざまな趣味を楽しみながら。実はスジンも似たようなタイプだった。

もう少し時間が与えられていたなら、彼女たちと友達になっていたかもしれない。スジンは図書館の司書になりたかった。本を分類し、順番通りに並べ、古くなった本を保存書庫に収め。そういう仕事がしたかった。二人と顔を合わせた瞬間、スジンは遠い昔に失くしてしまった何かを発見した気分になって、しばらくひとりで思い出に浸っていた。特別なことがなければ、スジンもああなっていたはずだから。つまり、ヒョンギュと出会ってなかったら。司書になるよりブックカフェを運営するほうがいいと思ってなかったら。そしてあのことがなかったら。

本当に？　スジンには判断がつかなかった。本当に、あのことのせいだったのだろうか？ だが、そんなことばかり考え続けているわけにはいかなかった。夫が変になり始めていたからだ。どう考えても何もなかったはずの大学時代の知人二人と出くわしたそのコンサートの直後から、彼が変になってしまったから。そう、翌日からだった。朝食を食べている途中、彼はこんなことを言った。

「あいつら、本当にずいぶん変わってたね」

最初スジンは笑った。夫の言葉を、大学時代図書館にこもって勉強ばかりしていた女の子が見違えるほどきれいになったという意味に受け取ったからだった。夫は笑わなかった。彼はスジンをじっと見つめ、力なく言った。

「僕らは、何ひとつ変わらないらしい」

どういう意味かと尋ねた。夫は寂しそうにほほえんだ。少し落ち込んでいるような、なんだか疲れきっているような感じだった。それ以上スジンは聞かなかった。仕事が大変なのだろうと思った。義父母からはなぜ子供を作らないのかとしきりに言われていた。作らないのではなかった。できなかった。病院で検査をしたところ、夫の精子はあまり健康ではないという診断だった。二人は義父母に内緒で三回体外受精を受け、すべて失敗に終わっていた。スジンは人より副作用が強かった。スジンが苦しい思いをするのを見ていられないと、ヒョンギュは妊娠の努力を中断した。そして義父母には自分が三十五になるまで子供を作る気はないと釘を刺し、時間を稼いだ。ひょっとしたらそのことでヒョンギュは意気消沈しているのかもしれなかった。夫はこれまで、何かに失敗したことのない人間だ。なのに子供ができないかもしれないなんて、ショックだったのだろう。スジンは彼を慰めた。

「私は夫婦二人の生活もいいと思うよ。あなたは？」

本心だった。もちろんスジンは子供が欲しくはあった。ヒョンギュとスジンの子供。だが、子供は欲しくないとも思っていた。今のままの暮らしも悪くはなさそうだった。実際よかった。だから、スジンは出勤途中に保育園の前でこっそり子供たちの観察を始めた。自分が子供を欲しいのかどうかが知りたかった。遠くから眺める子供は美しかった。この世でママとパパしか知らない、小さな生命体。眺めながらスジンは、自分が子供好きだと気が付いた。だが本当に育てたいかと聞かれれば、答えは浮かばなかった。そのうちふと、ただこうやって見つめるだけで十分な気がしてきた。そう、誰もが決まった生き方をする必要はない。スジンは夫に言った。

「私、本当に平気よ」

スジンの言葉に夫は返事をしなかった。それ以来彼らは子供の話をしなかった。そんな問題などないかのように過ごしてきた。大体が幸せで楽しい時間だった。しかし彼の年齢が三十五に近づくにつれ、義父母にせっつかれるようになった。スジンの歳もあるのに、いつまで先延ばしにするのかというわけだ。スジンもやはり、この問題をずっと避け続けてはいられないと思った。義父母に正直に告白して決断を下したかった。とはいえ最近の夫は、そんな深刻な問題を持ち出すのが怖くなるほど塞いでいる。前にもこういうことはあった。だが、少しひとりにしておくと自然におさまって日常に戻ってきていたから、スジンは待つことにした。

それにしても、今回は本当に長かった。

今もスジンは彼に何も聞いていない。彼のため、彼をひとりにしておくことが正しいのだから。そう思ってはいるが、実は目を背けているのはスジンのほうだ。スジンにはわかっている。聞かなければいけないと。一緒に生きるということは、別れないよう努力することだ。その気になればいつでも別れられるのだから。他人なのだから。努力は、あなたとずっと一緒に生きるという意志だ。だが意志だけですべてやり遂げられるわけではない。スジンは、意志がどれほど脆いものかをよく知っている。意志もやはり、それを保てるだけの理由がある時に存在しうるのだ。自分の手に負える分しか持つことはできない。たまにスジンは自分の秘密を夫に打ち明けたくなることがあった。だが言わなかった。果たして彼に耐えられるだろうか。今まで彼女が見てきた姿、彼女が彼に寄せる信頼からいけば、答えは「ええ。耐えられるはず」

彼は彼女を理解するだろう。だが本当にそうだろうか。果たして人が人を、完全に理解して受け入れることは可能なのだろうか。このまま彼女と生き続けたいという意志を、彼は持てるだろうか。スジンは立場を変えて考えたことがある。万が一彼に秘密があったら、自分は耐えられるだろうか。

耐えられる。

彼女はいくらでも肯くことができた。できる。いくらでも耐えられる。スジンは彼を心から愛していた。恋愛時代、彼はスジンが完全に心を開いてくれないとよくこぼしていた。だがそれは彼を愛すればこそだった。完全に心を開いてしまえば、彼女の熱い思いに彼が窒息死するかもしれないと思ったから。彼女は完全な形で彼を愛したかった。本当に、どんなことにも耐えられるだろうか。

耐えられる。

本当に、どんなことも平気だろうか？　耐えられるだろうか？

耐えられる。

ヒョンギュが大学の教授と恋愛をしていたとしても。隠し子がいたとしても。ヒョンギュがハ・ユリと、そういう関係だったとしても？

耐えられる。

いや。

夫がハ・ユリとそんな関係だったことはない。二人のうち先にあの噂を耳にしたのはスジンのほうだった。またキム・ジナが言いふらしている話だった。スジンは無視した。何日かして、ハ・ユリが亡くなった。その時になってはじめてヒョンギュは自分とハ・ユリの噂を知ったらしい。スジンはまったく平気だったのに、真面目に話したいことがあると彼女をカフェへ呼び出した。

「変な噂を耳にしたんだ。そんな真似はしたことないし、噂になるような材料を与えたこともない。弁解する価値もない話だけど、ひょっとしたら君が不愉快な思いをしているかと思って、ちゃんと言いたかったんだ。僕はハ・ユリとは、何の関係もない」

スジンは笑ってヒョンギュの手を握った。

「あたりまえよ。そんな話を私が信じると思った?」

信じていなかった。本当にスジンは信じていなかった。ヒョンギュは嘘をついたことがなかった。潔白な人間の善良な顔をしていた。彼は明らかにどんな真似もしていない。誰より彼が、自分とハ・ユリがそういう関係ではないことをよく知っている。彼はなんの過ちも犯さない。スジンがいながら浮気することもないし、痛々しいくらいに一緒にいてくれる誰かを求める女の子の寂しさにつけこむこともない。スジンは、真実だけを語る顔をとてもよく知っていた。誰かを傷つけていないと信じる無垢な顔を。まさに、あのことのせいで。

二十歳の春。スジンをレイプした男がそうだった。

「俺は、お互いそのつもりだと思ってたんだけど、違ったんだ?」

呆れたように話していたあの表情。不服そうな、腹立たしげな声。男は、驚いてまともに息もできないでいる彼女に慎重に切り出した。

「あのさ、気を悪くしないで聞いてほしいんだけど。お前、被害者意識が強いよね」

スジンは笑顔でヒョンギュを見つめた。頭に浮かんだあの男の声を、必死に脇へ押しやった。ヒョンギュが安堵の眼差しで彼女を見た。そして言った。

「それでなんだけど、ユリの葬式を、少し手伝わなきゃいけないと思ってる」

「あなたが？」

「うん。誰もやろうとしないからね。親戚の人にも電話した。早々に戻らなきゃならないらしい。だから後輩を呼んで、部屋の片づけを少しやろうと思って」

「そうなんだ」

「うん。いいよね？　可哀想な子だろ」

スジンは気が進まなかった。「ああいう噂もあったのに……絶対にやらなきゃダメなの？」

「デタラメだよ。そんなことは重要じゃない。ああいう噂があるからこそ、ますます僕がするべきだと思う」ヒョンギュがスジンの手を握った。「亡くなったんだよ。気の毒な子だった」

彼の表情を探った。心からユリを哀れに思っているふうだった。スジンは自分も行くと言った。ヒョンギュが驚いた顔でスジンを見た。

「荷物を運んで、掃除して、力仕事だよ。来ないほうがいいと思うけど」

「ううん、私も手伝いたい」スジンはヒョンギュを真っすぐに見つめた。その潔白な顔を。

「可哀想な子でしょ」

ヒョンギュは肯いた。少し不満げな表情だった。まるで予定が狂ってがっかりしたような感じだった。だがスジンがそう感じただけのことだ。彼女はそれ以上聞かなかった。私の思い違い？　ひょっとして私が知らない別な話があるの？　とは聞かなかった。スジンはヒョンギュを愛していた。別れたくなかった。ずっと一緒にいたかった。彼女は、自分が耐えきれない秘密は知りたくなかった。だったら聞かなければいい。彼女もやはり、秘密を打ち明けるつもりはなかったから。

＊
＊
＊

夫はその晩帰らなかった。朝起きると、台所に立ってサラダを食べていた。いつのまにシャワーを浴びて着替えたのか、こざっぱりした身なりだった。バルサミコ酢の酸っぱい匂いが漂っていた。彼女が戸棚から食パンを出すと、いらないと言うように首を横に振った。

「食欲がないんだ。これでいい」

彼女はパンの袋をテーブルに投げるように置いて腕を組んだ。苛立ちが込み上げた。口を開いた。

「帰らないなら連絡くらいしてよ。そうしたら何か作っておくのに」

「食欲がないんだって」

彼はサラダの皿をシンクに置いて蛇口をひねった。冷たげな水道水が皿の上にほとばしった。スジンは彼の後ろ姿をじっと見つめると、テーブルの上のパンの袋を開けた。食パンを一枚齧ったところで彼が言った。

「そんなもの食べないで、朝はしっかり食べろよ」

スジンは思わず尖った声を出した。「いいの。これ食べるから」

彼は何も言わなかった。ティッシュで口元を拭うと、会社に行くと言って玄関へ向かった。

彼女が聞いた。「今日も遅くなりそう？」

「わからない」

腹が立った。少なくとも最近何をしているのか、遅くなるか早くなるかぐらいのことは言うべきではないのか。彼女は怒りを抑え、やっとの思いで声を発した。

「このごろ、仕事で何かあったの？」

彼が振り返った。冷たくてよそよそしい表情。彼のこんな顔は見たことがなかった。一年前のあの日と同じ、少し憂鬱で寂しげなほほえみが一瞬彼の顔をよぎった。あの日、彼は私たちが何も変わっていないと言った。それがどうだというのだろう？　変わっていなければ問題なのだろうか？　むしろ変わってはいけないのではないか。彼女は聞きたかった。絶対に変わらないと毎日告白しておきながら、結局は飽きたのね。

「僕がどう過ごしているか、気にはなるんだ」

スジンは啞然として彼を見つめた。それってどういう意味？　だが聞き返す前に彼はドアを開け外へ出ていった。玄関ドアがバタンと音を立てて閉まった。彼女は呆れかえった。怒りたいのはこっちのほうよ。

午前中ずっともやもやしていた。彼の言葉が耳元で回り続けていた。なにか、事態が手の施しようのない所へと向かっている予感がした。これを正すことはできるのだろうか。元に戻せるだろうか。どこからズレてしまったのだろうか。スジンは、こんな日がくることがわかっていた気もした。結局はこうなるだろうと思っていた。恋愛中、彼が君は何を考えているかわからないと言ったことがあった。そのせいで不安にさせられると言った。彼女は大笑いした。それってどういう意味？　あなたが不安になるようなことは、思ったこともしたこともないよと。

本当だった。彼女は彼から離れるつもりがなかった。彼のような男とは絶対につきあえないから。よくわかっていた。家出したチュンジャの娘だから？　彼がアンジンの名士の息子で、誰からも愛される人間だから？　彼とつきあい結婚して、ようやく「チュンジャの娘」というスジンの立場が変わりつつあるから？　事実だ。だがそれがすべてではなかった。

レイプされた後、スジンはもちろん壊れた。一番つらかったこと？　あの時スジンは妊娠した。ありえなかった。たった一度きりなのに、たった一度きりが、彼女の人生をズタズタに引き裂いた。どうしてこんな安っぽい展開になるのだろう？　レイプされて妊娠なんて。妊娠は神秘的なことじゃなかったのか。こんなに安易で簡単なこととは。スジンは、自分が物語のクリシェのようだと思った。

つらかったか？　病院で中絶して家に戻り、浴室で冷たい水に打たれながら泣いたことが？あるいは何事もなかったように過ごしたくてもとてもそうできず、食事も喉を通らず、友人とも会わず、十キロほど痩せたことが？　三日間ずっと部屋の床に横たわったまま身動きもせずにいたことが？　いや、つらくなかった。

本当につらかったのはこういうことだった。ヤン・スジン、あんたは〈自分で思っているほど愛される価値のない人間かもしれない〉〈あんなふうに好きにレイプされても仕方のない女らしい〉、そんな考えにとりつかれたこと。本当にそれが一番つらかった。だからヒョンギュとの交際が始まった時スジンは怖かった。彼は絶対逃してはいけない男だった。なんと大学の全女子がリュ・ヒョンギュを手に入れたがっていたらしい。なのにその男は、スジンを好きだと言ってきたのだ。

どうして？
あなたも私を、好き勝手にしたいの？

スジンは、王子様を信じられないお姫様が出てくる童話を読んだことがなかった。どのみちスジンはお姫様ではなかった。だけどおばあちゃんは「うちのおちび姫」って呼んでたっけ。おばあちゃん、それは、おばあちゃんがそう思っていただけなんだよ。スジンはヒョンギュが差し出した手をぎゅっと握りしめながら、同時に彼の態度が急変することをも待ち構えていた。だがヒョンギュは本当にいい人だった。
彼は毎日スジンに連絡をよこした。時間が空けばメールをくれたし、寝る前には電話をかけてきてどんな一日だったか聞き、今日もおつかれさまと言ってくれた。それでもスジンは警戒を緩めなかった。そういうのもすべて演技かもしれない。いつか彼は、自分を好き勝手にするのだろう。必死に考えた。あらかじめ備えるのだ。そうすれば、またやられることはない。でもうれしかった。ヒョンギュの穏やかな声が、彼女を見てはにかみがちにほほえむ顔が、本当にうれしかった。彼はどうでもいいことを知りたがった。彼女が朝飲んだ一杯の水、どの服を着るか迷った数分、彼にメールを送ろうとして頭に思い浮かべた単語、そんなことを知りたがった。スジンもつまらない返事をした。今日はお昼が遅かったからお腹がいっぱい、少し厚手のストッキングをはいているから足がきつくって、なんだか口の中がすっきりしないから、いつもは飲まない緑茶を淹れてみた、そんな答えを。そして、今あなたは何をしていて、どんな気分なのとのんびり聞き返しながら、日常を誰かと共にする感覚をあじわった。だから怖かった。彼を好きになればなるほど、この幸せがあっというまに消えてなくなりそうで怖かった。なのに彼と会うと悩みは消えた。それまでのつらさが報われた気がした。そうだ、私は愛される資格がある。私は価値のある人間なんだ。彼と一緒にいると、彼の体温はもちろん、自分自身にもある種の温もりがあると直接感じられた。密着した心に実体があるということ。本物だということ。それはとてもかけがえのないことだった。

ハ・ユリ。あの話を聞くまでは。そして、ユリの部屋で日記を見るまでは。

スジンはユリがどこに日記を隠しているか知っていた。一人暮らしをしていた時も、ユリは日記をベッドのあたりに隠していた。ユリは言っていた。親戚の家に厄介になっている時、いとこのお姉さんがユリの日記を盗み読んでいることがわかったのだと。それからは必ず日記をベッドの裏に隠すのが習慣になったと。そうしないと眠れなかったと。

みんなはユリを、気を引くためなら何でもする子だと思っていた。だが、ユリは決して自分の本心は口にしない子だった。

後輩を連れてくると言っていたのに、いざ当日になると誰も来なかった。みんな用事ができて行けないと言い出したという。

「やっぱりユリだからね……気が重いんだろう」

ヒョンギュが言い訳するようにつぶやいた。そしてスジンにも帰るように言った。スジンにこういうことをさせるのは嫌だからと。スジンは頑として首を横に振った。ユリの家を片づけてやりたいと言い張った。ある程度は本心だった。ヒョンギュにはスジンとユリが結びつかなかったはずだ。少し考えれば当然おかしいと思えたろうに、ヒョンギュはずっと別なことに気をとられているらしく落ち着かない様子だった。そんなヒョンギュは初めてだった。居心地が悪そうで不機嫌そうだった。だが、スジンは単に自分の気のせいだろうと思った。スジンのほうこそ、ひょっとしたらユリの部屋から自分に関する物が出てくるかもしれないと不安だったのだ。だからなんとしてもユリの部屋に入りたかった。ところがヒョンギュはずっとスジンを追い返そうとしていた。キツいことはさせたくない、気分が悪くないかとしょっちゅう声をかけてきた。

次第にスジンは怪訝に思い始めた。いつもの彼はどこにいってしまったんだろう。もしかしたら最初から私の秘密を知っていたのか。証拠を探すため、一人で部屋に来るつもりだったのか。しかしそんなはずがないことをスジンは知っていた。ユリは誰にも言っていなかった。それは確かだ。絶対にスジンの話は漏れていない。じゃあなぜ彼はこうなのだろう。もしかして、隠したいものがあるのか。スジンは頑なに居座った。どうしてもユリの部屋を片づけてやりたいと。ヒョンギュは結局わかったと答えた。彼はスジンの思惑に気づいていないようだった。彼は本当に気づかないらしかった。

大家はヒョンギュの「善意」に感動してドアを開けたわけではなく、スジンが一時、ユリの部屋で一緒に暮らすくらい仲のいい友人だったと思い出したから鍵を渡してくれたことに。

そして大家も気づいていなかった。

二十一歳の春。スジンがユリに、もう仲良くするつもりはないから、これからは私に親しげな態度をとらないでと伝えていたことに。それ以降、スジンとユリは会うことがなかったという事実に。

ヒョンギュは絶対に知らなかった。彼は心優しき善人で、みんなに大切にされる人だから。まさにその部分が彼の欠点だった。物事には別の理由も存在しうることを知らない。彼は、自分が出ていきさえすれば何でも解決すると信じる男だった。自分が来たのだから、このリュ・ヒョンギュが哀れなユリのために来たのだから、当然部屋のドアは開けられなければならなかった。

室内はめちゃくちゃだった。彼らは台所から掃除にとりかかった。皿を洗い、食器を取り出し、用意してきた箱に詰めた。スジンはベッドに行って布団を仕舞った。ベッドカバーを片づけていると、ヒョンギュが机から本を抜き出して詰め始めた。だが妙だった。ヒョンギュは本をひっくり返してくまなく見ていた。まるで何かを探しているようだった。スジンは我慢できずに声をかけた。

「何を探してるの？」

「えっ？　ああ」ヒョンギュがはぐらかした。「あの時自殺騒ぎがあったりしたからね、ひょっとして遺書みたいなものがあるかと思ってさ」

スジンは返事をしなかった。彼の言葉は表面上どこもおかしくはなかった。でも妙だった。とはいえスジンには優先順位があった。ユリの日記を探さなければならなかった。ヒョンギュが机を空にしている間に、彼女はベッドのほうへとそっと手を伸ばした。ベッドとマットレスの隙間に手を入れた。分厚いノートが一冊手に当たった。間に紙の束が挟まって膨れていた。スジンはちらっと後ろを振り返った。ヒョンギュは相変わらず本の整理に夢中だった。彼女は注意深くノートを取り出すと、急いでバッグの中に入れた。

あの時。妊娠したスジンを病院へ連れて行ってくれたのがユリだった。スジンは自分の秘密がユリの日記に書きこまれているかもしれないと考えた。もちろん、ユリはそれまで誰にもスジンの秘密を口外していなかった。スジンが二度と会いたくないと言った時も、ユリは静かにうなずいてこう言った。

「スジンのことは、誰にも言わないからね」

言わない？　いや、言えないんでしょ。誰もあんたの話を真に受けないから。スジンはユリを恐れてはいなかった。

彼女がユリを必要としていた時はあった。部屋の床に横たわっていた時、自己嫌悪に耐えられなくなった時、ユリはスジンを抱きしめてくれた。だがスジンは新しい人生を歩き出していた。ヒョンギュと出会い、新しい友人とつきあっていた。ユリ。スジンの秘密。絶対に覚えていたくない記憶。ユリを見かけるたび不愉快な気分になった。ユリは少し離れた場所から、よくスジンのことを見つめていたのだ。まるで昔の恋人を恋しがるように。スジンは知らんぷりをした。

なのに、ヒョンギュとハ・ユリがそういう関係？　ふざけるな。そんなことは絶対にありえない。スジンはバッグを部屋の隅に押しやってからヒョンギュのそばに行った。一緒に本を整理しようと手を伸ばすと、ヒョンギュが彼女の手首をつかんだ。

「やめとけ」ヒョンギュがスジンにあたたかくほほえみかけた。「これ汚いから。スジンは触っちゃダメだ」

彼の脇に紙でいっぱいになった箱があった。あいだにノートがのぞいていた。もしかしたらあのノートも日記ではないだろうか。スジンはそっと箱のほうに移動した。すると再びヒョンギュが彼女を制止した。触るなと言った。一年の頃からたまっていた課題、プリント、レジュメで、やはり汚いと。埃だらけだと。スジンが捨ててくると言うと、ヒョンギュは重いからと乱暴に振り払う手つきをした。

スジンはそれ以上その部屋の何かに触れることができなかった。ヒョンギュが箱を運び出して捨てるのを、ただ眺めているだけだった。

あの晩。スジンはユリの日記を読んだ。

ところがそれは日記ではなかった。不可解な記録だった。八月から十二月まで。カレンダーには○と×がびっしり書き込まれていた。○は二十六回、×は十七回だった。スジンにはその記号が何を意味しているかわからなかった。日記の間に挟まっていた紙の束を開いてみた。産婦人科の診療記録だった。

診療記録は八月二十九日「膣内損傷」、「症状継続の場合ＳＴＤ検査を考慮」ＳＴＤは性感染症の検査のことだった。記録はずっと続いていた。九月十四日「膣入口部疼痛により来院」、「性交渉中止を勧める」記録は十二月まで続いていた。十月二十四日「膣内壁損傷により来院」、「薬処方、性交渉中止を勧める」、専門用語が多すぎてよくわからなかった。悩んだ末、スジンは知り合いの女性看護師にこっそり助けを求めた。

看護師はユリを重い患者だと言った。それもかなり重い患者。看護師の説明を聞いてから再度日記に目を通して、スジンはぞっとした。ひょっとしたら○はセックスを意味し、×は拒絶を意味しているのではないだろうか。看護師は言っていた。病院からずっと性交渉の中止を言われていて、患者もずっと検査を受け治療をしていたのに、毎回同じ症状で来院するのはおかしいと。

本当に、そうなのだろうか。拒絶しながらも続けていた？　こんなに何度も？

全部拒絶していたのに○をしてしまった？　だったらこのすべての表示はレイプを意味するのだろうか。いや、そんなはずがない。スジンは頭を振った。まさか、ここまで。

だが、そのまさかは起きる。だからクリシェになるのだ。いやいや。スジンはもう一度頭を振った。私がなんでもそうやって考えすぎるのかもしれない。そうだ、私はなんでもそうやって物事を見る傾向があるんだ。自分があんな目に遭ったからって世の中がすべてそんなふうに回っているわけじゃない。これは避妊のことだ。避妊した日と、しなかった日。診療記録にも経口避妊薬の処方があった。それに、もしレイプなら毎回拒否していなければおかしい。でしょ？　そうだよ！　拒まなくちゃ！

しかしスジンこそ、あの出来事を拒んだ記憶はない。拒否できないうちにそのことは起きた。いやいや。これは避妊だって。九月二十五日、○、そして生理が始まる。生理中も？　生理中に避妊？

スジンは日記を乱暴に閉じた。引き出しの一番下に突っ込んでしまった。心臓がどきどきしていた。何があったのだろう。これは何を意味しているのだろう。一人の相手との記録だろうか？　それとも複数の男たちとの記録だろうか。そうだ、ユリじゃないか。何人もの男たちとのいかがわしい記録なんだ。間違いない。だったら誰だろう。この日記に出てくるユリの相手は。

時にすべての噂は真実に迫る。スジンとユリ。スジンとヒョンギュ。そしてヒョンギュとユリ。スジンはそこで考えるのを止めた。それ以上深くは知りたくなかった。忘れようと心に決めた。死者であり他人だった。ユリに別れを告げたのはスジンだ。別の人になって生きると冷たく告げたのはスジンのほうだった。いまさらその人生に関心を払うべき理由は何もなかった。スジンは本当に忘れてしまった。そう努力した。だが、たまにヒョンギュと口喧嘩をした時、日記の○×を思い出した。こんなふうに。○×は本当に突然浮かんできた。時と場所を選ばずひょっこり現れた。ヒョンギュとの結婚式の前日、スジンは○×を思い出した。義母に小言を言われる時、○×を思い出した。祖母が亡くなった時、○×を思い出した。初めて体外受精に失敗した時、○×を思い出した。忘れてしまうつもりだったのに、○×はスジンの人生にひょっこり浮かんできた。そして最近、スジンは毎日○×を思い浮かべていた。ヒョンギュがスジンに背を向けて立ち去る時、家に帰らないとメールをよこす時、電話の向こうの沈黙が長くなる時、スジンはユリを思った。忘れられなかった。

　スジンはヒョンギュに○×について尋ねなかった。到底その質問はできなかった。自分が耐えられない答えを聞かされるのではないかと。あるいは、そんなことを思っていたのかとヒョンギュに失望されそうな気がして。いや、みんな言い訳だ。一番大きな理由は、話がそこですまなくなる気がしたからだった。ヒョンギュに自分の秘密を打ち明けざるをえなくなりそうで怖かった。なぜユリと親しくつきあうことになったのか、その時スジンに何があったのかを話すことになりそうで。そうなればすべて終わりかもしれないと思った。もちろん彼は理解するだろう。微動だにしないだろう。彼女が信じられないのは自分だった。彼が変わらなかったからといって、果たして信じられるだろうか。自信がなかった。彼女がやっとの思いで手に入れた、あたたかい温もり。本物を。本当に大切な思いを、そんなふうに失ってしまえるはずがなかった。いっそ知らなかったらよかったのに。どうして知ってしまったのだろう。なぜあんな噂を聞いてしまったのだろうか。

　キム・ジナ。

　イカレ女。なぜ私を放っておいてくれないの？

＊＊＊

十一時。スジンはカフェを閉め、ひとり空いたテーブルに腰を下ろした。帰りたくなかった。

彼にメールを入れてみようか。だが何と言えばいいのだろう。

スジンはノートパソコンを開き、何日か前に見たキム・ジナの書き込みをもう一度探して読んだ。キム・ジナの事件はアンジン中の噂だった。スジンははじめ、さして何も思わなかった。そんなふうに暮らしてたんだ。そう思っただけだった。だが、今はジナを罵倒する側に回って何か一つ書き込みでもしたい気分だった。

フッと笑いがもれた。


キム・ジナのことを考えるとそうだった。

幼い頃が夢みたいに感じられた。中学を卒業するまで、二人がパルヒョンでは知らない人のいない親友同士だったこと。ジナの家に遊びに行くとあの子の親が不満げな目でスジンを眺め、そういう日はジナが親に泣きながら「スジンのこと嫌がらないで」「スジンにそんなふうにしないで」と歯向かっていたこと。だからスジンは心からジナが好きで、自分の多くを犠牲にしてもジナとの友情を守ろうとこっそり誓っていたこと。

すべて、夢のように思える。

本当にすべて夢だ。なかったこととかわらない。


その時電話が鳴った。知らない番号だった。スジンは電話に出た。

「もしもし?」

相手の声はしなかった。いたずら電話だろうか。もう一度呼びかけた。

「もしもし？　どちらさまですか？」

相手が答えた。

「私」

女の声だった。聞き覚えがなかった。なのに相手は自分を知っていて当たり前という調子で話し続けていた。疲労を感じた。一日中頭がはちきれそうになるくらい悩んでいたのに、夜の十一時にこんな電話をとるなんて。スジンは目をつむった。突然ユリの顔がよぎった。そして自然に浮かぶ、○×。夫はおそらく今夜も帰らないだろう。スジンは、妊娠が難しいという診断を聞かされた時も○×を思い出した。あの瞬間、スジンは妙な安堵を感じたのだった。

「はい？　どちらさまですか？」スジンは聞いた。

相手が言った。「私よ。キム・ジナ」

スジンはゆっくり目を開けた。そう、あんたなの。どうして私は、あんたの声をこんなにきれいさっぱり忘れてしまってたんだろう。それにしても、あんたは絶対に私を放っておかないね。十一年前、スジンはユリに言った。もうあんたと親しくするつもりはないからと。それは実ははるか昔にスジンが他の誰かから直接言われた言葉だった。あんたとはもう仲良くするつもりはない、これからはそうすると。

私たちは、別の人だからと。

遠い昔、ジナがスジンにそう言った。

彼女が囚われている過去。忘れたくても忘れられない記憶と感情。スジンは、どうかすべて消えてくれと祈っていた。叶うことなら永遠に。だが今はあまりに疲れすぎていて、耐えられないほど怒りが込み上げていた。我慢できなかった。スジンは冷たく言い放った。

「イカレ女」

そして電話を切った。再び電話が鳴った。出なかった。

10　ジナ

チャイムを押すとダナがドアから顔を出した。

「なんでこんな時間なの？　一時間前に戻るって言ってたじゃない」

家の中から料理の匂いが流れてきた。私は手を洗ってキッチンに向かった。食卓の上に豆腐の入った納豆チゲが置かれていた。最近ダナは公務員向けの小さなマンションに引っ越した。半分はローンだったが、それでも満足そうだった。引っ越し祝いに行くと口では言いながらアンジンに戻れずに三か月が経っていたが、こんなかたちで来ることになるとは思ってもいなかった。私たちは食卓についた。スプーンで納豆チゲをすくって口に運んだ。豆の香りが口の中いっぱいに広がった。私はネットカフェに寄っていたと説明した。最初はサイバー捜査隊にツイッターのアカウントを通報するつもりだった。だが警察署で聞かされたのは溜息まじりの小言だった。この程度のことで捜査は難しいと言われた。直接の名誉棄損でもないし、捜査するにしても、山積みになっている案件をすべて片づけるまでは私の問題に取りかかれないという話だった。

だからその足でネットカフェへ行った。@qw1234。グーグルで検索した。何もヒットしなかった。ツイートがあった日に作られたアカウントだった。そのツイート以外何も上がってこなかった。

私はしばらくネットサーフィンをしてそのIDに近いものを探した。これといった収穫はなかった。何か手はないだろうか。証拠を探し出したかった。私がイカレ女？　嘘をついた？　ヤン・スジンは明らかに何かを隠している。その嘘を剝ぎ取るのだ。だが心証だけではいけない。今度こそ本当に確実な証拠をつきつけなければ。しかしヤン・スジンがツイートの主だという痕跡を見つけることはできなかった。

「ヤン・スジンじゃなかったらどうするつもり？」話し終えるとすぐにダナが言った。

「あの子が書いたんだよ」私は断言した。

ユリの家の近くまで行った話もしようかと思ったがやめた。いずれにしろその話にも証拠はなかったから。それにダナは、イ・ジンソプのせいで私がナーバスになっていると思っているようだった。もどかしかった。今すぐヤン・スジンに自白させられる確実な話はないだろうか。

ダナが言った。

「とりあえず、明日が土曜でよかったよ。日曜だったら朝から忙しくてジナにつきあえなかったもん」

「いいのに。私ひとりで大丈夫だよ」

日曜の午前、ダナはきちんきちんと教会に通っていた。通っているのは一九一四年に建設されたアンジンで最も古い教会だった。赤レンガを積み上げたゴシック様式の建物だ。中に入ると高いドーム型の天井があり、色とりどりの美しいステンドグラスが広がっていた。高校時代、私もダナについていったことがあった。クリスマス・イブだった。誰もが真摯で穏やかな表情を浮かべ、祈りを捧げていた。座ろうと近づくと立ち上がり、隣に席を作ってくれた。重要な人物になった気がした。その時、前のほうで合唱団の合唱が始まった。一音一音声が重なって歌になっていた。人の声が一つになるとあれほど美しい音が奏でられることを初めて知った。

合唱団。

私はスプーンを置いた。ユリが亡くなる前に自殺騒ぎを起こしていた話を思い出した。あの時一緒だった人が、教会の合唱団で伴奏者をしていると聞いたはず。事件後、彼は教会での仕事に専念し、アンジンの市民団体で自殺予防の活動をしているという話だった。自らの経験を明かして危機に瀕した人々を救っていると。ひょっとしたらその人がユリの別な話を知っているかもしれないと思った。人は理由があるから死にたいと思うのだ。考えれば考えるほど、あれはただ人の気を引くための行動ではなかった。ユリには何か理由があった。一緒に死のうとしたのなら、最期に会う相手だと思って本音を漏らしたのではないだろうか。私はダナに聞いた。

「私、日曜日に一緒に教会に行ってもいいかな?」

「え?」ダナが顔を上げた。「どうしたの? 急に」

「ミサに出たいんじゃなくて」私は少し迷ってから言葉を続けた。「あのピアノの伴奏者って、まだ教会にいるんでしょ？」

そういうことかというようにダナが溜息をついた。やや苛立った声で言った。

「いい加減にしなって、もう。ヤン・スジンは違うって言ってるんだし、そのまま忘れるわけにはいかないの？」

私は答えなかった。ダナが続けた。

「ユリとジナは仲が良かったわけでもないでしょ。死んだ子のことまで引っぱり出して決着つけなきゃ気がすまないの？」

「私が引っ張り出したんじゃないもの」私は答えた。


最後にユリと会った日のことを思い浮かべた。路地で、私の名前を呼びながら飛び出してきたユリ。冬で、寒い日だった。ユリは私に助けてほしいと言った。私は自分の感情しか頭になかった。ユリに優しくできなかった。あそこまでする必要はなかったのに。どうせ時間は流れ、瞬間は変質する。親しくなくても別れの挨拶ぐらい感じよくできたはずだった。もしかしたらユリは、私が去ることを残念がってくれる唯一の人だったかもしれない。他人にどう扱われても気にせず、いくらでも自分の心を差し出してくる子だったのに。

私は顔を上げ、きっぱりと言った。

「最後まで確かめる。誰が嘘つきか見届ける」

ダナがお手上げというように首を横に振った。

私が皿を洗っている間にダナがリンゴを剝いた。私たちはリビングに寝っ転がってテレビを見た。ラブロマンスのドラマが放送されていた。前はそういうドラマの台詞に胸がときめいたのに、今は冷ややかな気持ちだった。どれもこれもが嘘っぽちに聞こえた。ダナは隣で笑っていた。笑い声が耳の奥に沁みこんだ。私はダナの肩に頭をもたせかけた。

「お昼にね、イ・ジンソプからメールが来た」

ダナの笑い声が止まった。

「なんて?」

「会って少し話をしようって。最後に言いたいことがあるからって」

「言いたいことって何よ。何を話すことがあるの?」

「わかんない。私がそうしたければ、誰かと一緒でもいいって」

「あのさ、ホント失せろって言ってやんなよ。最後まで何様なわけ。なんでアイツが許可するみたいな言い方するの?」

私は黙っていた。なんだろう。イ・ジンソプのメールは私に許可を与えるようなものではなかった。会って私が気づまりだったり嫌な思いをするのが心配なら他の人も一緒でかまわないと断りを入れるような書き方だった。だが、私はダナの前で彼をかばう言葉は口にしなかった。メールを見た瞬間、心が弱くなったという言葉も。恥ずかしかった。ダナがリンゴを口に入れた。サクッと気持ちのいい音がした。そして私に顔を向けた。

「返事した? 嫌だって言ったよね?」

「ううん、ただ無視した」

「そうじゃなくて、嫌だって返事しなって。はっきり口で言ってやらないとわかんないヤツなんでしょ」

「うん」私は言った。「なんとなく、あの人とやり取りすること自体が嫌なんだよね」

「そんなふうにしてないで、思ってることを言いなよ」

私は黙っていた。ダナは真剣な声で話し始めた。

「私が二十歳の時、少しだけつきあってた子のこと、覚えてる？　ミヌ。あいつに別れようって言われて、私、大騒ぎしたでしょ。二百回は電話したと思う。ホントおかしくなってたんだよね。あいつは最後まで電話に出なかった。あの時私は、それがどんなにやばい真似かわかってなかった。電話すれば出るだろう。そうしたら話ができる。話ができれば希望があるって。まあね、子供だったから。でも、実際はミヌが私を大嫌いって言えなくてずっと電話を無視してたんだよね。私はそれもわかんなくてひとりで大騒ぎしてた。だから後であいつの友達が連絡くれたんだよ。覚えてる？」

「うん。あの時のダナ」私は吹き出した。昔のことだったから笑って話せた。「すごかったよね。ストーカーみたいな真似はやめろって言われてさ」

一瞬ダナは黙り込んだが、また話し出した。

「悪かったと思ってる。自分の行動が誰かをあんなに怯えさせるなんて、前は知らなかったから。でもさ、あえて言い訳をすると、もう連絡をよこすな、これ以上会いたくないってはっきり言われてたら、もう少し早く目を覚ませたんじゃないかって思うよ」

涙が出そうになった。私はダナの肩から頭を上げて天を仰いだ。首を反らすと、ぽろりと落ちそうだった涙がまた眼球の中に戻っていく気がした。

そんな私をダナは静かに見つめて言った。

「最近、カウンセリングには行ってる？」

「行ってない」

「どうして？」

あんまり役に立たなそうで、だからお金がもったいなくなったと答えた。ダナがテレビを消した。怖かった。こうしていて突然泣き崩れてしまったらどうしよう。止まらなくなるはずだ。話題を変えなければいけない。

私は言った。「ユリは、どうしてたんだろう？」

あの子は、特別汚いこともさんざん見てただろうに。そういうもの全部にどう耐えていたのか想像がつかないと。友達もいなかったし、ちゃんとした恋人もいなかった。

「ものすごく傲慢な言い方に聞こえるんだけど」ダナが言った。

「そう？」

「うん」ダナが答えた。「私たちはあの子をよく知らないでしょ。私もユリがどんな子かは知らないけど、自分でちゃんと生きてたはずだよ。私たちが変にあの子のことを可哀想とかなんとか言う資格って、ないと思う。それに多分、ユリなりのやり方があったんだよ」

涙がようやく引っ込んだ。私は顔を向けた。「どういうやり方？」

ダナは遠くを見つめて無邪気に言った。「なんかさ……、勝ち抜く方法が」

私はダナに体を寄せた。肩が触れあった。ダナの肌は柔らかいがハリがあった。私はそっと彼女の手をとった。もうダナは恋愛をしていない。新しい人と出会って、親しくなって、やがて別れるということにうんざりだと言っていた。恋をして、楽しいよりつらいと感じるほうが多い時間を過ごすことにどんな意味があるかわからないと言った。別れが不安で、関係を続けることばかりに気が向くのも疲れると。不幸になりたくて恋をするわけじゃないのに、恋をすれば結局不幸になると言った。そして三十を前に、ダナは自分が恋愛に向いていないという結論を出した。もう誰かとつきあうことはやめると宣言した。どこまで持つかと思っていたが本気だった。そして、ダナは誰かとつきあっていた時よりも今のほうがずっと安らかで落ち着いて見えた。いつだったか寂しくないかと聞いたらこう答えた。誰かとつきあっていた時のほうがもっと寂しかったと。

ふと、私は気になった。

「最近も手紙は書いてるの？」

「たまにね」ダナは私ににっこり笑いかけて付け加えた。「ジナもなんか探したらいいよ」

ダナの言い方を借りれば手紙は彼女のやり方だったのだろう。勝ち抜く方法だったのだ。不意によみがえる記憶に。記憶にからみつく感情に。あの時ダナは、あの男のことが本当に好きだった。踏みにじられた真心を立ち直らせるため、ダナはひどく長い歳月を超えてこなければならなかった。だから今でも手紙を書いているんだ。それは彼女が何かに勝ち抜いた証拠であり、これからも何であれ耐えられるという記録だから。ダナの言葉は正しい。方法が必要だ。心に澱んだものを掻き出して、現実に戻ってくる方法。

私は笑った。今度はダナが私の肩に頭をもたせかけてきた。私が言った。

「私には話をすることがよかったみたい。だからダナにもずっと話してるんだよ」

「ほんとに全部話してる?」

「まあ、大体は」

ダナが笑った。私の体も一緒に揺れた。

「大体じゃダメだよ。ちゃんと具体的に話さないと終わらないことってあるんだよ」

私たちは互いの手を強く握った。十七。ダナが病院から出てきて一緒に家に帰るまで。あの時も私たちは手を握り続けていた。これまでの人生で唯一まともな選択だと思えるものがあるなら、それはあの日、ダナの手を握りながら歩いたことだろう。

＊＊＊

ピアノの音は冷たくて硬質だった。だがその音色に人の声が重なると、柔らかい曲線のように音がしなった。天井が高いせいだろうか。それともステンドグラス越しに降り注ぐ光の感じだろうか。教会じゅうに歌声が満ちていた。私はクリスチャンではなかったが、たまにこうしてダナについて教会にやって来ると、不思議と心がきれいさっぱり空っぽになる気がした。

神父の説教は少しずつ終わりに近づいていた。誰もが神父の話に聴きいっている光景が私には不思議だった。座っているのは五十人ほどだった。これほど大勢を夢中にさせる力はどこからくるのだろう。そしてあの神父は、五十人の瞳が自分に集まっているのを見てどんな気持ちなのだろう。

会社で一番苦手だったのはプレゼンテーションだった。私は人前に出るのが得意ではなかった。プレッシャーだった。大勢が自分の話に耳を傾け、自分一人を見つめていると思っただけで吐きそうだった。もし失敗したり間違ったことを言ったりすれば非難されるはずだった。私には人を満足させる自信がなかった。ひょっとしたらそのプレッシャーのせいでイ・ジンソプに依存し続けてしまったのかもしれない。だが、何度確認を繰り返しても上手にできる自信はわいてこなかった。だからあの神父のように確信に満ちた声を聞くと不思議だった。あの人はどうして、ああやって何かを確信できるのだろう。そしてこの人たちはどうして、なんの疑問も抱かずにたった一人の言葉を集中して聴けるのだろう。そんなことを考えながらぼんやり前を見ていると、突然別の人たちが十字を切って祈りの声を上げ始めた。

私は罪を犯しました。私は罪を犯しました。私はたびたび罪を犯しました。

聞こえたのはその文句だった。一瞬胸を衝かれた。前の晩必死にこらえていた涙がまたどっと溢れ出しそうになった。私の罪とは。まったく。私のせいなの？　私には罪悪感があった。三十二年。毎瞬毎瞬何かを選択するたびにきっとうまくこなせないのだろうと考え、今後もいい加減に生きるのだろうと思う罪悪感。自分の人生を自分でダメにしてしまったという罪悪感。私は隣のダナを見た。彼女は真剣に祈っていた。

ダナが私の前で宗教の話をしたことは一度もなかった。信仰のために自分が許せないとかいうことは言わなかった。カトリックでは中絶が禁じられているからだ。あのことがあった後もダナは真面目にミサに出席し、旅行中も時間ができると教会に出向いたと話していた。毎週こんなふうに「私は罪を犯しました」という文句を繰り返していて大丈夫なのだろうか。だが、勝手に友達を決めつけたくない。ダナは強いから。それに彼女の宗教だから。自分の世界で整理し、たどり着いた答えがあるのだろう。

私にはわからない。絶対者の声を聞いたからといって何かが変わるようには思えない。だがダナと一緒に教会に来て、そのたびに愛するという言葉を聞くのは心地よかった。神は私たちを無条件に愛している。素敵だった。いい言葉だと思った。自分を絶対的に愛してくれる誰かが存在すると信じられたら、心の平穏が得られる気がした。しかし果たしてそれで十分だろうか。感じることも見ることもできない愛で？　私は温もりが欲しかった。すぐ隣で手を握り、実体が感じられる温もり。その温もりこそ、ある種の愛情を感じさせてくれるものだ。

ユリもそうだったのだろうか。ある場所では愛は素晴らしいと説かれるのに、なぜ別の場所では愛にしがみつくことが愚かだと言われるのだろう。私も諦めきれなかった。いつかは彼が私を大事にしてくれるはずだと。互いにかけがえのない人になれるだろうと信じていた。

額に手をあてた。

なんなの。なんでただの一日も、あの人が忘れられないんだろう。

今自分が何をしているのかがわからなかった。すべてが朦朧としていた。

ミサが終わった。

ダナは私に少し待っててと言うと伴奏者のところに向かった。伴奏者は合唱団の人々との挨拶で忙しそうだった。ダナが声をかけるとうれしそうな顔になった。ダナが私を指さした。

ハ・ユリの名前を口にしたらしい。彼の表情が曇った。

私たちは伴奏者と一緒に近くのカフェへ移動した。カフェに入るとまたヤン・スジンのことを思い出して心がよじれる気がした。伴奏者が落ち着いた声で私に聞いた。

「ハ・ユリさんのことを、なんで知りたいんですか?」

どうやらダナは私の用件をはっきりとは伝えなかったらしい。私は言葉を探した。だが、ツイッターで私とハ・ユリを中傷した犯人を捜すため情報を集めている、というのは何かつまらない気がした。思わず適当な言葉が口をついて出た。

「小説を書いてまして」

「小説ですか?」伴奏者が聞き返した。隣でダナが目を丸くしている気配があった。

「ええ。当時の彼女の自殺騒ぎをモチーフに小説を書いていて、ハ・ユリさんを知っている方のお話を伺いたいんです」

「で、どのようなことを知りたいんです?」

かなり怪しんでいる口調だった。私はできるだけ自然に答えようと努めた。

「あの時ユリがどんなふうだったたか、どんなことでもです」

伴奏者は弱々しいほほえみを浮かべた。「さあ、僕に話せることがあるかな」

すでに市民団体でのインタビューや手記で話したことばかりで、とりたてて他の話はないと言った。私は重複した内容でも構わないし関係ないから、その日のことを聞かせてほしいと頼んだ。ユリについて覚えていることなら、なんでも。言っているうちになんだか本当にせっぱつまった気持ちになった。私は言った。助けてほしいんですと。

「他の方たちは救ってらっしゃるじゃないですか」

彼は小さく溜息をつくと、すぐに話し始めた。あの日、最初にホテルに到着したのがユリだったという。彼は当時、恋人と別れた直後だった。怒りでいっぱいだったと言った。腹立ちまぎれに死んでやろうと思った。そうすれば、恋人は生涯罪の意識に苛まれて生きていくだろうから。次々に人が到着した。全部で五人だった。気まずかった。一度も会ったこともない人間が死ぬために集まったのだから当然だった。彼らは車座になって一言ずつ自分の話をした。なぜ死にたいのか、いったいなぜそれほどまでに世の中が嫌になったのか。彼は嘘をついた。恋人にふられて死にたいと言うのは恰好がつかない気がした。だから彼は、世間の不条理に死にたくなったと説明した。ユリはこう言った。

「すっごくつらいんです。疲れちゃいました。終わりにしちゃいたいんです」

「何がつらいんですか?」

別の男が質問した。ユリはその男をじっと見つめた。伴奏者は言った。今思えば勘違いなのだが、あの時はユリが彼を誘惑しようとしているように見えたと。

「ハ・ユリさんって正直、ちょっと変わってました。なんていうのかな。空気が読めないっていうか。僕は虚勢張って無理してましたけど、あの時の他の女性二人は本当に具合が悪そうだったんです。誰かにナイフを渡されたらすぐに首に当ててパッって斬りつけそうなくらい暗くて。ところがユリさんは、さして面白くない話にもずっとケタケタ笑って拍手してました。気まずすぎてついオーバーになるってことはあると思うんですが、こっちが戸惑うくらい大げさなんですよ。この女、やばいなって」

それがどんなふうだったか、私には想像がついた。目の前にユリの姿がありありと浮かぶ気がした。

「他人の話を聞くっていうんじゃなく、ずっと自分の話をしたがってる感じでした。そのうち急に泣き出したんです」

妙な空気になった。憂鬱や絶望からくるのとはまた別の気まずさだった。やがてユリが叫び始めた。早く死んじゃいましょう、と。さあ、死にましょうよ、と。ユリはバッグから農薬を取り出した。みんなに差し出して、さあ飲んで、と声を張り上げた。だが誰も飲まなかった。ユリは農薬を手に伴奏者へと近づいた。彼は後ずさりした。みんなもユリから離れた。その時、ドンドンドンとドアを叩く音がした。警察だった。彼らは取り調べを受け、帰宅した。

聞いていた通りの話だった。私は、そもそも聞きたかったことをおそるおそる切り出した。

「もしかして、ユリを迎えに来た人とか、そういう人は見ませんでしたか？　たとえば背が高い男の人とか、女性とか」

伴奏者は首を振った。「いえ、どうしてですか。知り合いですか？」

「いえ」私は唾を飲みこんだ。「最後までひとりだったのかと思って」

「ひとりでしたよ」

私は肯いた。ふと思いついた。

「ひょっとして、その男性ですけど。ユリが関心を持ったらしい男性。もしかしたら背が高かったとか？」

伴奏者は首を横に振った。「いえ、僕より小柄でした。一六五センチくらいかな。なぜです？

ユリさんの周辺に背の高い男がいたんですか?」

私が答えられずにもじもじしていると、ダナが口を挟んだ。

「その別の男性はどうなったんですか?」

伴奏者が笑った。「生きてますよ。彼のことは顔を見ればわかるんじゃないかな……」

「誰でしょう?」 ダナがもう一度聞いた。

「ああ……カン・スンヨンっていう」伴奏者は話しながらこちらの反応を窺っていた。まったく知らない人だった。伴奏者は、知らないならしょうがないというように肩をすくめた。

「そのカン・スンヨンって人、もしかしてそのあと、ユリと会っていたとか?」

私は独り言のようにつぶやいた。

「さあ、どうでしょうね」

そう言って伴奏者は口をつぐんだ。しばらく沈黙があった。あることを言うべきかどうか、迷っているようだった。私は待った。ダナも黙っていた。伴奏者が私をじっと見つめて聞いた。

「小説のテーマは何ですか?」

「はい?」

「今書いてるものですよ」

私は伴奏者を静かに見つめた。彼の視線を避けなかった。私は答えた。

「罪悪感です」

伴奏者はしばらく何も言わずに考え込んでいた。そしてまた話し始めた。

「今となっては、あれは何だったんだろうって思います」

彼は続けた。自分はあの時まで死がどれほど怖ろしいものか理解していなかった。この世に永遠の別れを告げるということなのに、その死を一時期あれほど安直に、簡単に考えていたことが怖くなると言った。

「二十七にもなるのに、呆れるくらい分別がなかったんですよね」彼は言った。

カン・スンヨンがどうかは知らないが、彼はその後、ユリと会ったという。

「変でしたけど、美人でしたから」

そしてまた黙り込んだ。妙な気がした。彼はまるで私に告解をしているようだった。長い間胸に仕舞ってきたことをおずおずと、ゆっくりと、引っ張り出しているようだった。私は罪を犯しました。私は罪を犯しました。私はたびたび罪を犯しました。罪悪感を軽くしたいのだろうか。だが、やがてそれは別な印象になった。話しながら彼がずっと私の反応を窺っていることに気づいたのだ。そう。彼は私の気を引こうとしているらしかった。思えば彼もやはり誰かの気を引きたくて死まで考えた人間だった。いまだに心のどこかが乾ききらない泥の塊のようにへこんだままなのだろうか。ひょっとしたら彼は人を助ける人ではなく、相変わらず助けを求めている人なのかもしれなかった。思いの丈、つまり、隠しておいた醜悪な真実を見つめてくれる人が必要なのかもしれない。だったら私は？　私もやはりこの人の関心を、助けを必要としていた。私は彼の目を見ながら一生懸命耳を傾けた。すると、正直ではあってもためらいがちで遠回しだった彼の口調が、次第にくだけたものに変わっていった。

彼は結局、その思いの丈を吐き出した。自分はあの時、ユリが典型的な安い女だとわかったのだと。軽い気持ちで迫って一気に落とせる気がした。だから連絡を入れた。ユリは本当にあっさり誘いに応じた。

「でも、必ずしもそれだけが理由ってわけじゃありませんよ。あの時ちょうど教会に出入りし始めたところでしたから。僕より彼女のほうが、そういうことが必要な気がしてね」

二人は食事をし、お茶を飲みにカフェへ行った。ユリを前に彼はずっと悶々としていた。さすがに露骨な表現こそしなかったが、彼が何を考えていたかは明らかだった。ホテルに行こうと誘ってみるか。それとももう少しタイミングを計ろうか。いや、それより教会に誘おう。二人は話をした。当然男のほうは会話に集中できなかった。どうせユリは実のある会話ができる相手ではなかった。わけもなく笑い、人の話を聞くより自分の話をしたがったから。そのうちユリが突然、もう死ぬ気はないと口にした。

「疲れちゃったって言ってたのに？」

彼が聞いた。ユリはケタケタ声を上げて笑った。何がそんなにおかしいのか彼にはわからなかった。ユリが裏返るような声で言った。

「ハイ！　ますます疲れきっちゃいました」

それでも死のうとは考えないと言う。「どうしてですか？」

彼の質問に、ユリはよくわからないことを言った。

「勝ちたいんです」

その瞬間、彼はすっかり冷めていた。こんな変な女とつきあわなければならないほど自分は困っているのか。白けてしまった。早く席を立たなければと思った。だから教会に通う気はないかと言った。ユリは拒んだ。

「そういうことでは、勝ち抜けませんから」

映画や本の文句を引用するような言いっぷりに、むしろ彼のほうが気恥ずかしくなった。隣の客に聞かれたのではないかと思うと決まりが悪くて仕方なかった。もう何の関心もないし、もはやその場にいたくなかった。早くコーヒーを飲んで帰らなければと思った。その時ユリが奇妙な行動をとった。彼に意味ありげに笑いかけたかと思うと、バッグの中からぶ厚いノートを一冊取り出した。そしてテーブルに置いて立ち上がった。

「ちょっと、トイレに行ってきますね」

彼は唖然としたまま座っていた。芝居を見せられているようだった。ユリが去った後には、まるで見てくれと言わんばかりにノートが一冊、しずかに置かれていた。日記のようだった。

「ご覧になったんですか？」

「ええ。見ました。正直言って、頼むから見てくれって感じで置かれたからそうしただけで、特に何も考えてませんでしたよ」

これ見よがしに誰かの前に置かれた日記。ユリはそういうことをしても不思議じゃない子だ。誰かに自分の傷をさらして、わかってくれと全身で叫び回っていたから。そこには何が書かれていたのだろう。男たち？　孤独な内面？　もしかしたらユリこそ本当に小説を書いていたかもしれない。日記には何があったのだろう。背の高い男。そうだ、彼のことが書かれていたのではないか。いったい何が書かれていたのだろう、そこに。何をそんなに見てほしかったの？

「別に、たいしたことじゃありませんでしたよ」彼は言った。「吹き出しました。三ページか四ページ？　そのくらい書いてあって、それもなにかの数字みたいでした。あとカレンダーもあったな。〇を書いたり×を書いたり。なんか、女性がつける記録ってあるじゃないですか」

「生理の記録ですか？」

彼が少し顔を赤らめた。

「ええ。そんな感じの。あと、病院の診療明細かなんかが数枚挟まってたんですが、そっちは詳しく見ませんでした。いくらなんだってそこまでは見られませんからね。実費保険（実際にかかった医療費の八～九割が保障される保険）の請求に必要なのかな、ぐらいに思って。それに、そんなこと知りたくありませんでしたから。期待していたのと違ったのですぐに閉じました。あっ、でも一つだけ覚えてます。ノートの一番前に数字が書かれてたんです」

「数字、ですか？」

「番号でした。それは今でも覚えてます。7－38。あれが八月だったから。前の月の日付かなんかかと思ったんですが、38日ってありませんよね。妙だったから記憶に残ってて。あとでユリさんが亡くなったと知って、その数字のことを思い出しました。なんだか気になって少し調べてみたんですが、もちろんわかりませんでした」

7－38。

知らない番号だった。七月ならユリが亡くなる五か月前だ。伴奏者が語るユリの姿は私が知っているそれと大きく違わなかった。そんなふうにユリの話を聞いていると妙な気持ちになった。誰もがユリをよく知っているようでいて、その実、ちゃんと知っている者はいなかった。もっと言えば話の中のユリ本人でさえ。あの子は自分が何者か、わかっていなかったのかもしれない。私はカン・スンヨンという男性の連絡先を教えてもらえないかと聞いた。伴奏者はカン・スンヨンの番号は知らないと言った。

そしてこう続けた。「彼なら、ネットで検索すれば出てきますよ」

どうやらその人も自殺の予防運動のようなことをしているらしい。どんな人かはわからないがとにかく会ってみよう。この人に日記を見せようとしたのなら、別の人にもそうしていたかもしれないし。今のところ何ひとつ確信はない。だが察しはついた。日記がユリのやり方だったのだ。自分だけが読み取れる書き方で、記憶と感情を記していたのだろう。日記はおそらく、ヤン・スジンが持ち出したはずだ。スジンはそれをどうしたろう。捨てたろうか。それともまだ持っているだろうか。

私は隣のダナを見つめた。もし私がダナを失うことになったなら。そんなことはありえないが。万が一そんなことが起きてしまって、ダナの書いた無数の手紙を見つけたら。私は絶対に捨てないだろう。ヤン・スジンとハ・ユリが本当に友達だったのなら、スジンはおそらく捨てていない。たとえ認めがたいことが書かれていたとしても。きっと捨てない。私が知っているスジンならそうだ。

その瞬間、再びその数字が頭によみがえった。

7-38。

ユリのやり方。

ユリが言ったという言葉。「勝ちたいんです」

何かがパッと閃いた。記憶を鋭くかき分けて浮かび上がってくる、鮮明な声。

「4-98番です」

去年の四月。イ・ジンソプに殴られた日。そして、明け方に家に来た彼が怖くて、やむをえずセックスをした日。私は性暴力相談所に電話をした。

相談員が私に尋ねた。

拒絶の意志をはっきり伝えましたか？　いえ。

途中で「やめて」と言葉で言いましたか？　いえ。

じゃあ、嫌だという態度を示したのに、最後まで勝手にされたということは？　いえ。

質問。いえ。

質問。いえ。

質問。いえ。

いえ。いえ。いえ。いえ。いえ。いえ。いえ。いえ。いえ。いえ。

相談員はもう一度言った。

「嫌だと言葉で言わないといけないんですよ。こういう問題は、拒絶の意志を示すことが非常に大事なんです。当然、納得がいかない部分はあると思いますが、とにかく拒絶の意志が基準になります。無理矢理そうされたという証拠が必要なんです」

「証拠、ですか？　どんなものでしょう？」私は聞いた。

「なんでもいいんです。日記みたいなものをつけて下さい。いつ、どこで、どうされたか、詳しく記録するんです。メッセージや電子メールでの脅しでもかまいません。精神的なものでも身体的なものでも、拒絶の意志をはっきり示したのに暴力をふるわれたという証拠を集めるといいでしょう。そうしたら勝てますよ」

勝てますよ。

相談員は電話を終える時、私に番号を教えてくれた。また相談したくなった時にその番号を告げれば再相談が可能だと言った。

4－98。

それが私の番号だった。

四月。九十八番目の相談という意味だった。

最後にユリに会った日。ユリは私に言った。

「ジナあ、あたしのこと、ちょっと助けてもらえる？」

通りの向こうに佇んでいた、背の高い男の影。あの時私はサムギョプサル屋を背にしていた。店内の誰であれ、外に出てくることは可能だった。ヒョンギュ先輩は、ユリのいなくなった部屋を掃除した。ひょっとして、助けてほしいというのは、そういう意味だったのか？

「どうしたの？」

ダナが横から聞いてきた。私は首を横に振った。相談所に行くべきかとも思ったが、どうせ他人に個人の相談記録は開示しないだろう。だが心証だけでは何も始まらない。だったら日記を確認しなければ。確認できるものはすべて確認しなければ。それが先決だ。それでもし、懸念が当たっていたら？

私は怖くなった。ユリは誰にも言えないまま、その時間をどうやって過ごしていたのだろう。

ひょっとしてユリは、自分がどんな目に遭っているかを伴奏者に知らせようとしたのではないだろうか。

あの日、私を通りで見かけて飛び出してきた時のように。

「助けてもらえる?」

私はあの子を無視したのだ。助けを求めていたのに気づくことができず、冷たく通り過ぎてしまった。

突然体の奥に痛みが走った。イ・ジンソプに殴られた場所だった。体の奥深くから痛みが突き上げ、内臓がよじれた。でも、まだ推測でしかないんだから。私は深呼吸をした。何でも深刻に考えすぎているのかもしれない。

私たちは挨拶をして席を立った。その時、ダナが伴奏者に振り返った。

「あの……ところで」

聞きたいことがある。ダナは彼に質問した。なぜユリが一緒に死のうと農薬を差し出した時、みんな飲まなかったのだろう。ユリが真剣な雰囲気をぶち壊しはしたかもしれない。でも死ぬために集まったのに、雰囲気が台無しになったのがそれほど決定的なことだったのだろうか。

ダナは慎重に伴奏者に尋ねた。

「先生はどうして、その時農薬を飲まなかったんですか?」

伴奏者は教会のほうを一度振り返った。顔に戸惑いが浮かんでいた。私たちは彼の答えを待った。

「なんとなく、あの女性と一緒に死にたくなかったんですよ」

私は黙って彼を見つめ、頭を下げた。
彼が理解できた。
罪悪感に襲われた。

11 スジン

読書はスジンのやり方だった。読書が一番手っ取り早かったからだ。最初から小説だったわけではない。もともとは記事を探して読んでいた。インターネットにいくつかの単語を入力して検索するだけで、大量に読むことができた。レイプ、妊娠、中絶。この国にはレイプされた女性が実に多かった。検索結果を何十ページ見ても事件は続いていた。レイプされた女。妊娠した十代。動画を盗撮された女。刃物で刺された女。そして捨てられた新生児。スジンがそれらを探し続ける理由は単純だった。

別の人たちがどうしているか知りたかった。スジンは相談所や被害者の集まりに出るのが嫌だった。アンジンは狭い町だった。噂になるかもしれなかった。集まりでは徹底してプライバシーが守られるという話だったが、スジンは信用していなかった。人の悪意が怖かった。正確にいえば、スジンが信じられないのは悪意よりも形のない声だった。まだ悪意のほうが信じられた。少なくとも悪意には明確な意図と形態があるから。パルヒョンから聞こえてくる声。無邪気にスジンを語る言葉。チュンジャの娘、アバズレの娘、可哀想な女の子。村人たちは心優しかった。本当にいい人たちだった。だが、みんなこう言ったらスジンが傷つくだろうとはこれっぽっちも思わないらしかった。人々は何とはなしに言った。靴に小石が入っちゃったよ！スジンは母親に似て馬鹿だろうさ。わあ、空に飛行機だ！チュンジャはきっと、よそでも子供を産んでるって。冬だ！雪が降ってる！おやおや、スジンが大学に行くのかい？人はそう。人は、自分たちがどんなことを口にしているか、まったくわかっていないらしい。

十二年が経った今も、あの男はスジンをレイプしたとは思っていないのだろう。

だからスジンは記事を読んだ。似たような目に遭った女たちは、いったいどこで、どうやって耐えているのか。数百を超えるレイプ記事を読んでみてスジンはわかった。記事に取り上げられるレイプは、大体こんなふうに整理できた。

被害者は、通報もできずに死んだ。

被害者は、通報して死んだ。

被害者は、通報して裁判で負けた。

被害者は、通報して生き続けた。

この短い文章にスジンは何も感じ取れなかった。彼女が知りたいのはそういうことではなかった。知りたかったのはこういうことだ。それで、どうでしたか？あなたたちはどんな気持ちでしたか？私みたいに惨めですか？悪夢を見ますか？私みたいに自分が虫けらのような感じがしますか？

最も知りたかったのは罪悪感だった。

自分は何も悪いことをしていないのに、なぜ、何か過ちを犯した気がするんでしょうか？　子供を堕したからでしょうか？　でも、あれは本当に子供だったのでしょうか。自分が望まない状況で、望まないやり方で生じた細胞を、必ずしも子供と呼ばなくてはいけないのでしょうか？　私は？　私の人生は？　私の身体は？　あなたたちはどうですか？

記事には何の答えも出ていなかった。

ある日のこと。授業でジョイス・キャロル・オーツの『マルバニー一家』の一部を読んだ。イ・ガンヒョンの講義だった。見え見えだった。学部生に下訳をさせようという魂胆に違いない。むかついたが、「rape」という単語を目にした瞬間、スジンはだまってテキストに目を落とさざるをえなくなった。あの時訳していたのはヒョンギュだった。メリーアンが卒業パーティでレイプされ、家に帰って苦しむ場面だった。マルバニー、メリーアン、女、少女。家庭は破壊され、メリーアンは島流しにでもされたように長い間あちこちを転々とする。こんな一節があった。

「私はお酒を飲んだ。私が悪かったのだ。あの夜に戻りたくても、それは叶わない。どうして私が彼について、嘘の証言をすることができるだろう」*

スジンは授業が終わると同時に講義室を飛び出した。トイレに行って泣いた。彼女はその一

*原注　ジョイス・キャロル・オーツ、『マルバニー一家（We Were the Mulvaneys)』、チャンビ、二〇〇八、二五九ページ

節を繰り返し読んだ。読みながらスジンは、自分のやり方でその文章を変え続けた。

私はお酒を飲んだ。私が悪かったのだ。あの夜に戻りたくても、それは叶わない。

私がお酒を飲んだ。私が隙を与えたのだ。あの夜をなかったことにしたくても、それはできない。

なかったことにしたくても、そうはできないのだ。

絶対にそうはできないのだ。

もう、されたことだから。

されてしまったから。

とはいえスジンはメリーアンに完全に共感していたわけではなかった。メリーアンはすべてを記憶していた。自分の父親が暴行で訴えられそうだから覚えていないと言ったのだ。スジンは、自分がメリーアンのようにすべてを記憶していたら話は違ったかもしれないと考えた。だが後になって気がついた。スジンは結局、何の手も打たなかったろう。チュンジャの娘だからそりゃ仕方ないさ。おや、キムチがいい具合に漬かった。チュンジャの娘なんだから、いずれはそうなると思ってたって。ほらチュンジャ婆ちゃん、キムチを召し上がれ。

祖母にそんな思いをさせるわけにはいかなかった。大学合格を知らせた時、祖母は涙を流した。もう大丈夫、もうおまえは別の人生を生きられるよと。祖母はいつもスジンのことを自慢にし、スジンのためならどんなこともできると言っていた。そんな思いだけはさせられない。その時スジンはメリーアンを完全に理解した。だから泣いたのだ。自分がこんな目に遭っただけで十分。おばあちゃんにまで同じ思いをさせるわけにはいかない。知らないふりをしよう。

なかったことにすれば。

何もなかったようにすれば、すべてうまくいくはず。

二十歳で、春だった。スジンはその日、たくさん酒を飲んだ。その日まで酒には口をつけたこともなかった。母のことがあったからだった。母は十代から酒を飲み、村で札付きの問題だらけの男たちと寝ていた。今でもスジンは自分の父親が誰かわからない。おそらくは酔った上での妊娠だったのだろう。スジンは、少なくともその噂は当たっていると思っている。

自分の遺伝子に刻まれているかもしれない酒への愛着が憎かった。きっと自分も酒好きで、酔うまでグラスを離さないタイプだろうと、なんとなく思っていたから。スジンは酒が自分に不幸をもたらすはずと考えていた。なのにその日、スジンは酒を飲んだ。気分が良かったのだ。

やはりイ・ガンヒョンの講義だった。『ジェーン・エア』について意見を発表して褒められた。イ・ガンヒョンの講義は原書読解のかたちで進められていたが、五分程度学生が自発的に発表する時間があり、加算点がもらえた。発表はリレー形式だった。「ジェーン・エアに見る自立的女性像」というテーマで誰かが最初に発表すると、その意見に別の誰かが別の意見を言う。さらに次の人がまた違う見解を発表するというやり方だった。大学に入学し、猛烈に勉強しようと誓った後だったから、どんな加算点も逃したくはなかった。その日スジンが発表したのは大体こんな内容だった。

「前の時間、ジェーン・エアの結末は、結局男性の胸に飛び込むだけのものだという批判がありました。私は、ジェーン・エアが経済的な独立と同じくらいロチェスターとの愛を重要視していたことに注目したいと思います。ジェーン・エアは、どういう決定を下せば自分が最も幸せになれるかに悩むキャラクターです。もし彼女がロチェスターとの関係の中だけで自分を見ていたら、そもそも彼の元を去らなかったでしょう。情婦になってずっとそばにいることを選んだと思います。でもジェーン・エアは、その恋愛と結婚が自分を幸せにしないと考え、彼から去りました。そして、彼に耐えることができると判断できた時に戻ってきました。彼女は、自分の人生に正直で積極的です。将来何が待ち受けていても恐れることなく選択できるこの女性の恋は、十分支持に値すると思います」

発表後、イ・ガンヒョンは世界を眺める独特の視点があると講評した。形式的な言葉だろうが、スジンはうれしかった。まさにその褒め言葉のせいで、好きでもない教員が口にしたその形式的な賞賛のせいで、あの日スジンは酒を飲んだ。授業を取っている学生だけで飲みにいくと聞いた時、スジンはジェーン・エアよろしく自発的に仲間に加わり、店に座るなり真っ先に焼酎のキャップを開けた。

楽しい席だった。ヒョンギュもいた。彼がいるから当然人は多かった。十人でスタートした飲み会は、二時間ほど経った頃には二十人にまでふくれ上がっていた。他の学科の学生も混じっていた。ヒョンギュのもともとの専攻だった英文科の学生が遊びに来ていたし、国文科の学生の顔もあった。後の方になると、どこの誰が来ているかわからないくらい大勢になった。そしてスジンは少しずつ酔いが回っていった。大学の裏の小さな屋台に河岸を変えた時、彼女は相当酔っていた。あの時何人いたのか、スジンは今でも覚えていない。気分が良くて、本当に楽しかった。どれだけ楽しかったかというと、同じ学科になって三か月経つのに挨拶一つまともに交わしていないジナのそばに行き、私たち、また仲良くしようと声をかけたくなるくらいだった。

ジナ、本当はずっと寂しかったんだ。目も合わせずにいるけど、本当は同じ科になってこっそり喜んでた。会いたかったんだ。

ジナ。

会いたかったんだ。

スジンは完全に酔っていた。そして目を覚ました時、彼女は裸だった。古い旅館の匂いがするシーツの上に、全裸のまま横たわっていた。隣では男が、同じように裸で鼾をかいていた。

スジンは驚きのあまり声を上げることもできなかった。ベッドの端に体を寄せた。震えていた。

頭の中が完全に真っ白になり、何も言葉が浮かんでこなかった。

その時、男が目を覚ました。

「起きた?」

彼はほほえんでスジンに手を伸ばした。やさしく彼女の顔を撫でた。スジンの身体に鳥肌が立った。

「これ、どういうこと?」

「ん?」

男は、何を聞かれているのかわからないという顔でスジンを見た。スジンはほとんど泣き出しそうだった。何も思い出せなかった。何ひとつ。いったいこれがどういうことか、まったくわからなかった。スジンはそれまで、男と手をつないだことがなかった。性欲を感じたことはあってもそれが具体的にどうなされるものか、よくわかっていなかった。どこかから噂で聞いた大雑把な話がすべてだった。初めての時ってものすごく痛いんだって。お尻を浮かせなきゃならないんだって。目をつぶってなきゃいけないんだって。それがスジンの知るすべてだった。あの時スジンはやっと十代を終えたばかりの少女だった。だが、少なくともこれだけははっきりしていた。さっき起きたこと、たぶんきっと起きたであろうこと、つまりセックスは、スジンが選択するべき問題だった。彼女が望んだ時に、彼女が望んだ相手とするべきことがセックスだった。だったら自分は、この人を望んだのだろうか？　何も思い出せなかった。一切が混沌としたまま呆然と座る彼女に、男がのんびりと声をかけた。

「喉、渇いた？　水飲む？」

いっそ泣き出していたら状況は違ったのだろうか。彼はスジンが望んでいないことをしでかしたと気づいたかもしれない。しかしスジンは涙さえ出ないほど驚き、混乱していた。そう、混乱していた。一刻も早くこの部屋から出たかった。彼女は急いで服を着た。すると彼が彼女に近づいてきた。肩を抱いた。彼女は腕を振り払った。そして、声の震えをやっとのことで抑えこみながら聞いた。

「なんで、こんなことになったの？」

「何がだよ。一緒に来たんじゃないか」

そこでようやく彼が苦い表情になった。ありえないというようにスジンから身を離してしばらく彼女を眺め、呆れたように舌打ちをした。そして自分の服を拾い上げ手に取りながら言った。「俺は、お互いそのつもりだと思ってたんだけど」

「えっ?」スジンが狼狽した顔で声を上げた。

「お前からだったろ」

「何言ってるの?」

スジンの声がひび割れた。彼の顔を引っ掻いてやりたかった。到底我慢ならなかった。昨夜スジンは酔っていた。記憶をなくすほど酔っぱらっていた。それは意識がなかったということだ。その時彼女がどんな真似をしようが、それは正気で選んだことではない。私は絶対に、あんたを求めたことなんてない。

叫ぼうとした瞬間。彼が言った。

「あのさ、気を悪くしないで聞いてほしいんだけど」

「何?」

彼がまっすぐスジンを見て言った。「お前、被害者意識が強いよね」

心の中で何かがぷつんと切れた気がした。それ以上何も話したくなかった。スジンはドアへ向かった。開ける前に彼に言った。

「なかったことにして」

彼はベッドに腰を下ろし、靴下を履きながら言った。

「そうだな、酒を飲んで一緒に失敗した。忘れちまおうぜ。酒のせいさ」

彼女は外に飛び出し、胸いっぱいに空気を吸いこんだ。何も起きていない。私は何もされなかった。私は、被害者じゃない。誰もこのことは知らなくていい。ミスったんだ。そう。私はミスを犯した。思ってもいないことをやらかした時、ミスしたって言うよね? そう、これはミスだ。明らかなミス。でも、私がしたことじゃないのに。私は絶対、何も選択していないのに。彼女が選んだことといえば、酒を飲んだことだけ。彼女の母親のように。チュンジャのように。母さんと同じ真似をしたんだ。いや、たった一夜のことで大げさな。人生でつらいことはいくらでもあるのに、たかだかこの程度のことで騒いで。ダサいよ。ダサい。うるさい。黙れ。おばあちゃん。おばあちゃん、私どうしよう。私怖い、おばあちゃん。スジンは走った。早く寮に戻ろう。昨日レポートを発表していた自分に戻ろう。

彼女はつまずいて転んだ。膝が擦りむけ、血が流れた。

私は望んでいなかった。でも、私が望んだのだとしたら？　チュンジャみたいになって、何かを求めたんだとしたら？　本当に求めてたんだったら？　だったら平気なんだろうか？　一夜の過ちくらいある。そう思ってしまえば平気なんだろうか？　じゃあ、私が望んでいなかったという事実は。その真実はどこで救われるの？

立ち上がって片足を引きずった。涙が出てきた。もし彼がみんなに言いふらしたら、どうすればいいのだろう。

怖かった。彼女は泣き崩れた。祖母に会いたかった。私をこんな目に遭わせるために、おばあちゃんは苦労したわけじゃないのに。私は罪を犯した。もう少し注意するべきだったんだ。私のせいだ。私のミスだ。

道にしゃがみこんだ。耐えられなかった。死んでしまいたかった。その時だった。誰かの手が彼女の頭を撫でた。彼女は驚いて顔を上げた。目の前にユリがいた。

「スジン、どしたの？　何かあった？」ユリが聞いた。

その優しい声に、スジンは完全に崩れ落ちた。スジンは肩を上下させてしゃくり上げた。ユリがスジンの肩を抱き寄せた。背中をとんとんと叩いてくれた。

『マルバニー一家』を読んでから、スジンは図書館に籠るようになった。別の小説を読むためだった。別のメリーアンを探し回った。被害者が登場する小説。それがスジンのやり方だった。麻薬中毒の患者が集会に参加して自分の体験を告白し克服を目指すように、スジンはレイプ被害者が登場する小説を読みあさった。誰かに自分の話をする必要もなければ、誰かの話を聞いて泣く必要もなかった。記事と違って小説には心があった。心をありありと感じることができた。

スジンはあの日の出来事を必死に思い出そうとした。いっそ体に抵抗した痕でも残っていたらマシだったのに。よろけて彼の腕にしがみついた気がした。だが、それがどんな行為だったかはまるでわからなかった。ひょっとして彼を誘惑したのだろうか？　それとも、単に気持ちが悪くなってもたれかかったのだろうか。彼に何と言ったかも思い出せなかった。

はしゃいでいたのだろう。そう。ただ楽しくてはしゃいだのだ。だが、その時口にした言葉が彼を誘惑しようとしてのものだったのか、単にその場が楽しくて騒いだだけなのか、わからなかった。

はっきりしているのは、彼女が彼を求めたことはないという事実だった。彼に異性としての関心を持ったこともなかった。酒を飲んだからといって急に彼を欲するはずがない。酒のせい？　本当に？　本当にそうなのだろうか。彼は言った。俺はお互いそのつもりだと思っていたと。なぜそんなふうに思ったのだろう？　どんなことでもいいから覚えていたらよかったのに！

そうすれば、彼女は反論できただろう。どんなことでもいいから覚えていたなら、「お互いそのつもりだったんじゃなくて、私が酔ってあんたに少し寄りかかっただけ」と言えるのに。「あんたは、酔っぱらっているのと身を任せることの区別もできないんだ、バカね」と言うことだってできたのに。

望んでいなかったことは確かなのに、望まなかったと証明できないことが惨めだった。証明できなければ誰にも認めてもらえないことが惨めだった。彼女が調べたところ、ほとんどのレイプは女性が強い拒絶を示した時にのみ立証されていた。つまり、暴力的な状況で行われた時にのみレイプと認定された。そのことにスジンはひどく混乱した。女性が激しく殴られ、叫び声をあげ、脅され、つまり命の危険を感じた後の性関係のみがレイプと呼べるなら、スジンの経験したことは決してレイプではなかった。スジンはひどく殴られたわけでもなく、泣き叫んだわけでもなく、脅されもせず、命の危険も感じなかった。だが、望んでいなかった。望んでいなかったという事実を、なぜ加害者から受けた暴力のレベルで判断されなければならないのだろうか。理解できなかった。スジンにとってのレイプは単純だった。本当に簡単に区別がついた。被害者が望んでいない時に持たれた性関係。

まさにスジンのように。酒に酔い、意識を失い、何もできない状態の時にされること。スジンの場合は準強姦に該当した。準。よりによってこの単語の前に「準」という言葉がつくのか？

それでなくてもスジンの場合、立証は難しい状況だった。もし彼を告発すればスジンがズタズタになるだろう。祖母のことを考えなければならなかった。自分の未来を考えなければならなかった。レイプ被害者と呼ばれたくなかった。レイプ被害を主張した人として生きたくなかった。何も立証できないまま、ただ疑いだけに包まれて生きたくなかった。

だから小説を読んだ。小説にはたくさんの女たちがいた。素面《しらふ》で望まないことをされた女もいたし、意識を失っていた女もいた。スジンのように、あったことをなかったことにしたがっている女もいた。なんとかそれを克服しようとする女もいた。もし手記やインタビューだったらスジンは耐えられなかっただろう。経験からの声を読むのは怖かった。作り話にのめり込むのは気が楽だった。誰も彼女が何を読んでいるかに気づかなかった。講義では小説が大きなイシューや目的と結びつけて語られていたが、スジンはそんなことには関心がなかった。誰かの声であることが重要だった。ひたすらひとりの声。自分だけの物語。そこでの怒りはスジンにとっての慰めとなり、憎悪は喜びとなった。彼女は、「メリーアン」たちについて読む時、心が安らいだ。メリーアンたちは彼女が理解可能な人物であり、彼女の寂しさを減らしてくれたから。そう思っていた。彼女たちが踏みにじられる、生々しい場面を目にするまでは。

スジンはある日、括弧《カッコ》を発見した。

括弧の数々。

（暴行）（脅迫）（服を脱がせる）（押さえつける）（興奮）（勃起）（突っこむ）（　　）（　　）

（　）（　）（　）（　）（　）（　）（　）（　）（　）（　）（　）
（　）（　）（　）（　）（　）（　）（　）（　）（　）（　）（　）
（　）（　）（　）（　）（　）……………（　）（　）（　）……
（　）（　）（　）（　）（　）（　）（　）（　）（　）（　）。

括弧を、真に迫り生々しく描写する小説があった。そんな小説が多かった。女をどう連れ出したか、どう怯えさせたか、どういう姿勢で横にしてどう屈服させ、そしてどんな興奮状態で（　）をしたか。うんざりするほど細かく説明した小説があった。もちろん、小説は加害者を擁護してはいなかった。加害者がどれほど悪人かを表現していた。まさにその、加害者がどんなに悪い奴らかを表すために、レイプの（　）は夜空に爆ぜる爆竹のごとく派手に描写されていた。なんと、こんな悪人がいるとは！　こんなに残忍な真似をするんだから本物の悪人だ！　悪人の暴虐ぶりをよりひどく描写しようという感覚。つまり、その悪人をより憎く思わせようとする感覚。復讐心が芽生えるほどに生々しく、目を覆いたくなるような（　）の数々。悪人がどれほど悪いかを見せつけ、その上で被害者の苦痛がどれほど大きいかを明らかにするから、前に起きるその加虐的で具体的な（　）は美学的で必要不可欠な場面とされていた。悪人だと言ってあるから大丈夫〈この程度のシーンは平気〉悪人がどう誕生するかを表現したものだから大丈夫〈告発しているんだから平気〉レイプされた女が、さらに酷いやり方で男に復讐する小説があった。その女がされた（　）は吐気を催すほどだった。リアルで詳細な（　）たち。憎しみをたぎらせた女が最終的には男に復讐を果たしたから、痛快にやり返したから、女のされた（　）は忘れ去られていた。だが、本当に忘れ去ることなどできるだろうか。あんなにむごい（　　）の瞬間を、果たして被害者は忘れることができるだろうか？　復讐したからといって、痛快にやり返したからといって、（　　）はなんでもないことだと言えるものだろうか。（　　）を経験していないスジンでさえ忘れられないのに。本当に。それが可能だろうか。

スジンはわからなくなった。ひょっとしたら自分があまりにナーバスすぎるのだろうか。本当は（　　）などたいしたことじゃないのに、自分が意味を与えすぎているのだろうか？　あの男の言った通り、スジンに被害者意識があるからだろうか。ある日、スジンは小説で「あの女を強姦したい」という男の声に行きあたった。その瞬間スジンは読むのをやめた。

そういえば、いつだったか似たような言葉を耳にしたことがあった。

「強姦された気分だ」

飲み会だった。学科の新入生歓迎コンパだった。向こうにジナが座っているのが見えた。ジナはハ・ユリと一緒だった。ハ・ユリが大騒ぎしていたので目が行った。あの時のユリは変だった。だがスジンは自分のことで頭がいっぱいだった。期待にあふれていた。落ちるかもしれないと思っていたのに合格したのだ。やっと大学に来たぞ。勉強頑張らなきゃ。早く就職して、おばあちゃんをアンジンに呼び寄せよう。おばあちゃんと一緒に仲良く暮らすんだ。彼氏もできたらいいな。優しくてハンサムな彼氏。私にやさしくしてくれて、私もやさしくして、お互いを大切に愛しあえる人に出会わなきゃ。

新設学科のせいか学科の集まりには大学側の補助があり、教授たちは酒やつまみをたくさん奢ってくれた。よその学科の生徒が来てサークルのPRをし、転科してくる予定の先輩たちも同席した。そんなにたくさんの人間といっぺんに会うのは初めてだった。緊張はしたが気分が良かった。酒は飲んでいなかった。急に周りが騒がしくなった。スジンの隣には男子学生が五人ほどいたが、そこに男子の先輩三人が合流し、負けたら酒を飲むゲームを始めたのだ。スジンは飲みたくなかったのでゲームから外れた。見ているだけにした。

男子と、それに女子二人が加わってゲームが始まった。焼酎の金属キャップのバンド状になった部分をねじって順番に指先で弾き、最初に折った人が一気飲みするというゲームだった。見ているのは楽しかった。なぜかというと、ずっと同じ学生の番で失敗になるからだった。転科が決まっている哲学科の先輩で、彼の指にかかるとどんなにそっと弾いてもバンドの部分がぽきりと落ちてしまった。

三回連続失敗になったところで周囲に人だかりができた。四回目もまた失敗した。みんな手を叩いて笑った。スジンも笑った。そして五回目にキャップが回ってきた時、先輩は笑いを取ろうと思ったのかわざと指をぶるぶる震わせ始めた。愉快な雰囲気だった。先輩が指で弾いた瞬間、みんなから歓声が上がった。また折れたのだ。先輩が顔を両手で覆いかくして叫んだ。「やだ、去勢されちゃった気分」笑いが上がった。先輩は続けて言った。「マジで強姦されたみたい」

みんな再び笑い転げた。スジンも笑った。不愉快ではなかった。笑える席だったし、そういう言葉にムキになる雰囲気でもなかった。その先輩も誰かに嫌な思いをさせようとしたわけではなく、ただポンと口を突いて出た冗談だった。他の女子もその言葉に笑っていた。本当の強姦ではないことをみんなが知っていた。ただ手軽に、気楽に、放たれた言葉だった。ああ、直説的な比喩。比喩に限界はなく、大胆なほど美しい。スジンも手を叩いた。

「あの女を強姦したい」という声を本に見つけた時、スジンはあの日の先輩の声を一緒に思い出した。もう彼女はそんな冗談を受け入れることができなかった。そんなふうな冗談。なぜあれが冗談になると思ったのだろう。「強姦されたみたい」どうして強姦が冗談になる？　小説ではあんなふうに表現していたじゃないか。あらゆる（　　）を動員して、むごたらしく、生々しく描写していたじゃないか。「強姦されたみたい」？「強姦したい」？「強姦されたのと同じ」？　じゃあ（　　）のような目に遭ったと思っているのか？　あの（　　）のようなことをしたいという意味か？　焼酎のキャップのバンドが折れることは、決して（　　）をされたことと同じとは言えない。レイプはそんなことではない。（　　）だ。なぜある者はレイプを簡単に冗談に使い、またある者は（　　）でおぞましい表現をするのか。簡単に比喩にするのか。彼女は答えを探すため次々に小説を読み続けた。そしてある瞬間、気がついた。

この人たちは、レイプされるのがどういうことかわかっていないんだ。

小説の（　　）が描写するのは被害者の苦痛ではなかった。加虐のレベルだった。加虐の生々しさが、その描写に生気を与えていた。目を覆うような残忍な場面。それは被害者の苦痛がどんなものかを知らないからだ。一応わかってはいるのだろう。良くないことだぐらいのことはわかっているのだろう。だから悪人をより悪く描こうとするのだろう。悪人に非難を浴びせるため、（　　）の雨を降らせるのだろう。

だが、本当に知っているのか。身体のある部分が無理矢理押し広げられ、引き裂かれ、壊される時の、あの物理的な感覚を本当に知っているのか？　体で最も柔らかく敏感な部位が傷つけられる時のあの苦痛を、本当に知っているのか？　（　　）の後はひたすら「痛かった」という描写ばかりが続く。だがそれは、数日排尿の時に痛い思いをすれば終わるような経験ではない。スジンはレイプの翌日からずっと痛みに苦しんだ。下半身が爛れ、座る時も歩く時も激痛が走った。あの男が思う存分スジンの体に（　　）をしたせいだった。病院へ行くことなど思いもよらなかった。それまでスジンは産婦人科の近くに行ったことすらなかった。妊娠について考えたこともなかった。自分が妊娠できるということも知らなかった。

膣の内側で、チリチリと裂けるような痛みが毎日間欠的に続いていた。だが病院には行かなかった。手にできた傷のようにいつか治ると思ったからだ。痛みが三週間以上続いて、スジンは病院へ行った。膣内部がひどく損傷し、炎症を起こしているという診断だった。念のためエコーを撮った。そして妊娠がわかった。手術の後も、スジンはずっと病院に行った。痛かったからだ。病院には外科的に何の異常もないと追い返された。鎮痛剤だけ処方された。それでもスジンはずっと痛みを感じていた。下半身が攣るような、子宮の中で小さな肉片が剥がれていくような痛みを感じていた。下半身が完全になくなってしまったような、ボロボロになってぶら下がっているような感覚。体が、引き裂かれた紙みたいになった気分。

本当に（　　）で描写されるような事件が起きたら、決して「痛かった」なんて言葉ですむはずがないのだ。（　　）よりもっと無残で凄まじい苦痛が待っているから。レイプとはそういうものだ。さらにスジンは、もう一つの事実に気づいた。

加害者もやはり誰かに踏みにじられ、苦しめられた存在として描かれていることだった。（　）の描写と同じような抑圧を受けた存在。ある本の解説にはこんな言葉があった。暴力の美学。暴力の連鎖の鎖に足をつながれた、悲劇的な人物たち。立体的であるとされていた。前と後ろがぼこりと突き出た、雪だるまのような（　）の主体。彼らを理解するのは美しいことだと語られていた。いや。スジンは、どれ一つ美しいとは思わなかった。誰のことも悲劇的とは感じなかった。レイプに対する感覚が誰かにとってそんなふうに作用するのなら、それが暴力を描写する唯一の方法であるのなら、（　）に捕らえられた者はどうしたらいいのだろう。スジンも誰かをレイプしなければならないのだろうか？

スジンは小説を憎むようになった。あの生々しい悲劇や感情を。踏みにじられた心のほとばしりを憎悪した。あんなふうにしか語れない声を憎悪した。それでも小説を読むことはやめられなかった。ある瞬間からスジンもやはり暴力に感化された。（　）を読んで、彼女はやはり加害者の立場で想像した。あの男を床にぐいと押さえつけ、今まで彼女が読んだすべての（　）を加える場面を毎日想像した。彼女は、狂おしいほどあの男をレイプしたかった。

彼女は図書館の閉館時間になると席を立った。寮には戻らなかった。ユリの部屋へ向かった。眠れずにむせび泣くスジンの肩を、ユリはずっとさすってくれていた。

＊
＊
＊

すべて、昔のことだ。

キム・ジナが帰ってから、彼女はひとりカフェの裏の路地に出て深呼吸をした。あの頃のことがしきりに頭に浮かんだ。おととし祖母が亡くなった。結婚する時、スジンは祖母を呼び寄せて一緒に暮らしたいとヒョンギュに相談した。ヒョンギュは快くいいよと言った。両親も許してくれるはずだと言った。許す。スジンはその単語に引っかかった。自分の祖母と一緒に住むことが、許しをもらうことなのだろうか。ヒョンギュは長男でもない。なのになぜ許しまで必要なのだろう。しかし表には出さなかった。どうせヒョンギュの親はそんなにいい顔をしないだろうから。息子を持つ親なら当然そういうものだろうと考えた。結婚生活をしたこともないのに、当たり前にそう考えてしまう自分が不思議だった。義父母に許可をもらわなくてはという知識がスジンの遺伝子に刻まれているらしかった。しかし義父母に話すまでもなかった。祖母が嫌がったのだ。

良家に嫁ぐのにふさわしい嫁入り道具を揃えてやれないのも心苦しいのに、年寄りまで連れていく必要はないと言った。

祖母は頑なだった。自分がスジンの負担になると思い込んでいた。貧しい家の子。人の顔色をうかがいながら暮らすことになるだろうに、その上お荷物まで増えたらスジンが暮らしにくくなると言った。スジンが泣きじゃくって騒いでも無意味だった。ヒョンギュも直接訪ねたが祖母は首を縦に振らなかった。スジンは涙声で言った。

「そんなご両親じゃないもん。そんな人たちじゃない。おばあちゃんみたいに、そんな時代遅れな考え方をする人たちじゃないんだってば！」

祖母は言った。

「スジンや。人は信じちゃいけないよ。お前の旦那様のことも信じちゃダメだ。今はお前のことが大事で、なんでもしてやりたくて、なんでもしようとするだろう。でもね、人は自分がしてやったことは、決して忘れないんだよ。自分がかけた好意は、絶対に忘れない。相手がどう思っているかなんてたいしたことじゃないんだ。村の人たちを見てごらん。おばあちゃんが仕事をしていると思ってるのは、お前とおばあちゃんぐらいのもんだ。みんな、うちに施しをしてるつもりなんだよ。こっちがどう思っていようが、借りにされる。お前、一生旦那様に借りがあるような気分で暮らしたいかい？　お前にいろいろしてやったと思えば思うほど、〈この程度は要求してもいいだろう〉って相手は考えるようになる。〈この程度〉が何になるか、誰にもわかりゃあしない。ヒョンギュさんはいい人だろう。おばあちゃんにもそれはわかる。そんなに変わりゃしないかもしれない。でもね、人生にはいつも〈万が一〉ってことがあるんだ。結婚は秤《はかり》みたいなもんなんだよ。今のお前の秤にはなんにも載ってない。最初からこんなに傾《かし》いだ状態で始めるのに、そこでさらに錘《おもり》を足す必要はないだろうよ。世の中は変わった。女も変わったろう。それはおばあちゃんにもわかる。でもね、変わった世の中っていうのは、それを受け入れるだけの力とコネがある女のもんだ。おばあちゃんはそうじゃない。お恵みで暮らすつもりはないよ。そういうのは全部お前が持っていきなさい。お前は借りを作らずに始めるんだ」

それでもスジンは頻繁に祖母の顔を見に行くつもりだった。だが祖母に会おうとするたび別の用事が入った。とうとうスジンは認めざるを得なくなった。祖母が自分の最優先ではないことを。嫁ぎ先の行事、夫婦での集まり、文化行事の予定が入るたび祖母と会うのを先送りにした。いつでも会えると思うことは、今すぐには会わなくていいというのと同じだった。ブックカフェをオープンしてからはますます忙しくなった。彼女は、大学の研究者や学生が自由に話し合い、時を過ごせる空間を作りたくてカフェを思いついた。ポピュラーな小説から学術書まてさまざまに棚を整えた。建物は夫名義だったから家賃の心配はいらなかった。それでもある程度の損益分岐点は超えたかった。大学街で名の知れた場所にしたかったし、コーヒーが美味しいことで有名になって売り上げも伸ばしたかった。図書館より寛げる場所という評価がほしかった。ある程度コンプレックスもあった。結婚してから司書になるタイミングを何度か逃していた。気がつけばかなりの時間が経っていた。勉強は手につかなかった。夫のおかげで遊んで暮らしていると言われたくなかった。スジンは自分に能力があることを見せたかった。思ったほど簡単ではなかった。カフェの経営を甘く考えていたわけではない。覚悟した以上に大変だったという意味だ。彼女は昼夜を問わずに働いた。いくら大学街で一番の好立地とはいえ、とにかく商売は難しかった。軌道に乗るまでにおよそ五年かかった。そのあいだ祖母に会いに行ったのは数えるほどだ。名節、新年、年末。祖母は何も言わなかった。結局、祖母と一番長く時間を過ごすことになったのは病院でだった。祖母は脳卒中で倒れ、約一年病院にいた。意識のない祖母のそばで、スジンは最も多くの時間を過ごした。

皺だらけの祖母の顔を見つめながら、いつもあの言葉を思い返していた。お前がしたいようにおし。借りを作らないで。自由に生きるんだよ。

そう聞かされてスジンは泣いた。祖母に腹が立ったからではなかった。心の奥で待っていた言葉を、祖母が言ってくれたからだった。錘でさんざん傾いた秤。スジンも気づいていた。ヒョンギュの両親は、スジンを快く思っていなかった。ヒョンギュが我を張らなければ結婚は難しかっただろう。ヒョンギュは両親を説得した。「スジンは、生まれ育ちとはまったく別の人なんです」

もちろんスジンにもわかっていた。父親が誰かも知らずに生まれてきた子。家出した母親。母方の祖父の戸籍に入れられ、娘として育てられた孫。スジンも認識している。何ひとつ取り柄がない。自分の母親がどんな人で、どんな性格かも言えない。父親が誰かもわからない。いつも言えなかった。あんたのパパは何してるの？　ママは？　ただの一度もそういう言葉に返事できたことはない。スジンはいつも、その人たちは死んだと答えていた。うちのママとパパは死んだの。事実じゃないか。スジンは祖母に育てられた。うちのちびちゃん。かわいい我が子。おちび姫スジン。大好きなおばあちゃん。祖母はスジンを愛してくれた。ちゃんと愛してくれた。スジンは祖母の愛情で十分だった。なのに、人は生きてもいないスジンの両親のことをつつき、しょっちゅう出自を問題にした。私はおばあちゃんに愛されたんです。なぜそれを誰も聞いてくれないんですか？　娘は母親と似た運命をたどるとは言うくせに。

あの子の母親が、誰ですって？

ヒョンギュにとっては説得する最善の方法だったろう。ヤン・スジンという個人を前面に押し出し、彼女を取り囲む周囲の価値とは一切無関係だと言い切ってしまうこと。スジンは完全に別の人なんですよ。母親とは違うんです。あのおばあちゃんとも違います。僕みたいな男とつきあってるわけですから。

結婚への障壁を乗り越えながら、スジンは自分の出自を痛感した。そして認めることになった。祖母はスジンをちゃんと愛してくれていた。だからスジンもやはり祖母を愛していた。だが、祖母は重荷でもあった。祖母が隣にいる限り、スジンは永遠に「別の人」にはなれないかもしれなかった。彼女があんなに切望し、努力していた「別の人」。誰からも好き勝手にされず、見下されることのない人。絶対にレイプされない人。スジンはただの一度も祖母に恨みがましいことは言わなかった。だが実は、いつも恨んでいた。人々がスジンの望まないかたちでスジンを眺める理由について。そんなふうにしか扱ってもらえない理由を恨んでいた。ひょっとしたら本当にそのせいかもしれなかった。いや、きっとそのせいだ。実はスジンは、誰にどう扱われても仕方のない存在だったのだ。酒を飲んで一度くらい手を出しても構わないと。なぜなら、どうせあいつはチュンジャの娘だから。世間にありとあらゆる借りのある子だから。スジンはひそかに祖母を恨んだ。だから祖母に自由に生きろと言われた時、スジンは泣いた。そして祖母が亡くなった時、泣いた。本当に、肩の荷が下りたような気がして。

おばあちゃん。私はとっくにそう思ってたんだ。またレイプされるくらいなら、いっそレイプする人間になってしまおうって。そう思ってたの。

＊＊＊

スジンは、大学のあちこちでその男を見かけた。彼と楽しそうに話している女子学生を見ると、駆け寄って気をつけろと言いたくなった。いつ酒を飲まされてベッドに引きずり込まれるかわからないと。あんたも裸で起きて、誰かを信用した自分を呪うことになる、そう言ってやりたかった。だが、スジンは何も言わずに毎日図書館へ向かった。彼もやはり何も言っていなかったからだった。彼は本当に「ミス」だと思っているようだったし、スジンのことを忘れてしまったようでもあった。そしてスジンは妊娠した。

なぜ、こんなことがありうるのだろう？

ありえた。

スジンは女だったから。たった一度の確率がスジンの身体を貫通し、行き過ぎていった。スジンは、自分が生命を宿したとは思わなかった。彼女が宿しているのは記憶だった。忘れたくて、なかったことにしたくて、だから完全に消してしまいたい記憶。

手術を前に、ユリがスジンに聞いた。妊娠したことを相手には知らせないのかと。スジンは知らせるつもりはないと答えた。あの男にはなんの権利もなかった。スジンの意志とは無関係に起きたことだ。なぜ彼に同意を求めなければいけないのか、納得がいかなかった。これはスジンの体であり、彼女の選択だった。悲しくなかった。本当に悲しくなかった。

子供？　いのち？　愛？　全部糞くらえ。

だがつらかった。スジンは中絶を後悔してはいなかった。もし過去に戻ったとしても何度だって同じ選択をしたろう。だが、つらかった。なかったことにしたいからといって本当に過去が消えるわけではない。スジンの体調は悪化した。しょっちゅう悪夢にうなされ、吐き戻し、十キロ痩せた。理解できなかった。

何も間違ったことをしていないのに、なぜ罪悪感を抱かなければならないのだろう？　混乱するたびに嗚咽が漏れた。
その都度、スジンの手を握ってくれたのがユリだった。

ユリはスジンに、自分で書いた詩を朗読してくれた。ユリの文章は透明で温もりがあった。ユリが毎日男と寝ているという噂は事実ではなかった。男性経験が多いのは事実でも、たまたまそうだというだけだった。ユリはひとりでいる時間のほうがずっと長く、何かを書いていた。日記を書いていた。詩を書いていた。ユリの詩には死者が出てきた。迷子になった子猫が出てきた。ユリはそんな言葉をつづっていた。あたしは失くされちゃった手袋。クローゼットの中でしわくちゃのまま忘れられてる古いTシャツ。あたしは道端に捨てられたチョコレートの包み紙。あたしは熱い牛乳を飲む。あたしは長いあいだ、ズレた音程を漂わせてる。ユリは文章を書く課題が好きだった。きちんとやりとげたがっていた。大騒ぎすると周りに陰口を叩かれていることは知っていた。それでもユリは心からいいものを書きたがっていた。それだけだった。ユリは、自分が周りの人々を居心地悪くさせ、真心を伝えるよりも誤解を招くほうが多いことを知っていた。だから文章にしていた。ユリにとって文章は心を収める場所だった。と同時に恥ずかしがってもいた。だから破った色紙《いろがみ》、レシートの隅、ノートの後ろのほう、裏紙に文章を書きつけた。そして捨てた。スジンはこっそりそれを読んだ。読まないでと言いながら、ユリはスジンの好きにさせていた。自分の心を読んでほしい、どうか届いてほしい、自分の発した言葉を誰かに理解してほしい。スジンはそんな切実さを感じた。だからこそユリは一生懸命課題に取り組んだのだ。本の読書感想文であれ自分についての軽いエッセイであれ、ユリは一生懸命書いていた。今回は届くはず、次はきっと届くはず。その文章がどこでどう扱われるかもわからないのにひたむきに書いていた。そして書きっぱなしにしていた。男たちにどう思われようが好きにさせていたのと同じように。

ある日、スジンは聞いた。「悔しくない？」

二人は布団の中で見つめあっていた。

「悔しいよ」ユリが答えた。

「なのに、なんで人にちゃんと言わないの？」

ユリはスジンの顔を撫でた。「人って、自分が好きな人が言ったことしか、信じないでしょ？」

スジンは続けた。

「男に、嫌だって言ったこと、ある？」

「うん」

「そしたら、なんだって？」

ユリはまた笑った。「信じてもらえないし」

「何度も言ったらいいじゃない。怒りなって」

「怒ったよ」ユリはスジンの指を優しく握った。「あの人たち、あたしが怒ったとは思わないの。嫌がってるふりをしてる、って思うんだよ」

スジンは少しためらったあとで、おそるおそる切り出した。

「ひどい目に遭ったことある？　無理矢理、みたいな」

「ううん、そういうことはない」

「されるかもしれないよ。嫌だって、はっきり言わないと」

するとユリは悲しげな表情になった。そしてこう言った。

「平気だよ。そこまで悪い男の人っていなかったし。それに男の人って、欲しいものを手に入れるまでは、ほんっとうに優しくしてくれるんだよね。あたし、それがうれしいんだ」

スジンはもどかしくなった。「欲しいものを手に入れたら、あんたを好き勝手にするじゃない」

「うーん」ユリの表情が少し曇った。「そーしたら、別な男の人とつきあうもん」

ユリはほほえんだがスジンは笑えなかった。しばらく迷ってからユリが言った。

「平気だってば。面倒なの、嫌だし」

「うん」

「でもさ」

「うん」

「みんななんであたしのこと、最後まで好きなままでいてくれないのかな」

スジンは何も言わなかった。あんたがあんまり寂しそうだから、すぐになびくと思って近づく。でもあんたがあまりに寂しすぎる子だとわかって、手に負えないと思う。おそらくそのせいだと、スジンは言わなかった。

「ごめんね」ユリが言った。

「えっ？」

「すっごい重いこと言っちゃったから。嫌になったよね？」

「やめて」

「えっ？」

「ううん」スジンはユリの小指に触れながら言った。「謝らないで、って」

ユリは無言だった。スジンは目を閉じた。なぜかユリの目をまともに見られなかった。ユリはスジンを慰め温かい手でさすってくれたのに、その手はとっくに傷だらけだった。ユリには感謝していた。本心だった。しかしそれだけだった。ユリがスジンのほうに少し体を寄せた。ふたりは額をつけて眠った。あの日眠りに落ちながら、スジンは久しぶりにジナのことを思い出した。ジナが自分から遠ざかっていった理由が、少しだけわかった気がした。

＊＊＊

その日もスジンは図書館にいた。一学期が終わったばかりで時間はたっぷりあった。虫唾が走るような小説を読んだ。女三人を裸にして倉庫に監禁する男の物語だ。女たちは逃げようともせず、その中で友情を育んだ。抱きしめあい、それぞれの身体を慰め、やさしい言葉をささやいて自分たちの世界を作った。小説にはこんな表現があった。「彼女たちは、自分たちが閉じ込められているとは思っていなかった」まるで女たちの身体が暴力から最もかけ離れた、神聖な存在にでもなったような書きぶりだった。そういう時間は男がやってくると破壊された。男は平穏だった彼女たちを足蹴にし、悲鳴を上げさせ、跪《ひざまず》かせた。やりたいことをやりたいだけして倉庫を閉め帰っていった。すると女たちは再び互いの身体を撫であうのだった。スジンはそこで笑ってしまった。だが本当におかしかったのは次の場面だった。小説の最後のあたり、男は倉庫の外のどこかの路地で、数人の男から容赦ない暴力を振るわれていた。肋骨《あばらぼね》を砕かれ足の骨を折られながら、彼は早くあの倉庫へ帰りたいと願っていた。スジンはまた吹き出した。やがて胸に奇妙な感情が煮え立った。今にも涙があふれそうになった。彼女は深呼吸して図書館を後にした。二時から著名な翻訳家の特別講演があった。もう四時だった。そんな講演にはなんの関心もなかった。だが、打ち上げに参加しろという連絡が三度ほど入っていたため、仕方なく足を向けた。

翻訳家は男性だった。日本で翻訳文学賞も受賞した有名人で、アンジンの出身だと言った。行ってみると打ち上げは思いのほか大きな集まりだった。学科の奨学生と成績上位の生徒に限り声をかけて設けられた席だった。スジンは奨学生だったため呼ばれたらしかった。その場にはジナがいた。ヒョンギュもいた。そしてあの男もいた。

近くに座りたくなかったが席がなかった。スジンは仕方なく男の向かい側に腰を下ろした。あいにく翻訳家のすぐ隣だった。みんな隣は気が引けたのか、そこだけが空席だったのだ。男とスジンは互いに知らん顔をしていた。男はヒョンギュの隣だった。

ぐるりと周りを見渡して、スジンは急にヒョンギュをいまいましく感じた。翻訳家の隣、教授の隣。リュ・ヒョンギュが座ってきたのはそういう席だった。自分がどんなに恵まれているか、わかりすぎるほどよくわかっている男。頭痛が押し寄せ、体中が殴られたように痛くなった。スジンは背もたれに体を預け、しばらく学生たちを眺めていた。ヒョンギュとあの男、そして向かいに座る男子二人を除けばすべて女子だった。ジナが目をキラキラさせて翻訳家を見つめていた。翻訳家は自分に向けられた眼差しに気づきながら、そちらに目を向けなかった。教授とつまらない冗談を言い合っていた。そのうち、やはりアンジン出身だというかつての恋人の話を始めた。

「ある日、完全にフラれちゃいましてね。僕の人生であれほどの試練はもう二度とないでしょうな」

その女性はセクシーだったと言った。

「女子の学生さんが多いからこういう言い方もアレですが、まあ、僕のは文学的な表現だと思っていただいてね。文字通り、何人もの男を食いまくる色気たっぷりの女だったんです」

女子が笑った。教授はあいづちを打ちながら翻訳家のグラスに酒を注いだ。

「ところが、僕が日本で賞をもらってそれほど経たないうちに彼女から連絡が入りました。本当にビックリでしたよ。フッた男にわざわざ自分から連絡をよこすタイプじゃありませんからね。男子諸君はわかるでしょ？　初恋の相手じゃないですか。だから、何を差し置いても約束を入れました。そういえば、あの時もアンジンで会ったんだったな。彼女の後ろ姿をみつけた時は妙な気分でね。ゆっくり近づいていって。席に腰を下ろすまで顔は見ませんでした。大きな期待と好奇心で胸がいっぱいでね。まずは水を一口飲んで、それからおもむろに顔を上げたんです。彼女と、目が合いました」

翻訳家が吹き出した。

「どうでした？」

教授が聞いた。

「正直、本当にガッカリでした。あまりに老けていてね。ああ、こういう言い方はちょっとアレかな？　女子学生諸君。わかりますよね？　要するに、年をとったらどんな感じだろうとずっと想像をたくましくしていたのとは、あまりにかけ離れた姿だったってわけです。ずいぶん肉付きも良くなって、率直に言ってやや醜い老け方でね。だが、それより強烈だったことが何か、わかりますか？」

誰も答えなかった。翻訳家はひとりで話し続けた。

「僕に仕事をくれって言うんですよ。小さい仕事でいいから翻訳ができるようにしてほしいって。いやあ、あの時の気分といったらねえ。つきあっている間さんざん人を振り回していた女が、そこまで落ちぶれていたとは」

翻訳家はまた大笑いした。教授に注がれた酒を一気に飲み干した。そこでようやく女子学生たちに顔を向け、冗談めかした口調で言った。

「だから、お手入れはちゃんとしてくださいよ」

彼の言葉に最初に笑い転げたのはキム・ジナだった。隣の別の女子も一緒に笑った。そう。これは翻訳家が了承を求めていた、文学的表現ってヤツだから。スジンはまた内臓がよじれるような気がした。病院から出た直後のように下半身に痛みが走った。みんな笑っていた。あの男も笑っていた。一番大声で笑っていた。その時だった。

「すいません、遅くなっちゃって」

講師のイ・ガンヒョンと英文科の教授が一緒に入ってきた。教授は英文科で唯一の女性であり、イ・ガンヒョンの指導教授だった。今回の翻訳家の講演を主催した人物でもあった。スジンと学生たちは立ち上がって教授を迎えた。そして自然に席をつめた。教授たちが翻訳家と並んで座り、スジンはヒョンギュの隣に移動した。教授が翻訳家の肩をぽんと叩いて言った。

「もう講義を始めてたんですか？」

次学期からその翻訳家がアンジン大学で講義を持ち、数年後には英文科の副教授に収まるとわかっていたら、スジンはあの時の状況を正確に眺めることができただろう。さらに、英文科の教授が翻訳家の大学の先輩であると知っていたら、ますます明白に事態を把握しただろう。その席は翻訳家の教授任用にからむ利害関係を徹底的に調整するため設けられたものだった。あの日スジンは大人たちの利害関係までは把握できなかったが、一つ重要なことを悟って帰途についた。そしてやはりしばらく時間が経ってから、あの日の悟りはとどのつまり、教授たちのパズルとまったく同じものだったと気づかされることになった。

「何のお話をされてたんですか？」イ・ガンヒョンが聞いた。

翻訳家が答えた。

「ただの雑談ですよ。ちょうど今度出る本の話をしようと思ってたところでして。いいところに来られました」

英文科の教授は頷きながら笑顔を作った。

「じゃあ、もちろん学生に役立つ話だったわよね」

スジンは帰りたかった。ユリに会いたかった。

その時、隣からヒョンギュに囁く男の声が聞こえた。

「兄貴《ヒョン》、二人だけで一杯やりませんか?」

「そうだなあ。どうしようかな」

ヒョンギュがのんびり答えた。男は甘えるように続けた。

「ツレないなあ、ヒョン、そう言わないでもう一杯行きましょうよ」

ヒョンギュが笑った。スジンはヒョンギュのほうに顔を向けた。彼のグラスに酒を注ぐ男の手元が見えた。両手がうやうやしく焼酎の瓶に添えられていた。ヒョンギュの許可なしには彼の望まないことを決してしないというように、恭順に重ねられた両手。

スジンはヒョンギュの横顔をじっと見つめた。ハンサムで人の善さそうな顔。ふと気がついた。そうか。お前はこの人の服は、勝手に脱がせたりしないわけか。

スジンはさっきまで読んでいた本を思い出した。男たちに殴られながら倉庫へ帰りたいと願っていたあの男の描写がスジンの頭を埋め尽くした。帰るんだ。俺は帰るんだ。俺の望みのことをできる場所へ。俺が望むことを思う存分できる場所へ。だが頭でそう思っているだけで、彼は結局跪き、男たちに哀願していた。

助けてください。

どうかやめてください。

どうか俺を、助けてください。

なぜ今まで気づかなかったのだろう。男は常にヒョンギュのそばにいた。ヒョンギュの友人のそばにもいた。ヒョンギュと親しい女子のバッグを持ってやり、ヒョンギュと親しい女子にコーヒーを奢っていた。そして今、ヒョンギュに酒を注ぎながらもう一杯行こうとねだり、一方ではずっと翻訳家や教授たちの会話に耳をそばだてていた。彼らがどんな話をしているのか、彼らがどんな学生を高く評価し、大学は将来どんな学生の育成に力を入れるつもりか。やりとりを耳の奥深くへと貪欲にとりこんでいた。なぜ今まで気づかなかったのだろう。スジンがこれまで抱えてきた感情は罪悪感ではなかった。手術がつらかったからではなかった。あの夜、自分がミスしたことが恥ずかしかったからではなかった。

それは憎悪だった。

ミスだっただ？　なるほど。百歩譲ってミスだったとしよう。

だが、どうして私なのか。

どうして私にミスをしたのか？　お前は私の身体にミスをしておきながら悪びれもせずに立ち去ったのに、どうして私の身体はただのミスですまなかったのか？　どうして私の身体はつらいのか？　どうしてお前のミスのせいで私の身体が引き裂かれ、ねじり上げられなければいけないのか？　スジンは怒りを抑えられなかった。彼女は体調を崩し、噂を恐れ、人知れずこんなふうに苦しい思いを抱えているのに、ミス？　だがお前はヒョンギュのような男にはミスを犯さないはずだ。手を出してはいけない相手だと認識しているから。翻訳家やあの教授たちの前でも、お前は礼儀正しく善良な男子学生ぶって座っているはずだ。それでいて頭の中では何を考えているのか。倉庫か？　自分がミスをしても構わない、思う存分ミスをしても何の問題も生じない倉庫へ戻りたいと思っているわけか？

その倉庫が、私なのか？

踏みにじってやりたい。スジンは思った。私の前に跪かせ、二度と私を見られないよう、指先ひとつ触れられないよう、完全に破壊してやりたい。

スジンの憎悪は止まらなかった。どうしたらお前を押さえつけることができるだろう。いったい何だろう。お前を服従させること。絶対に手出ししてはいけない相手だと思わせること。

スジンはゆっくり顔を回した。

ヒョンギュの横顔が見えた。ハンサムで、人の善さそうな顔。

まさに、お前の恐れるもの。

この人を手に入れればいい。その瞬間ヒョンギュがスジンに顔を向けた。スジンがじっと自分を見つめていたと気づいて慌てていた。スジンは目をそらさなかった。あの男が望み、だから恐れている彼の顔をだまってじっと見つめていた。わかった。お前のルール通りにやってやろう。一番男らしい方法。男よりも男らしい方法。

そう、女でなくなればいいのだ。

その方法でお前を踏みつけてやる。思った瞬間、身体から完全に痛みが消えた。

スジンは下半身に何も感じなくなった。他のどんな時よりも期待に満ちた表情で、その場に座る人々をまじまじと眺めた。そして、ヒョンギュのグラスにまた慎ましく添えられたあの男の手を、折れたところを想像しただけでも胸がすく思いのするキム・ドンヒの骨ばった白い手の甲を、スジンはしばらく睨みつけていた。

昔の話だ。

スジンがヒョンギュとつきあい始めると、ドンヒは彼女をまともに見ることすらできなくなった。罪人のようにこそこそ盗み見るようになったのだ。時折スジンに意味深長な笑いを向けていたくせに、まるではじめから面識のない相手のように接した。スジンはスジンなりにドンヒへ嫌がらせをした。ドンヒと仲のいい男子とは遊んでもドンヒには声をかけなかった。ヒョンギュがドンヒに会いに行くと聞けば用事を作って会えなくした。ドンヒが好意を抱いているらしい女子にヒョンギュの友人を紹介した。だがその程度では気がおさまらなかった。そんなものは復讐とさえ呼べなかった。子供じみた意地悪に過ぎなかった。

そんな時、キム・ジナがあの噂を広めた。ドンヒとスジンがつきあっているようだと。最初スジンはひどく動揺した。なぜキム・ジナに知られたのだろう？　どこからバレたんだろう。背筋が凍った。

確かにスジンはバス停近くのカフェでドンヒと顔を合わせていた。約束していたわけではなかった。パルヒョンに帰省する途中だった。暑い日だった。日差しが強かった。ヒョンギュとつきあいはじめて間もない頃だった。胸が躍り、ときめいていた。あの時ヒョンギュは英会話学校にいた。授業が終わったら停留所まで見送りに行くから待っていてとメールが来た。バスの時間に余裕をもって到着していたから、近くのカフェでコーヒーを飲みながら彼を待つつもりだった。カフェに入るとキム・ドンヒがいた。

スジンは気づかないふりをした。

それまで顔を合わせる時はいつも誰かと一緒だったから、二人きりは初めてだった。気づかないふりをしながらも心臓が張り裂けそうに打ちつけていた。突然馴れ馴れしい態度をとられたらどうしよう。その頃スジンは、ドンヒがヒョンギュに頼んだ行政室のアルバイトの話を潰していた。ストレートにドンヒを助けるなと言ったわけではない。別の同級生のほうを助けてほしいと言っただけだった。

「実は私もお願いしたい人がいて……」

ヒョンギュの前でそう言葉を濁した。

ドンヒより生活が苦しく、レストランのアルバイトを二つ掛け持ちして勉強を続けている同級生だった。スジンは「ドンヒを助けるのはやめて」というような言葉は一言たりとも口にしなかった。その同級生の生活がどれほど苦しいかだけをひたすら説明した。ヒョンギュは迷ったあげく、こう言った。行政室でのアルバイトはスジンの同級生に紹介しよう、ドンヒには別の機会を作るよ。以来ドンヒは学科の集まりにもあまり顔を出さなくなっていた。

突然言いがかりをつけられたらどうしよう。

スジンは不安にかられながらコーヒーを受け取り、すぐにカフェを出た。

ヒョンギュにいつ来れそうかとメールした。ドンヒの視線を痛いほど感じていた。彼女はその場を後にした。それだけだった。なのに、それを見られていた?

スジンは震えた。こうしているうちにみんなに知られてしまったらどうしよう。だがすぐに落ちつきを取り戻した。いっそこの状況を利用するのだ。スジンはもう「別の人」だった。キム・ドンヒやキム・ジナの目を気にする必要はなかった。スジンはじっと待ちかまえた。そして、誰かが再びその噂をスジンに耳打ちしてきた時、泣き崩れた。

スジンは泣きながら友人たちに訴えた。別のところで、もっとひどい噂を聞いたと。

ヤン・スジンは、リュ・ヒョンギュではなくキム・ドンヒとつきあっている。

いや、ヤン・スジンとキム・ドンヒはセックスだけの関係だ。

ヤン・スジンは、リュ・ヒョンギュとキム・ドンヒという二人の男に二股をかけている。

すると噂はひとりでにどんどん大きくなった。思った通りだった。スジンは完璧な被害者を装うことができた。なぜなら誰よりも被害者の心情をよくわかっていたから。スジンは自分で自分の噂を広めた。でたらめな噂の中で、それとなくドンヒから圧力をかけられていることを匂わせた。ドンヒとのことは明らかに誤解だが、実際彼はそういう人間なのだと受け取られるように。女子にとってその手の噂は最悪だ。だからこそ、スジンは噂の真ん中に飛び込んだ。最悪の噂を言いふらしている側にスポットライトがあたるよう調整した。まさにキム・ジナに。

スジンはジナが同じ村の出身であることも話した。

「ジナの家はうちより裕福だった。あの子のご両親は悪い人じゃないんだけど、たまにうちの母親の悪口を言ってて」

それで十分だった。みんな、ジナがスジンに嫉妬をしてそんな噂を広めたと思い込んだ。あの時ほどジナがみんなの注目を集めたことはなかったろう。身なりが野暮ったい。口の利き方が横柄だ。みんなまるでジナをよく知っているような口ぶりだった。よく知っているような気がするよう、スジンがちょこちょこエピソードを流していたからだ。「小学校の時、私にいじめをしていた子のひとりだった。あの時はつらかった」噂は自然に広がった。キム・ジナは未熟だ。キム・ジナは嘘つきだ。キム・ジナは口が軽い。

そして、ドンヒはまるで何事もなかったかのように息をひそめていた。ドンヒは利口な男だった。おそらく彼はうずうずしていただろう。人前に出て「俺はヤン・スジンと寝た」と言って回りたかったろう。だがあの状況ではドンヒの真実はスジンへの二次攻撃になり、誰も本気にするとは思えなかった。もしスジンがヒョンギュとつきあっていなければ、つまりみんなの中心にいる人物になっていなければ、彼の真実は完璧な暴露になったはずだ。そしてスジンは踏みにじられたはずだ。しかしそうはならなかった。万が一ドンヒが少しでも自分のことを話したら、スジンは彼を完全にひねりつぶす自信があった。そうなったらスジンはドンヒが嘘をついていると言うつもりだった。あるいは彼にレイプされたことを告発するか。いずれにしろ彼女が有利だった。

スジンにはヒョンギュがいたし、みんながいた。ドンヒを仲間外れにして無視する時、スジンは徹底して男のルールに従った。だが人に庇護を求める時は再び女になった。誰かに助けを求めて苦しい心中を訴える時、女の涙ほど有効なものはなかった。人々の心に入り込むもの。弱く、守られるべき存在と見せるもの。誰かに傷つけられそうで怖いと訴え、切なげな表情で涙を流せば、人は心を許した。特に男たちは、自分が未熟な男とは一線を画す存在であると必死にアピールしたがった。だから女の求めにすぐに肯いた。そんなふうにしてジナとドンヒは完全に学科からつまはじきにされた。スジンはそれで終わりだと思っていた。

ドンヒとジナがつきあっているという話が耳に入った。ドンヒがやさしくジナの肩に触れている姿を目にした。ジナが笑顔でドンヒのもとへ歩いていくのを見た。みんなが言った。

「似たもの同士でよくつきあうね」

スジンは関心がないと答えた。つきあっていようがいまいが。

どうして、私なのか？

私にはあんなふうに考えもなしにミスを犯しておきながら、キム・ジナにはそうしないのか？　なぜキム・ジナは違う扱いをされる？　スジンの心は再び憎悪でいっぱいになった。その時わかった。憎悪は簡単には消えず、解決もされないのだ。スジンの心はすでに腐りきっていた。ひどいにおいを漂わせるものに飲み込まれていた。ジナが憎かった。誰よりも憎かった。スジンはジナの悪口を言い続けた。悪い女。嘘つき。嘘つき。あの年、ジナはアンジンを去り、ドンヒは軍隊に入隊した。そしてユリが死んだ。

すべて、昔のことだ。

＊
＊
＊

「いらっしゃいませ」

アルバイトの学生がドアのあたりに声をかけた。カウンターに立って古い思い出をたどっていたスジンは、ようやく我に返った。かなりの時間が経っていた。彼女は冷たい水を一口飲んだ。夫に言われた言葉がずっと頭にあった。君は変わらない。そう。スジンは変わらなかった。心は相変わらず、あの時のまま腐っていた。だから夫は彼女の元を去ろうとしているのだろうか。ヒョンギュとつきあい始めた頃、彼女はひたすら警戒していた。しかし、十二年だ。ヒョンギュはいい夫だった。そんな人を愛さないでいるのは難しい。スジンは気がついた。ヒョンギュにとんでもない秘密があるかもしれないという事実よりも怖ろしいことがある。結局彼を失ってしまうこと。真実などなんの役に立つだろう。真実は、自分がどれほど醜悪な姿かをまざまざと見せつけるだけ。これからも今みたいに、何事もなかったみたいに生きていったらいけないのだろうか。全部なかったことにして。

カウンターの前に客が立っていた。スジンはゆっくり顔を上げた。見覚えのある顔が目の前にあった。最近、思い出したくないことばかりしょっちゅう思い出すのは、この顔のせいだ。悔しさでいっぱいの顔。あんたは小さい頃からいつもそうだったよね。でも、あんたは私の中でなかったことにされているの。存在しなかったことにされているの。

その時、ジナが言った。

「ハ・ユリの日記、あれをあんたが持ってるんでしょ?」

12 ジナ

「チュンジャんちの娘とは仲良くしちゃだめだよ。ああいう子はタチが悪いんだから」

祖母はよくそう言った。子供の頃、一番言われたくない小言だった。他は全部平気だった。掃除をしたとかしないとか、成績が落ちたとかは。でも、スジンのことを悪く言う言葉だけは聞きたくなかった。スジンの陰口を聞いていると、自分を罵られている気がした。

「なんの話？」スジンが私を睨みつけて言った。

はじめはただ探りを入れるつもりだった。ダナはスジンを訪ねることに反対だった。先に相談所に行ったほうがいいと言った。だがどう考えてもやはり日記を探すのが先だと思った。本当はスジンのところに来たくて体がうずうずしていたのだ。会いたかった。知りたかった。スジンに日記の話を切り出したらどんな反応を見せるだろう。そして今、私を見つめるスジンの目つきが変わっていた。私は確信した。スジンは明らかに知っている。推測をもう少し押してみることにした。

「ユリの大家のおばさんから聞いた。あんたが遺品整理をしたんでしょ。日記を持って帰ったって言ってた」

スジンがさっと眉をひそめた。

「だから？」

やっぱり引っかかった。

「確認したいことがあるの。ちょっとユリの日記を見せてちょうだい」

「そんなものないわよ」

そう言うとスジンはカウンターから身を翻した。アルバイトの学生に「店をお願い」と声をかけて建物の裏口に向かった。私には一言もなかった。ここに残ろうが残るまいが勝手にしろという態度だった。私は怒りをこらえた。今までスジンにはずっと振り回されっぱなしだった。もうされるがままは嫌だった。私はスジンを追って建物の外へ出た。ドアを開けた時少し戸惑った。他の建物へと続く路地が数本、蜘蛛の巣のように広がっていた。見覚えがある気がした。学部の頃の飲み会が、いつもこんな裏路地の店だった。寂しい場所にある店は値段が安くて人情もあり、コンパにはもってこいだった。それにしてもこの通りには特に見覚えがある。私はどこで、この風景を目にしたのだろう。

だが、今神経を集中させるべきはそのことではなかった。私はスジンの肩をつかんだ。スジンが私の手を振り払った。私は落ち着いた声で尋ねた。

「なんでそんなに怒るの？」

スジンが腕を組んだ。相変わらず私を睨みつけ、逆に聞いてきた。どうして突然ユリに関心を持つのだと。

「あの子と特に親しくもなかったでしょ」

私はスジンの目をじっと見つめた。久しぶりの、懐かしい眼差し。そうだ、正直になろう。私は答えた。

「ユリに、酷いことをしていた人がいた」

「だから？」

「その人のことが書いてあるはずなの」

スジンが吹き出した。「あんた、いま何してるの？」

私は一瞬息をのんだ。そしてもう一度言った。

「いいから見せて。あんたが持ってるってことはちゃんとわかってるんだから」

「そんなものない」ぎこちない口調だった。「あんた、本当に笑える。真面目にいま何してるの？　昨日の晩、急にハ・ユリが枕元に立った？　悔しいから恨みを晴らしてくれって？」

「そう、晴らしてくれって。ものすごく悔しいって」私は冷たく吐き捨てた。するとスジンは口をつぐんだ。私はきっぱり言った。

「あんたのダンナとハ・ユリの噂は、私が広めたんじゃないから」

「はいはい。こないだわかったって言ったでしょ。それとこれとになんの関係があるのよ？」

「ツイッターに書き込みしたの、あんただよね？」

スジンがうんざりした顔で私を見た。私は言い放った。

「私は嘘つきじゃない」

「わかったってば！」スジンが叫んだ。「いいかげんにしてよ！」

私も感情があふれだし、結局鋭い声になった。

「なんでそんなに怒るの？　事実じゃないのになんでそこまで怒るのよ。本当になんでもないならどうして見せてくれないの？　なんで？　ハ・ユリがあんた宛ての遺品として残してたわけ？　違うでしょ。そっちこそハ・ユリとどんな関係なのよ？　あんたはあの子の友達かなんかなの？」

スジンは黙っていた。私はひるまなかった。

「見せてよ。持ってることはわかってるんだから。見せてくれなきゃ言いふらす。警察に行って、変な事件があるって告発してやる。あちこちで噂を広める。私はあんたの言う通り、そういう人間だからね。本当にげんなりさせてやる。後ろめたいことがあって、あんたがユリの遺品を全部隠したって言いふらしてやるってば。隠す理由はハッキリしてるよね。あの時のヒョンギュ先輩とユリの噂が事実だったたってことでしょ。でなきゃなんでわざわざ二人で行ってユリの部屋を掃除するの？　みんな変に思うに決まってるのに。私が広めてあげる。噂が本当だったとバレないように、あんたが全部隠してたって言ってあげるから」

「ふざけないで」

「だったら見せなさいよ」息が切れたがしゃべり続けた。

「あの子は酷い目に遭ってた！　知ってるんだってば。中に数字があったでしょ？　あれがどういう意味か、私にはわかる。もちろん違うかもしれない。とにかく確認しなくちゃ。見せてくれれば終わる話でしょ。本当に何の関係もないなら、いくらでも見せられるじゃない」

私はひとりで騒いでいた。頭の中にあった言葉がぐちゃぐちゃになって一度にあふれ出した。

「女でしょ。そういうことは同じ女同士で理解しあうべきなんだよ。そうするべきなんだって！　人が人に、あんなことできないはずなんだよ。真空掃除機なんて。人には、少なくともそれよりマシな呼び方が必要なんだよ！」

スジンが組んでいた腕をほどいた。一歩私ににじり寄った。そしてこう言った。

「いやだ」

そして回れ右して歩き出した。我慢できなかった。私は自分の腕を手でぎゅっとつかんだ。痛みを感じ、もう少しこの状況に耐えられると思った。まだ大丈夫。もう少し我慢できる。五歩ほど前を歩いていたスジンが急に立ち止まった。そして私に向き直ると、今度は近づいてきた。顔の真ん前まで。目を見ながら。彼女は乱暴な口調で私に吐き捨てた。

「イカレ女」

「えっ？」

「あんた、ここでいったい何してるの？」

私が何か言う前に、スジンが矢継ぎ早にまくしたてた。

「人が人に？　恰好いいこと言うわね。勘弁してよ。死んだ子まで持ち出して利用しないで。あんた、何様のつもりなの？　新聞に載ってちょっとインタビューされたぐらいで、フェミニズムの活動家にでもなったつもり？　笑わせないでよ。私があんたを知らないとでも思ってるの？　あんたは嘘つきなの。人が人に？　女同士で理解？　それを私が信じると思う？　本当のことを言ってあげる。あんたはただ私を苦境に陥れたくて来ただけ。なぜかというと、長い間それができなかったから。パルヒョンの可哀想な子。チュンジャの娘。一時期あんたが仲良くしてやってた女の子。あんたに遊んでもらわないと他に友達がいなくて、ひとりでぽつんとしゃがんでた子。あんたはケチな女よ。昔っからそう。自分が遊びたい時は近づいてきてヘラヘラして、飽きれば別のところに行って。周りに私と遊ぶなって言われて泣きわめいて大騒ぎしたのだって結局は同じだよね。私が知らないと思う？　特別な子になりたかったからでしょ。誰にも遊んでもらえない可哀想な子の友達になってやって、プライドを満たしてたんでしょ。でも残念だったね。あんなに必死にお勉強して別の人ぶってたのに、結局は同じ大学に入って、しかも私より勉強ができなかった。私が気がついてないとでも思った？　いつも私をコソコソ見てたくせに、こっちが気づいてないと思ってたのかって聞いてるの。私の着てる服、読んでる本、仲のいい子たち、いつも出てる授業。そういうことをかぎ回ってるって、気づいてないとでも思ってたんだ？　でも私が夫とつきあっちゃったから、到底勝ち目がないとわかった。もっとはっきり言おうか。あんたが夫に近づこうとして学科のコンパに出まくって色目使ってたこと、お見通しだったんだよ。でも、うちの夫はあんたにこれっぽっちも関心を持たなかった。今だってあんたのことは覚えてないし、あんたの名前も知らない。あんたはそういう存在なの。

　なのにうちの夫を悪く言うんだ？　自分の手に入らないものは、全部ゴミ扱いしたいんだね？

あんたはいつも私を無視していた。無視することで自分の存在を確かめてたんでしょ。自分がマシな人間だってことを下にいる誰かでいつも確認してたのに、ずっと無視してきた私が自分の上にいっちゃったもんだから、どうしていいかわからなくなった。私の夫を奪うだけの勇気も、能力もなかった。だから編入試験の勉強を始めたんでしょ。学歴だけは完璧に優位に立ちたくて。で？　ソウルに行くのってそんなにすごいこと？　あんたを羨ましがってた人なんて誰もいないよ。そういうことが大事だったのはあんただけなの。で、ソウルで何を手に入れたの？　あんただってたいしたことないじゃない。自分を殴る男とつきあって、さんざん泣かされる女になったってだけでしょ。私がどう思ってるか、もっとはっきり言ってあげようか。

本当に賢い女なら、あんたみたいに殴られてない。私はその男の気持ちがわかる。あんたがどれだけ人を苛つかせるか、怒らせるか、わかるから。ちっとも偉くないくせにいつも上から目線の女なのよ。だから私に教えてやりたくて来たんだよね。〈あんたの夫は実は変人だ。あんたの幸せは全部ニセモノだ〉、そう言いに来たんでしょ。

あんたって本当に哀れだよ。

何かにでもなったつもり？　あんたは自分にしか同情できないの。一番の得意技でしょ。ただハ・ユリを利用してるだけ。男女平等だ、勇気のある女だ、デートDVの犠牲者だとかやってれば注目してもらえるから、うきうきしてたまらないんだろうね。なんか真っ当なこと、立派なことをおやりになってる気分なんでしょ。でもあんたは嫉妬まみれで、他人の話をほじくり返してるだけの女よ。あんたが持ってるものって何？　あんた何様？　ハ・ユリ？　あんたがあの子の何を知ってるっていうの？　ユリと友達になるってことがどういうことか、知ってんの？　大学に行ってるあいだ、一度もあの子に目を向けたことがなかったくせに。あんたはユリを無視してた。誰より無視してた。人間扱いしてなかった。自分とは別だって思ってたんだよね。ユリに何があったか知ったら何なの？　そしたら、あの子について全部わかるとでも思う？　理解できると思う？

いいから正直に言いなさいよ。私が羨ましいんでしょ。私が手にしているものが気に入らない、私があんたより偉くてマシな人間として暮らしているのを認めたくなくてしょうがない。素直にそう言いなさいよ！　自分の問題を大きな話に結びつけないでくれる？　そうまでして何か意味のあることをしてる気になりたいわけ？　あんたってめちゃくちゃ卑屈なのよ」

「やめて」

「ううん、ちゃんと言ってあげる。あんたはね、殴られて当然のクソ女なの。私、何度も聞いてるでしょ？　あんた、ここで何してるのって。もう一度聞く。あんた、今ここで何してるの？　このアンジンで、何して回ってるのよ？

カッとくるでしょ。自分は被害者だって言いたいんだよね？　私は殴られた、相手の男はひどい奴だって。一生懸命ソウルで騒いだのにまったく認められなかったしね。隣の席の同僚にも裏切られて、男を利用したみたいなことまで言われたんでしょ。あんたは負け犬なのよ。だからアンジンに逃げてきた。言い訳を作ってここまで逃げてきた。ツイッターで誰が何を言おうが、十一年前に亡くなった子がどう使われようが、あんたとは何の関係もない。ただここまで逃げてきて、一生懸命被害者ぶって誰かの気を引こうとしてるだけ。ここで何かすれば、みんな、あんたが正しいと思ってくれるから。でもさ、卑怯でしょう。本当に自分が立ち向かわなきゃならない相手からは逃げて、ここでこそ他人の事情なんか探ってるだけじゃ。私は、あんたが被害者だとは思わない」

「やめてってば！」

「やめない。もっとはっきり言ってあげる。あんたはね、殴られて仕方のない女だし、そういう生き方をする女なの。所詮嘘つきなのよ。これからもずっと、誰かに殴られながら生きるんでしょ！」

その瞬間だった。

私は拳でスジンの顔を殴っていた。体が震え、吐気を催すほど腹立たしかった。スジンが顔を手で覆い呻き声を上げた。体が震えた。もっと殴りたかった。スジンの長い髪を鷲摑みにして、頭を地面に打ち付けながら叫びたかった。

あんたのせいよ。あんたのせいだってば！

今、私は何をしたの？

私はもともと、こんな人間じゃないのに。

急いでスジンに駆け寄った。スジンがあっち行ってと叫んだ。頰に赤い痕がついていた。スジンが声を張り上げた。

「いいわよ！　やりなさいよ」

私は震える手を伸ばして再びスジンに近づいた。スジンが両手で私の肩を突き飛ばした。

「習ってきた通りにやったら？　教わった通り続けてみなさいよ！」

声が路地に響き渡った。イ・ジンソプの顔が、彼に殴られた瞬間が、頭をよぎった。路上で地面に張り飛ばされた瞬間。俺は優しい人間なんだ。

俺はもともと、優しい人間なんだって！

その時。見覚えのある路地の光景がある記憶と重なって、一つの風景を呼び覚ました。古い記憶が私に向かって突進してきた。


夜に向かう夕暮れ。冬。最後の学科のコンパ。十二月八日。飲み屋に集まった人々を一目見て帰ろうとした時。ヤン・スジンとヒョンギュ先輩の姿に落ち込んで背を向けた時。たとえようのない恥ずかしさと怒りで、我慢の限界だったまさにあの時。路地からユリが走りだしてきた瞬間。

「ジナあ！」

ユリが私の名前を呼ぶのが嫌だった。

「あのね、あたしのこと、ちょっと、助けてもらえる？」

ユリは不安げな顔で周囲を見回していた。誰かに見つかるのではないかと怯えているふうだった。

私は苛ついた声で何の用か聞いた。ユリが、打ち明け話でもするみたいに近づいてきた。その時、その声がした。

「ユーリッ！」

路地の奥から聞こえた、誰かの声。聞き覚えがあった。絶対にどこかで聞いたことのある声だった。街灯の光を受け、男の影がぼんやり浮かんでいた。身長が、背が、高い男。一瞬、ユリが助けを求めるようにこちらを見た。私は顔を歪ませた。結局、最後に会う人はユリなわけか。あの日、私はユリに冷たく言い放った。

「あんたってホント、ここから抜け出せないんだね」

そして私は背を向けた。ユリはずっと私の名前を呼んでいた。

振り返らなかった。

ユリがもう一度、私を呼んだ。


「ジナあ!」

「ジナあ、助けて」

私は前を見て歩き続けた。そうやって、そこから完全に抜け出した。

スジンが言った。「あんたはそういう女よ」

13 ガンヒョン

イ・ガンヒョンは熱湯に紅茶のティーバッグをひたす。疲れることだ。さっき出ていった女子学生は二十一歳。最近、先輩からセクハラを受けた。二人で飲みにいき、少し酔ったところで彼に胸を触られ、ズボンの中に手を入れられたという。学生相談センターに申し立て、非公式に処理して和解に至った。和解するまで女子学生は男子学生の退学を主張していた。男子学生の親が謝罪したりで大騒ぎだった。親は女子学生に一学期分の授業料相当の和解金を提示した。あわせて次学期の男子学生の休学を口頭で約束した。

もちろん、男子学生は休学しなかった。

イ・ガンヒョンは疲れている。年に数回はこんなことがある。女子学生が泣きながらイ・ガンヒョンを訪ねてくる。彼女が自分を助けてくれるだろうと思うのだ。

女子学生は言う。

「先輩と同じ授業を受けたくないんです。あの先輩と会わなくてすむようにしてください」

そうね、そうでしょう。イ・ガンヒョンは優しく女子学生の肩をさする。すると女子学生は嗚咽を漏らす。

「あの先輩を別のクラスかどこかに変えてください。会うたびに思い出すんです。怖いんです」

女子学生がひとしきり泣き終わると、イ・ガンヒョンはゆっくりと説明する。そんな裁量は自分にはないと。すると女子学生は不満げな顔つきでイ・ガンヒョンを見つめる。煩わしいことだ。だがイ・ガンヒョンは本音を表に出さない。男子学生の肩を持つような発言は決してしない。こう言う。あなたね、あなたは立派に解決したじゃない。十分に勇気をもって戦った。素晴らしい。私はあなたを尊敬している。ただね、この時代の真の女性ならば、処罰の結果は受け入れて今後の進歩について論じるべきではない？

正直、本当に煩わしい。大体男子学生と二人でなぜ酒を飲むのだ。記憶がなくなるまでなぜ飲むのだ。なぜそうやって他人を信じる？　それも男を？　信じたのは自分のくせして、なぜ別の人間に後始末をさせるのか。家に送ってやるという言葉を鵜呑みにするのか？　もちろん絶対にそんなことは言わない。言ってはならない話であることを、イ・ガンヒョンはよく知っている。だがイ・ガンヒョンには理解できない。酒を飲む。男が送ってやると言う。ついていく。なぜ、ついていくのか。結局はついていくのが発端なのだ。彼《オッパ》がそんなことをすると思わなかっただと？　煩わしいことだ。煩わしくてたまらない。そういうことがあるたびに、同僚のある教授は言う。

「若い男子学生ってのはまったく……」同じ男性として厳しい批判を加えるかのように切り出し、しまいにはこう口にする。「若い男子学生は、まだ自分の抑え方を知らないからな」

ふざけたことを。イ・ガンヒョンは、彼を信じた女子学生の嗚咽と同じぐらい、男は下半身が堅くなると我慢できないという言説を軽蔑している。これは欲求を我慢できなくて生じる問題ではない。欲求を我慢しなくていいと思っているところから生じる問題だ。だが何も言わない。

キム・ドンヒ、バカ男が。

笑いが漏れる。


適当になだめると、女子学生たちはわかったと言う。諦めるのだ。精一杯、勝利したのはあなただと言ってやることが肝要だ。それは、ひどいいじめに遭った子にこう言うのと似ている。「でもキミはその時間をがんばって耐えぬいた。つまり、本当に勝ったのはキミなんだよ」相手の男に侮れない存在だと知らしめてやったのだ。先生はあなたを本当に尊敬している。二度とこんなことが起きないよう最善を尽くそう。ただ、クラスを変えることはできない。次学期からあなたと顔を合わせないよう、私から言ってみよう。でも、今すぐにはどうにもできない。本当につらいなら、その授業に出るのを止めたらどうか。教授には私からうまく話しておこう。そのあたりまでくると女子学生は気がつく。イ・ガンヒョンには助ける気がないことに。イ・ガンヒョンを動かす方法がないわけではない。事態を大々的に問題にすればいいのだが、それには自分がセクハラ被害者であることを世間に公表しなければならないし、面倒で雑多な手続きを踏まなければならない。だから、女子学生たちは卑怯とわかっていても我慢してやりすごすことになる。正面から解決できなかったという思いに内面から腐っていくだろうが、毎晩の悪夢で心はぐずぐずになり、行き場のない感情に身体はやせ細るだろうが、それはイ・ガンヒョンの知るところではない。ところが今日、あの女子学生は帰りがけに気になることを言い残していった。

「みんなに違うって止められても、私は先生が味方になってくれると思ってたんです」

知ったことか。イ・ガンヒョンにとっては学科のイメージを守ることのほうがはるかに重要だった。

もちろん、そんなふうにやりすごさない女子学生もいる。キム・イヨンのような。

キム・ドンヒ、バカ男が。

笑いが漏れる。

イ・ガンヒョンはいつかこんなことが起きるだろうと思っていた。キム・ドンヒがそういう奴であることはとっくにわかっていた。本人は非凡のつもりだろうが、典型から一ミリも外れていない奴。上昇志向で頭がいっぱいの奴。大きな野望に過剰な努力をする奴。そういう奴の特性は至極単純だ。トップダウンに徹する。世間をその枠で眺める。キム・ドンヒは自分が仕えるべき人間と無視する人間を徹底して区別する。どんな席でも毎回、最優先でかしずく人物が違う。どの場でも一瞬で序列をつけるのだ。常に自分が世界を牛耳っていると思いこむ。おまけにキム・ドンヒは自分をフェミニストだと思っている。いつだったか、学校新聞に女性を尊敬するというコラムを寄せていた。暗澹とした暴力を光に変える存在だと。女性たちを殴り、苦しめる存在を軽蔑すると。だが自分にもそんな面はあるかもしれないから、常に緊張感をもっていると。

「女性がいなければ、私は世間の真の顔を知らなかっただろう。女性は常に私を、別の人として存在させてくれる」

イ・ガンヒョンは吹き出した。女性の人権を語ってほしいというコラムでさえ、自分がどれほど平等主義者かを見せたくて必死の有様とは。しかしそういう思考回路はキム・ドンヒに限ったことではないから、イ・ガンヒョンは適当にあしらうことにしている。大学では女より男のほうが自らをフェミニストと称したがる。世間受けがいいからとりあえず名乗っておきたいのだろう。男性教員がフェミニズムについて語れば女性の人権にも配慮する進歩主義者で通じるが、女性教員がフェミニズムを論じれば大所高所から物事を眺められない「こじらせフェミ」にされるだけだ。キム・ドンヒは確かに賢い。だから割合みんなキム・ドンヒに騙される。親切なキム・ドンヒ、誠実なキム・ドンヒ、おお、根性のあるキム・ドンヒ、実力のあるキム・ドンヒ。そんなものはイ・ガンヒョンには通じない。イ・ガンヒョンはキム・ドンヒをはじめから信用していなかった。イ・ガンヒョンは男を信じない。もちろん女も信じない。すべて煩わしいことだ。イ・ガンヒョンは自分以外、誰にも関心がない。

結婚していないから自己中心的だとイ・ガンヒョンの父親は考える。結婚をすれば今度は子供を産んでいないから人に冷たいと言う。まったく、父さん。じゃあ、お腹にいた姉さん二人を皆殺しにした母さんはどうなんです？　イ・ガンヒョンも危うく産んでもらえないところだった。母親が五回目に妊娠し、三番目に産んだ女児だったから。今度中絶したらもう子供は望めないだろうという医師の警告のおかげで、イ・ガンヒョンは生き残った。そして男の名前をつけられた。イ・ガンヒョンと。そうすれば弟が生まれるから（男児選好の根強い韓国では、生まれてきた女児に男の名前を付けて男児の誕生を願う習慣があった）。でも妹は生まれてくることができなかった。あの時、母親はもう三十五歳だったから。そのうち病気を患った。性病だった。父親がどこかから運んできた細菌が、母の子宮内部を侵犯した。致命的な菌ではなかった。とはいえ母親は一度もまともな検診を受けずに過ごしていた。

「検診なんか受ける必要ないんだよ。男の子も産めなかったんだから」

伯父が浮気をし、そのせいで伯父の妻が家を出て母の実家が大騒ぎしていた時、母は兄嫁である伯母にこう陰口を叩いた。

「男っていうのはそういう生き物なのに。まったく、大げさだったらありゃしない」

大げさではない細菌が母親の骨盤をねじり上げ、子宮をこねくりまわした。イ・ガンヒョンは母親に同情しない。誕生の時から存在を無視されていた者はいかに生きるべきか。イ・ガンヒョンはひたすら自分のことだけに集中した。自分で自分を完全だと思えるように。ただもうこの世で重要なのは自分だけだった。だが、現実的な壁には何度かぶちあたった。大学進学の際にソウルへ出たいと言うと、父親は彼女の頭を丸刈りにしようとした。だったらアンジン大学の法学部へ進むと言うと、いいから見合いをしろと返された。財布の紐を握っているのは父親だったから、イ・ガンヒョンは妥協した。英文科を卒業して教員をやり、三年以内に結婚すると伝えた。大学を卒業した年にすぐ大学院へ願書を出し、貯めていた金でワンルームマンシヨンを手に入れた。塾講師、家庭教師、翻訳と、金になる仕事は手あたり次第にやった。彼女の指導教授はソウル大出身の女性で、当時ちょうど増えはじめていた女性の弟子を大切にした。だが、誰のことも信じないイ・ガンヒョンは、指導教授が女性の弟子を大切にすると見られたがっているだけであることをすぐに見抜いた。指導教授が好きなのは男だった。同じ大学出身の、男の後輩。アンジン大学でグループを作り、勢力を成し、指導教授本人に新たな人脈と力を呼び込める男。人々は指導教授をアンジン大学初のフェミニスト教授と評していたが、どうだろうか。イ・ガンヒョンは指導教授を女だとは思っていなかった。指導教授は男よりも男らしい人物だった。アンジン大学出身の女性の弟子には、決して自分の地位を譲らない。それは他の教授たちも同じだったろう。隣の研究室を、何の役にも立たない弱い立場の者に差し出すはずがない。だからイ・ガンヒョンはユーラシア文化コンテンツ学科が新設された時、早々に英文科に見切りをつけた。二〇〇五年。英文科の教授一人の退任を前に指導教授が翻訳家を連れてきた時、指導教授のパーマヘアをロールモデルに毎朝セットをしていた友人たちは、動揺を隠しきれないでいた。

だからといってイ・ガンヒョンが指導教授に嫌われていたわけではない。イ・ガンヒョンは一度も指導教授とぶつかったことがなかった。私的にも公的にも。イ・ガンヒョンは指導教授の欲望を正確に把握していた。今は地方大学の教員として田舎でくすぶってるけど、いつかはまたソウルに戻るんだから！　実力のある私を追いやった奴ら。男たちめ！　イ・ガンヒョンは指導教授の怒りを看破した。酒の席で友人たちが何も考えずに指導教授のそばにはべっている時、イ・ガンヒョンは気を利かせて自らは退き、男子学生たちを前に押し出した。指導教授は男より酒に強かった。下ネタ？　指導教授の特技はカラオケで男子学生に踊らせることだった。いくら指導教授とはいえ、男子学生は女の前では簡単に笑顔をふりまかない。イ・ガンヒョンはそういうことの得意な男子学生を首尾よく見つけてきた。ポリティカル・コレクトネス？　そんなものは犬にでもくれてやれ。いつだったか、学生たちの集まった席でほろ酔い加減の指導教授が隣の男子学生の尻をぽんと叩き、声を張り上げた。

「歌、うたってよ」

男子学生は恥ずかしそうに顔を赤らめた。イ・ガンヒョンは見ているだけだった。恥ずかしい？　坊や、女はどの瞬間もそんな目に遭ってるんだよ。生まれたその日から顔がきれいかどうか品定めされる。足を広げていると行儀が悪いと背中をぶたれ、成績がよくても医者か判事か検事になれないなら公務員試験あたりを受けろと言われ、弟が言うことを聞かないとあんたがお兄ちゃんなら違ったろうと言われ、高い声を出せば浮かれていると言われ、嫁に行ったら終わりだと言われ。いや、自分から言う。嫁いだら終わり。嫁いだ娘は、他人も同然。

それに私には名前がないんだとさ。男子学生諸君、坊やたち、耐えてみな。生きている以上、お前らも一度はそういう目に遭わなきゃ。そのくらいのことしたって死にゃあしない。

だが、それをイ・ガンヒョンの復讐心だと思ってはいけない。なぜなら男性教授の隣にも女子学生たちを座らせてやったから。気だてが良くて、かわいらしくて、ハキハキした女子学生。花になりたがる女たち。

女子学生や！　がんばって生き残るんだよ。

そんなふうにイ・ガンヒョンは教授たちが真に望むものをそっと探り当ててやり、自分の望みのものを手に入れる。どんな地位にも欲のないフリ、仕事を頼めば文句も言わずにやるフリ、フリフリフリ、やさしくて従順な女のフリ、競争心のないフリ、フリフリフリ。ところが、ある時から人々はイ・ガンヒョンをフェミニストと呼ぶようになった。イ・ガンヒョンはひとりでケタケタ笑った。私が何だって？　こじらせじゃない真正のフェミニスト？　そうだろう、そうだろう。実に自分に似合いだと思った。男たちにとって都合の良い自立した女。未婚だがいつでも結婚するつもりがあり、男たちのやることにしゃしゃり出てはこないが金は公平に出し、下ネタやセクハラに近い冗談にも目くじらを立てず、男たちが二次会に行くときは気を遣って退散し、最近の女性運動はいきすぎだと指摘でき、より重要な問題に目を向けなければと口にするフェミニスト。あいつらが許容するフェミニズムを実践するフェミニスト！　あいつらは何より、彼女が『ジェーン・エア』を研究していることがお気に入りなのだ！

「本当に偉大な小説ですよ。僕は最近の作家の作品は読まないんです。発展がないですから」

こういう物言いは最近の作品を読み解く審美眼がないという話なのだが、イ・ガンヒョンは本心を口にはしない。『ジェーン・エア』が偉大な小説なのは事実だ。そしてイ・ガンヒョンも最近の小説など興味はない。最近の小説を読んだからといって昇進できないから。二〇〇四年。ユーラシア文化コンテンツ学科の創設で大騒ぎだ。新しい茶碗と古い茶碗を前に神経戦は熾烈である。新しい茶碗を選べば今まで精魂込めてやってきたことが惜しくなるし、古い茶碗はいつ自分に順番が回ってくるか心配だ。人々が空気を読んでいる間、イ・ガンヒョンは学部長に会う。指導教授に会う。先輩に会う。各種プロジェクトの関係者に会う。研究者に会う。ユーラシア文化コンテンツ学科に移って、彼女は大学総長の秘書室長になる。まさか。人々は腰を抜かす。どうやってイ・ガンヒョンがアイツらみんなを丸め込んだんだ？　美人でもない四十過ぎの女が？　口臭まであるのに？　当然わからないだろう。お前らが二次会に行くとか行かないとか言いながら飲み屋で大学の不条理について管を巻いている時間。気を回して失礼した後で、大学の不条理担当職員や教授が望むもののリスト作りをしていたのだ。すべてを金で解決したわけではない。イ・ガンヒョンは金持ちではない。そういう時は父親を利用する。アンジンの名士リュ・ヒョンウンと懇意の父親。生涯をアンジンの公務員として過ごし、人脈を築いてきた父親。父さん、哲学科のある教授がね、来年総長を目指していて。父さん、教育学科の教授が、今年教育監（日本での教育長に相当し、選挙で選出される）選挙に出馬するらしいんだけど。息子運には恵まれずとも、我が子が運に恵まれるところを拝みたいという未練は断ちがたい父親。父さん、ああ、私の父さん！

ユ文科に採用されたソウル出身の教員は、このへんの学生は都会の子と違って純朴だと言う。あまり欲がなくて幸せそうですよね。イ・ガンヒョンは、彼がここで長くは持たないだろうと思う。地方の子は欲がないと考えること。せいぜい二十歳を過ぎたばかりなのに、地方で暮らしているというだけで満足という感情を知っていると思い込むこと。彼の貧困な想像力は後に続く言葉を聞いただけでもわかる。

「こんなことならワイフと子供も連れてくればよかったな。でも息子なもんですから、地方に引っ張ってくるのもちょっとあれですし」

熱意にあふれていたその教員は、なぜ学生たちが次第に彼に敵対的になっていくかが理解できない。自分の講義が学生に受け入れられていないと悩む。レベルの高い課題をあまりに多く出しすぎているのだろうか。単位の与え方が厳しすぎるのだろうか。僕は授業で地方差別を露わにしたこともないのに。彼は自分が潔白だと思っている。そんな気配はおくびにも出してないぞ。僕は平等主義者なんだぞ。しまいには講義評価が地に落ち、彼は本心をむき出しにする。

「正直、ちょっと愚鈍な学生たちなんですよ」

　翌年。彼を差し置いて彼女が先に准教授になる。彼はイ・ガンヒョンを批判する。批判するふりで非難する。学者でない人間が出世していると。騒ごうが騒ぐまいがイ・ガンヒョンは准教授になっている。彼は相変わらず理解できない。アンジンの学生は愚鈍などではない。学生たちは誰よりも欲望を摘み取る者を最初に見分ける。それは、お腹にいた姉を二人ほど殺した後に生まれてくるのと同じだ。なぜアンジン大学の学生が地元の人々に大切にされていると思いこむのか。なぜソウルや他の地方大学の出身者だとアンジンに定着しづらいと感じるのか。よそ者扱いされるから？　学閥？　地縁？　欠如している。想像力が欠如している。アンジンの人間自体が学生たちの欲望を摘み取ったからだ。欲望を摘み取る者は、やはり誰かに欲望を摘み取られている。欲望は、いつかまた芽吹くとわかっていても摘み取られる。首都圏の大学に進めないのは単に実力の問題だけだと思うのか。欠如している。想像力が欠如している。

　ときおり、アンジンの学生たちがみな、女と同じに思える。

　そんな時キム・ドンヒが目に入る。惨めに欲望を摘み取られた奴。アンジンでトップになるという目標に凝り固まった奴。イ・ガンヒョンは指導教授のように男子学生に歌わせたりしない。なのにキム・ドンヒは自ら率先して歌いだす奴だ。歌い終わって彼女にそっと近づき、こう囁いた。「先生、尊敬してるんです」

尊敬？　笑わせるな。学生こそ教師を軽蔑する術を身につけていなければならないものを。尊敬なんて言葉を乱発するのは、その単語の力を利用しようとする奴らだ。キム・ドンヒはまるでイ・ガンヒョンの理解者のように、お前と俺は似た者同士といわんばかりに、密やかにメッセージを送ってよこす。イ・ガンヒョンはキム・ドンヒをじっくり眺める。認められたくてどうにかなっている奴を握りつぶす方法は簡単だ。認めてやらなければいい。お前には能力がない、お前は使えない、お前は不要だ、お前と私は同じじゃない。するとキム・ドンヒは自分からやってくる。なんでもします、なんでも。その瞬間、イ・ガンヒョンはずいぶんと久しぶりに人間的な感情を抱く。生き残りたくてじたばたしている者たちを見るたびにイ・ガンヒョンはそんな気持ちになる。だがすぐに平静を取り戻す。若い頃はそんな感情が突き上げてくるたび、一夜の相手を求めて外へ出た。女は性欲だけで男とつきあわないだ？　イ・ガンヒョンは寝たくない男とつきあったことがない。人生で数回の短い恋は、ひたすらセックスのために成立していた。とはいえ年齢を重ねると関心は薄れる。研究室に腰を落ち着け、手を動かしているほうがはるかに快感は大きい。ところが年に数回、女子学生が彼女のところへやってきて、気分はぶち壊しになる。

なぜ相手を信じるのか。

なぜついていくのか。

なぜ！

そんなだから、みんなに殺してもかまわないと思われるんだよ！　しかしイ・ガンヒョンは女子学生たちの肩をぽんぽんとたたく。何より重要なのは学科のイメージだ。ユーラシア文化コンテンツ学科。せいぜい十二年の、人文学部で最も就職率が高く、若く、躍動感溢れるこの学科で不祥事が起きたと広めるわけにはいかない。それもフェミニスト、イ・ガンヒョンの下で。

キム・ドンヒがとうとう訪ねてくる。声を張り上げる。

「先生に僕を見殺しにはさせませんよ」

まるでイ・ガンヒョンの大きな弱みでも握っているかのように。マヌケなガキ。イ・ガンヒョンは、用意してあった言葉をきちんきちんと筋道立てて唱える。

君ね、私がいつ、あれを無理強いした？　いつ頼んだっけ？　君が私の仕事を手伝うたびに、書類を作って判をもらったよね。私が無理矢理判を押させたんだっけ？　君が自分で押したよね。あの書類は全部どういうものだった？　君が私から、然るべき金額を受け取って仕事をしたという書類だったよね。君の研究費はどこが充当しているんだっけ。個人の研究室はどうして使えるようになった？　奨学金から研究支援費まで、どこから出てると思う？　プロジェクトで、どうして君が重要な役割を担うことになった？　私はいくつかプロジェクトを紹介したよね？　そこからカネは受け取った？　受け取らなかった？　受け取ったよね。私のしていることはプロジェクトの一環で事業の一部。今まで君がした作業に一つでも、私の個人的な論文や研究に含まれるものがあったと思う？　一度整理してみようか。これは全部、どういうことだと思う？　君はあれを、そんなふうに考えていたってわけだ。

あんたも望んでたんでしょう。好きでやっていたくせに、どうしたっていうの。

イ・ガンヒョンは、唇を青ざめさせているキム・ドンヒに最後の一撃を加える。

それはそうと、私のところに相談に来る女子学生、年に何人いると思う？　さながら告解を受ける神父だわよ。その私が、君の名前を一度も聞いたことがないと思う？

軽く投げた釣り糸にキム・ドンヒが震える。震えているのが見える。そりゃあそうだろう。

イ・ガンヒョンはキム・ドンヒに、よその学部で講義を持たせてやるからおとなしくしていろと伝える。自分がさまざまなことを引き受けて特別に施す措置だとはっきり言う。勘のいいキム・ドンヒはすぐに言われていることを理解する。彼に長所があるとすればまさにそこだ。今後キム・ドンヒは、本当に忠実にイ・ガンヒョンに仕えるだろう。

キム・ドンヒが帰ってからの数日間、急に性欲がわいた。解消の場はなかった。夫には解決できない。腹の奥深くがむずがゆくなるような感じ。夫はそれがどこかわからず、いつも入口で右往左往している。夫。その単語に妙に違和感を覚える。私に夫がいたことがあったろうか。たまに彼女は、自分が何に突き動かされてここまで来たのか知りたくなることがある。出世欲だろうか、欲望だろうか、承認欲求だろうか。すべての言葉が正しくて、だが不正確だ。何か別の感覚にずっと背を押されて、ここまで来たらしい。なんだったのだろう。彼女は久しぶりに、本当に久しぶりに感傷的な気分になる。ある日生まれることを許されて生まれ落ち、それからずっと歳を重ねてきた。待てよ、いくつだ？　しょっちゅう自分の歳を忘れる。いや、いつも一歳で止まっている気分だ。何も習えず、だからまだ何もできない一歳。誰でもいいからそばに来て、なんでもいいからやってごらんと声をかけてくれる、そのことを待っている一歳。だがそんな経験はできなかった。一歳から五十を超える今まで、彼女が待っていることに気づいてくれた人はいなかった。ただイ・ガンヒョン本人のみがそれを凄絶に感じていた。私は生きていると。今、ここにいると。しかしすぐに彼女は感傷から抜け出す。幼い頃のトラウマで人生が決まったとごねるような真似は真っ平だ。したこともない。彼女は今まで、自分で自分を突き動かしてきた。その瞬間、理由に気づく。生き残るためだ。ひたすら、生き残るため。男であれ女であれ、生存の妨げになるものは容赦なく排除し、飛び越えてきた。これからだっていくらでもそうするはずだ。

キム・イヨンが壁新聞を貼り出している。

二十一歳。諦めるより全面戦争するほうを選んだ。そういえばキム・イヨンはイ・ガンヒョンを訪ねても来なかった。ふと、さっき出て行った女子学生の言葉がよみがえる。

「みんなに違うって止められても、私は先生が味方になってくれると思ってたんです」

みんなに違うと止められたと。女子学生たち。彼女が追い返した女子学生たち。名前も顔も覚えていない女子学生たち。馬鹿みたいに彼氏についていって、愛にすがって傷ついて、ぐだぐだ言う女子学生たち。あの女子学生たちが集まって何か話したらしい。煩わしいことだ。本当に煩わしい。面倒が起きそうな気がする。学生会が訪ねてきて、学校新聞社が訪ねてきて、下手をしたらメディアも動くだろう。男に一度背中を触られたぐらいで大げさな。イ・ガンヒョンは顔をしかめる。が、急いで算盤をはじき、最も有益な判断を下そうと努める。

キム・イヨンはさすがにアンジンの女だ。生き残るために何でもするにちがいない。キム・イヨンとキム・ドンヒ。イ・ガンヒョンは、すっかり冷めた紅茶をすすりながら静かに天秤にかける。人文学部の女性教員の数を数えてみる。同調しそうな男性教員の数を数えてみる。これまで伏せていた他科の事件を、思いつくまま頭に並べてみる。どうせキム・イヨンは止まらないはずだ。イ・ガンヒョンがただの一度も足を止めずにここまで来たように。イ・ガンヒョンはキム・イヨンに同質のものを感じる。そう、あの子こそ私と似ている。だったら、火のついた炉に油を注いでしまうほうがより効果的かもしれない。どうせ名をあげるのはイ・ガンヒョンなのだ。ストーリーを作ればいい。これまで追い返した女子学生については、プライバシーを守るため沈黙していたことにしよう。その上で、もはや事態を傍観してはいられないと言えばいい。逆に、キム・ドンヒを手懐《てなず》けつづけた場合のメリットも考えよう。どうせ大学はこの手のスキャンダルを嫌う。特に人文学部でこんな噂が立ってしまえば、関係する事業のイメージにも影響は及ぶ。冷静に考えよう。どちらだろう。どちらを選ぶほうが得だろうか。考えこむほどイ・ガンヒョンに快感が広がる。下半身が水草のようにぐにゃぐにゃと揺れる。彼女は紅茶のティーカップを置き、鏡の前に立つ。重要な選択を下すたびいつもそうしてきたように、口元に力を入れてつぶやく。さあ、笑え。口から香りが漂う。

14　ジナ

スジンはいつも、四角い通学カバンを背負わずに脇に提げて学校に通っていた。ソン・ボヨンはそれが嫌だと言っていた。いけ好かない女たちの真似をしていると。ハンドバッグを提げて街を行き交う女たち。男たちに色目を使い脚を見せる、そういう女。あの子もバイキンなんだよ。

かなりの時間が過ぎ、あの頃の記憶はほとんど飛んでしまった。鮮明なものは数えるほどしかない。朝学校に着くと、誰もスジンに挨拶をしなかった。スジンが挨拶をしても答えず、振り返りもしなかった。ソン・ボヨンはスジンを見せしめにしようとしていた。あたしの言うことを聞かなかったら、あんたたちもみんな、スジンみたいになるからね。

私もときどき仲間外れにされた。いっそのことスジンのように、ずっといじめられていたらよかったのに。ソン・ボヨンは、私が頑張るとすぐにやさしくなって遊んでくれた。一日遊ぶと一日無視され、二日遊ぶと四日無視された。朝遊んでくれていても午後には無視され、一日中遊んでくれたかと思えば下校時間に無視された。私はしょっちゅう泣いた。十歳だった。ひょっとしたらあの時の経験を長いこと引きずっていたのかもしれない。だから、人に気に入られることが私にとってこれほど大事になってしまったのかもしれない。誰かの権力に屈したことがあるという経験が、まともに立ち向かったことがないという自己嫌悪が、最終的に私をだめにしてしまったのかもしれない。

なぜ、誰も私たちを助けてくれなかったのだろう。

私たちが仲良くなったのはとても自然なことだった。教室で島のようにぷかりと浮いている二人。ある日の学校帰り、ばったりスジンと顔を合わせた。私たちは一緒に帰った。路地を抜ける頃には手をつないでいた。

学校が終わると私たちは畦道を一緒に歩き、公園でぶらんこに乗った。おかげで学校でのソン・ボヨンの横暴にも何食わぬ顔をしていられた。一日のうち四時間、あるいは五時間だけ我慢すれば、私たちは自由だった。ソン・ボヨンは外でまで私たちを捕まえておくことはできなかった。ソン・ボヨンを欺いているという喜びも大きかった。あんたがいくらそうしたって、私たちを引き離すことはできないんだから。時間が過ぎていった。ずっとそうやって過ごしていく自信があった。

ソン・ボヨンは気づかなかったのではない。私たちが仲良くなるよう放置していたのだ。

秋だった。

私たちは広い野原で会った。道端にコスモスが咲いていた。一列になって歩いた。花を折り、指輪を作って渡した。かけっこをしたあとまた戻って、ちょっと笑い合ってから手をつないだ。

あの声が聞こえるまでは、ずっとつないでいた。

「ジナ」

私たちは振り返った。ソン・ボヨンが立っていた。

「あんたたち、二人で何してんの?」

無視すればよかった。スジンの手をずっと握っていればよかった。いったい、十歳の小さな女の子が、何が怖いからって。

怖かった。

明日学校に行ったら、誰ももう私と話してはくれないだろう。みんなすれ違いざまに私をからかうだろう。今度はどのくらいだろうか。一週間? 一か月? それよりソン・ボヨンがどちらを選ぶかのほうが気がかりだった。あの子が仲良しを引き裂く方法は簡単だった。一人を仲間外れにする。もう一人にはやさしくして友達になってやる。スジンと私、二人のうちのどちらだろう。

あの日のことを忘れたくて、今もかなりの努力をしている。

なんで私たちを放っておいてくれなかったの? あんたは私たちのことが嫌いで、だからいつもいじめてたんでしょ。そんな私たちが一緒にいるのがどうして嫌だったの？　なんで？

ソン・ボヨンは私に手招きをした。「ジナ、こっちにきなよ」

私は数秒間その場に立ちつくした。すると、ソン・ボヨンが両手を前に差し出した。

「こっちに来なって。平気だよ」

私はソン・ボヨンのそばに行った。足を前に出した時、スジンが私の手をつかんだ。ぎゅっと握って放してくれなかった。私はその手を振り切った。振り返らなかった。ソン・ボヨンは私の手をとると、スジンのことは見向きもせずに歩き始めた。私たちはそんなふうにしてスジンから遠ざかった。その時、後ろで足音がした。スジンが私たちを追いかけてきていた。ソン・ボヨンが笑った。

「やだあ、逃げよう！　チュンジャの娘が追いかけてくるよ！」

その言葉にスジンの足が止まった。

チュンジャの娘。可哀想な子。絶対にあの境遇から這い上がれない、ずっとああやって生きていく子。


何があった？　どんなことをしでかした？


ジナあ、ジナあ。

スジンが後ろで私の名前を呼んでいた。振り返らなかった。彼方に沈む太陽を見つめながら歩いた。乾いた風がまだ手の中にあった。ちょっと前までいじっていたコスモスの香りが、まだ体に残っていた。でも、私はどんなことにも心を砕かなかった。目に入ってくるものは重たげに沈む太陽の光だけだった。ただそれだけが私の前にあって私に迫ってくるものだった。そんなふうにして私は、自分の体にすでにまとわりついていた声のにおいを忘れた。

＊＊＊

布団の中で目を開けた。体が重かった。二日間、ずっと外に出ていなかった。ダナは出勤して部屋にはいなかった。スジンと会った後、ダナには何も話していなかった。ダナも聞かなかった。聞くまいと努力しているようだった。私は一日中横になっていた。次の日も布団から出なかった。ダナが溜息をつくのが聞こえた。私は聞こえないふりをした。すると、ダナが布団をまくり上げてこう言った。

「全部忘れて」

私は小さく肯いた。それから今まで眠り続けていた。午後の三時半だった。体を起こした。いくらなんでも友達の家に世話になっていて無神経な気もした。夕食は私が作っておこうか。布団をめくって立ち上がると足がふらついた。リビングで携帯の音がした。あれ、なんで携帯がリビングにあるんだろう。

私は吹き出した。ダナだ。いいかげんに布団から這い出せと、わざわざ私の携帯をリビングに放り投げて出かけたのだ。のろのろ布団を出て携帯を確認した。

カン・スンヨンだった。

私は電話番号をしずかに見下ろすと通話ボタンを押し、掛け直した。一回、二回。相手が電話に出た。低くてハスキーな声。ユリの名前を口にする前に、とりあえずシャワーを浴び、何かお腹に入れなければと思った。

＊＊＊

その年が過ぎて悪夢は終わった。ソン・ボヨンが転校したのだ。別れの時、子供たちは抱き合って泣いていた。あれが嘘だったとは思わない。ソン・ボヨンは誰よりも友情を大切にする子供だった。誰かにとっては本当にいい友達だった。だからこそ、友情を奪うのは残忍なことだとちゃんとわかっていたのだろう。学年が変わり、先生が変わり、学校の雰囲気も少しずつ変化していった。所詮田舎の学校だった。同じ村の子同士でいじめたりからかったりしていると大人の関係ばかりが険悪になった。学年が上がるにつれクラスと生徒の数が減っていった。

中学校でそういう空気はますます強くなった。塾通いをするより帰って家の手伝いをしなければならない子も多かったし、仕事口を探している子もいた。進学する子と就職を目指す子で早々に分かれた。ソン・ボヨンの転校後、私とスジンは再び親しくなった。二人とも進学組だった。私はわりに成績が良く、だから親の期待も大きかった。スジンはついていくのがやっとの感じだったが欲はなさそうだった。どこかの短大に行って早く就職し、おばあちゃんを助けたいと毎日言っていた。私たちは仲が良かった。

野原でのことは決して話さなかった。あの出来事を話しあってしまえば、ようやくつなぎなおした関係がダメになる気がした。だが、あの話をしないことは、すでにお互いの間に広がっているある種の隙間を黙認しあうということでもあった。私たちは仲が良かった。でも私はスジンに負い目があった。かつて大きな過ちを犯したせいで、スジンと顔を合わせるたび罪悪感を抱いた。

だから、高校でアンジンに出てからはスジンと連絡を絶った。手紙がきても返事を出さず、電話がきても出なかった。帰省しても家でだけ過ごしてアンジンに戻った。はじめは気が咎めた。だが後のほうになるとスジンと会うのが本当に嫌だった。心に余裕がなかった。成績は上がらず、親には顔を合わせるたび発破をかけられていた。精一杯ベストを尽くしているのに、限界なのに、これ以上何をどうすればいいのだろう。路上でたまたまスジンと出くわすことが何度かあった。知らんぷりをした。癇に障った。スジンに会うと、相変わらず自分がパルヒョンに縛り付けられているようでたまらなかった。私が求めるものはいくら努力しても手に入らないのに、手放してしまいたいと思う人は私を求めていた。

もっと腹立たしかったのはスジンのおばあさんだった。スジンはチュンジャの娘なのに。勉強もできないしキレイでもないのに、なぜおばあさんはあの子をかわいがるのだろう。私の親は、娘の顔さえ見れば溜息ばかりついてもっとどうにかならないのかと言うのに、スジンのおばあさんときたら孫娘をありのまま愛しているようだった。どうしてそんなことがありうるのだろう。あのおばあさんはチュンジャ婆だ。私の祖母が毎日さげすみ、無視していたチュンジャ婆。チュンジャ婆と腕をからませて村を歩くスジンの表情は輝いていた。どんな目に遭っても自分は愛されるだろうと信じて疑わない、自信に満ちた顔。

あの顔を、見たくなかった。

私の顔は、闇でいっぱいだったから。


クリスマス・イブ。久しぶりにスジンから電話がかかってきた。ダナにつきあって教会に行っていた日だ。私は久しぶりに電話をとった。出ると思わなかったのか、挨拶を言うスジンの声に戸惑いが滲んでいた。だが喜んでいた。うれしそうで楽しそうだった。ジナ、メリー・クリスマス。まるで何もなかったみたいにスジンは私を受け入れていた。メリー・クリスマス、ジナ。そっか。あんたの友達って、私だけだもんね。その時気がついた。成績や親とは違って、スジンとの関係は私が統制することができる。嫌だと思えば電話に出ない。いいと思えば出る。その気になれば会い、嫌なら会わなくてよかった。十七歳のクリスマス・イブ。私が唯一思い通りにできそうな相手が、電話の向こうにいた。

野原で。あの日私は、ソン・ボヨンが自分を選ぶことを知っていた。本当はソン・ボヨンに呼ばれる前から、足が前に出ていた。

あんたはそういう女よ。

そう。その言葉は正しい。だから私はクリスマス・イブに、あんたに向かってああ言った。

「もう二度と、あんたと仲良くするつもりはないから。もう私、別の人になるの。だから、二度と連絡しないでくれる？」

その瞬間、美しい合唱の声が響きわたった。

そう。私はそういう女だ。

＊＊＊

「キム・ジナさん？」

物思いに沈んでいると、誰かが私を呼んだ。私は顔を上げた。目の前にその男が立っていた。カン・スンヨン。ユリを知るもう一人の男。伴奏者の言っていた通り、一六五センチほどの逞しい体つきの男だった。彼は私に握手を求めた。手を握るとマメの感触があった。がっしりした印象といい、もしかしたら何か体を使う仕事をしている人かもしれない。

「小説を書いていらっしゃるんですって？」

彼が腰を下ろしながら言った。私は自然に笑顔になった。立て続けに嘘をついているうちに、本当に自分が小説を書いているような気になりかけていた。彼は私を観察するように見つめた。目をそらさなかった。用意してきた通り順番に説明した。ユリのことをモチーフにある小説を準備している。亡くなる前、彼女は酷い目に遭って苦しんでいたらしい。自殺未遂もそうだし、いくつか気になる点があるので、知っていることがあれば聞かせてほしいと。

「そうしたら、ユリも安らかに眠れると思うんです」

カン・スンヨンが私をじっと見据えた。明らかに信じていなかった。私はそれとなく目を伏せた。伴奏者に言われた通り、この人のことをインターネットで検索して驚いた。私も聞いたことのある人だった。カン・スンヨンがどんな人物か知ったことも手伝って、あの日、私は余計ムキになってスジンのもとを訪れた。

だから、本当に小説家のように話を組み立ててみた。そう、ユリはこの人と会った。助言されただろう。間違いない。ユリは明らかに深刻な問題に悩んでいた。だがスジンと声を荒らげてひとしきりやり合った後で、私はダナの言う通り、もうそっとしておこうと思った。スジンの言っていることは正しい。ユリと私はなんの関係もない。なのにいざカン・スンヨン本人から返信のメールが入ると、結局やって来てしまった。なんで私はこの男に会いに来たのだろう。自分の問題だってまともに解決できていないのに。もう生きていたくない。このまま死んでしまおうか。あんたも、こんな感じだった？　つらかったよね。いろんな汚い関係に取り囲まれて、つらくないはずがないもの。だから死のうと思ったの？　私に何を助けてほしかったの？　ねえ、ユリってば。

「嘘だ。小説は書いてませんよね？」カン・スンヨンが言った。

私は苦笑いをして目の前の男を見た。彼は冷ややかな顔で私を見つめ返した。コーヒーを一口飲み、口を開いた。

「僕はスポーツクラブでトレーナーの仕事をしてるんです。朝五時に起きて軽く運動をしたら、六時までに出勤する。それから十時まで勤務です。個人トレーニングもありますし、新規で加入した会員へのオリエンテーションもあったりで結構バタバタです。スポーツクラブに運動しにくる人のことは大体見ることになります。みなさん、ほとんどがダイエット目的です。体組成を測ると結果が似てるんですよね。体脂肪が多くて筋肉が少ない。当然、あんまり体力もない。ランニングマシーンで二十分ウォーキングしただけで息がハアハア上がります。体脂肪が多い人はまず有酸素運動ですね。関節に負担のかからない範囲でゆっくり歩いたり、自転車に乗るのが一番効果的なんです。エクササイズもいいでしょう。やりながら強度を上げていく。筋トレを増やしつつ。それに、食事管理も勧めます。実際の話、運動の効果は付随的なものなんです。痩せたければ一番大事なのは食事のメニューです。インスタント食品、脂っこい食べ物、夜食、お酒、全部止めなければいけません。野菜とタンパク質中心のメニューにしなくちゃいけない。適当に韓国料理をはさむのもいいでしょう。でも大変ですよね。飲み会にも出なきゃならないし間食もしたい、生クリームがのっかったカフェモカみたいなものも飲みたくなる。食事管理が一番大変です。でも、管理しないと痩せません。個人トレーニングの方にはもっと細かいトレーニングスケジュールを立てます。大事なのは時間がかかるってことです。一か月や二か月で期待するような成果は得られません。最短三か月、長ければ六か月から一年です。僕はそのことをすごく強調するんです。最初はみなさん一生懸命ですよ。一週間から二週間くらいはこまめに運動しに来る。聞けば食事管理も徹底してやっている。朝と昼は韓国料理にして、夕食はサラダを食べてます、ってね。でも、ほとんどの人が挫折します。明け方にお腹が減りますから。本来食べていた量があるのにそれを急激に減らすから、体が騒ぎ出すんです。ダイエットは結局、忍耐との闘いです。勝つのは簡単じゃない。三か月経つと、最初に登録していた人のほとんどが姿を見せなくなります。数人しか残りません。まだ耐えられる人たち。辞めてしまう人と残る人の違いって、何だと思います？」

彼はそう尋ねるとコーヒーを一口飲んだ。考えた末に私は答えた。

「そうですね。忍耐力がない人が辞めるんでしょうか」

彼はそっと笑った。「ほぼ当たりです。でも、忍耐力って果たして何でしょうね。生まれつき備わっているもの？　まあ、それもあるでしょう。先天的に我慢強いって人もいますし。でも、我慢強さだって何か理由があるから発揮されるんです。僕はそう思っています」

そう言うと彼は私を見つめた。長々と話していたが説教を聞かされている感じはしなかった。次第に私は彼の話に聞きいっていた。

「目標がなきゃいけないんです。変わるんだ、っていう目標。僕は、女性が恋人とつきあうためにダイエットをするのが悪いとは思いません。自分のために痩せる。それもいいですが、前者の目標だって十分尊重されるだけの価値があります。自分のために一年で痩せるとかいう目標よりずっと実現可能ですよ。目標は細かければ細かいほどいい。一か月以内にウエストを何センチ減らす、三か月以内に9号のパンツをはく。具体的な目標が決まれば、それをクリアしようと努力するようになります。もちろん、追いつめられればこそできることです。本当に本人が求めていれば、目標を達成するためになんとかしようとする。変わりたい、今とは変わるんだ。そのために一か月、二か月単位で目標を設定して、クリアしていくんですね」

彼はまたカップを口に運んだ。コーヒーはもうほとんど残っていなかった。彼が言った。

「ユリは、変わりたがっていました」

私はだまって聞いていた。

「僕は週に一回、集まりに参加しています。そこでも似たようなことを言ってるんです。目標がなきゃいけないって。ちゃんと生きるんだっていう目標、変わるんだっていう目標、これ以上過去に支配されないっていう目標。悪いのは加害者なのに、なんで被害者が隠れて苦しみながら生きなきゃならないんでしょうか。手に入らなかったものを全部手に入れて面白おかしく生きたって足りないぐらいなのに。もっと幸せに、楽しく生きるべきなんです。僕らこそ、目標を持つ権利がある」

彼が席から立ち上がった。ウォーターサーバーから水を取ってきた。私の前にも一杯置いた。

「活動は、ユリが亡くなってから始めました。それまでは僕も、いつ死のうかってことばかり考えてましたから。体を動かすようになったのもその頃からです。以前はほとんどアルバイトで食いつないでいました。こういうのはずいぶんいろんなところでお話ししているので、今ではもう他人事みたいですが。とにかくそうでした。最後まで何かをまともにやり抜くってことがなかった。銀行の口座に補償金や後援金を貯めておいて、少しずつ食いつぶす生活です。あいうお金って実に笑えるんですよ。当然もらうべきだから受け取ったのに、あのお金を見ていると死にたくなる。自分はこの程度の価値なんだって思ってね。人の価値をそういうことで決めてはいけないと頭ではわかっていても、お金を見るとそう思うんです。後援金は当然打ち切られました。かなり時間も経っていましたしね。ところが、打ち切られると今度は腹が立って死にたくなる。もうみんな、僕には関心がないんだって」

彼は膝頭に手のひらをこすりつけた。そして私に質問した。

「本当に小説を書いているんですか？」

「いえ」

私はほほえんだ。なぜだか気持ちが楽だった。男は私の想像していたのと違った。暗くて攻撃的なのだろうと思っていた。しかしカン・スンヨンは非常に健全な人のように見えた。自分の健全さを、分け与えたいと思う人。

カン・スンヨン。

彼は十歳から十二歳まで、おじに常習的にレイプされていた。私と同い年だ。三年前、自身の経験を書いた書籍を出版した。アンジン性暴力相談所でボランティアをしている。あちこちのメディアの取材を受け、ちょっと前には独立映画祭のあるドキュメンタリーにも出演した。私は相談所を介して彼の連絡先を知った。ユリのことを聞きたいとメールを送ると、カン・スンヨンはこんな返事をよこした。

〈ええ、彼女については、僕もずっと話したかったことがあるんです〉

彼が言葉を続けた。

「じゃあ、なぜユリのことが知りたいんですか?」

迷った挙句私は答えた。「大学で、一緒だったんです」

「ええ」

「最後に会った日に、助けてって言われました」

「ええ」

「でも、無視したんです」

彼が口をつぐんだ。私も何も言わなかった。沈黙が流れた。彼が、またゆっくりと話し始めた。

「インタビューに出ると、こう言う人たちがいます。まだみんなの気を引きたくてああしてるって。『自慢のつもりか』ってわけです。当たりですよ。関心を引きたいんです。なぜかというと、残酷なくらい関心を持ってもらえませんから。どうして控訴できなかったのか。おじがどんな処罰を受けたのか。誰も関心はありません。みんなが関心を持つのは僕の苦痛についてです。どんなにつらかったか、どうされたからつらかったか。その状況です。喧嘩の野次馬に似ていると思います。誰がどこを殴られて倒れたのか、みんな一生懸命見ますよね。なぜ取っ組み合いの喧嘩になったのか、その後どうなったかについては誰も関心がありません。こんなことを言う人もいました。女じゃなくて男なのに、そんなことあるかって。ひょっとしたら僕に問題があったんじゃないかって。男は絶対にそんな目に遭わないってわけです」

私は黙っていた。ユリがこの人に話した理由がわかる気がした。

「ユリが初めてでした」カン・スンヨンが言った。

「あの時まで誰にも自分の話をしたことはありませんでした。考えてみたら、ユリと出会ってから少しずついい方向に進んだ気がします。僕が誰かに助言をするなんて初めてでした。自分に価値があると思えたことも。だから、僕は彼女に借りがあるんです。僕らは二回会いました。食事をして、お茶を飲んで、七時間くらい話しました。会った瞬間わかりました。自分があまりにもそういう感情に苦しめられてきたから、顔を見るとわかるんです。誰かが手を差し伸べてくれるのを切実に求めているのに、ものすごく怖がっている顔。僕がいつもそうでしたから。他人の愛情に飢えているくせに、いざその人のことをギュッとつかまえると不安になる。失くしてしまいそうで。自分はこんなふうに愛される資格のない人間なのに、神様にからかわれてるんじゃないか。この幸せを奪われてしまうんじゃないか。そんなふうに不安になって人との関係が続かない。だって他人は気づきますから。心に不安を抱えた人とはつきあえないでしょ。

僕は誰の手にも負えませんでした。死にたかったです。ユリの顔にもそれがあった。蹂躙されつづけた人の怒りがありました。でも、きっとユリは一度も怒ったことがなかったんだと思います。本当は怒っているのに、当の本人がそれに気づかない。その感情が噴き出した瞬間、完全にひとりぼっちになりそうで怖いから」

「ユリは、誰かに嫌がらせをされているようなことを言ってたんでしょうか?」

「あれは嫌がらせじゃないです」

私はじっと耳を傾けた。カン・スンヨンが続けた。

「あれはレイプでした。望まない関係を、ずっと持たされ続けていると。嫌だと言っても近づいてきて、無視して、無理矢理するって話でした。そしてそのせいで病気にもなっていました。ユリは、子宮頸がんのステージ1一歩手前でした。体調もとても悪そうで。毎日痛みがあると。なのに男はユリの訴えを無視した。気を引こうとして嘘をついていると責められたんだそうです」

私は両手を握り締めた。

「誰に、とは言ってましたか?」

「いえ、それは知りません。同じ学科という話でしたが」

唾を飲んだ。ヒョンギュ先輩。本当だったのかもしれない。スジンが声を荒らげていたのを思い出した。あんたは私を苦境に陥れたいだけなの、私を認めるのが嫌なだけなのよ。

「なんで警察に届けなかったんでしょう?」私が聞いた。

「話では状況が曖昧でした。最初は強制ではなかったようです。ユリは恋愛だと思っていたと。

でも、会えばセックス以外何もしない。一度外でお昼を食べたいって言ったら笑われたと言ってました。なんで俺がお前と、って。その時ユリは、もうつきあうのはやめようと思ったそうです。でも、やめたいって言葉を誰かにはっきり言ったことがない人ですからね。うやむやにして逃げたり、連絡を無視したりしたんでしょう。そうしたら男の態度が豹変したらしいです。暴力的で高圧的に。かと思うと急に優しくする。ユリの気持ちを引きつけたり突き放したりしながら、ずっと自分の思い通りにしていた。ユリは、警察に相談しても誰も信じてくれないと思っていました。自分のあだ名は真空掃除機だし、って言って」

「みんなが男の側に立つと思っていたと?」私は聞いた。

カン・スンヨンは頷いた。「ええ、そんなことも言っていました」

ヒョンギュ先輩なら、当然誰もが彼の肩を持つだろう。誰もユリを信じないだろう。

「ユリは自分なりに助けを求めてはいました。学科で信頼できそうな女性の先生も訪ねたって。フェミニズムの授業をたくさんしている先生だから、信用して。ところがすぐに聞き返されたそうです。自分から誘ったんじゃないのかって。恋愛なんかで騒いでないで、もう帰れと言われたって話でした」

カン・スンヨンが苦笑いを浮かべた。ユリが誰を訪ねたか想像がついた。イ・ガンヒョンだ。私でもそうしただろう。当時大学に学生相談センターはなかった。警察に届けてもきちんと捜査をしてもらえるか確信が持てなかったに違いない。だから誰かの助言がほしくて行った。もし相手がヒョンギュ先輩なら、ユリの主張はそう簡単には受け入れられないだろうから。もちろん、きちんと解決されたかもしれない。その可能性も十分あった。だが、そう信じるにはユリはあまりにも裏切られすぎていた。

「誰も助けてあげなかったんですね」

言った後で私は顔が熱くなった。ユリから助けてくれと言われて無視した話をついさっき彼に打ち明けたことを思い出したのだ。もちろん、ユリが何を助けてほしかったかわからなかったと弁明はできる。でも私にはわかっていた。きっとそういうことだろうと察しがついていた。でなければ、さして親しくもない私になぜ助けを求めるだろう。

でも、なぜよりによって私だったのだろうか。恥をかくこと。私生活を暴かれること。誤解されること。すべてを甘んじて受け入れてもなお信じてもらえなければ、誰にも話したくなくなるだろうに。私だって諦めようと思った。ううん、諦めた。だから、アンジンにいる。

「だから、いっそのこと死のうと思ったんでしょう。おまけに学生でしたからね。お金もありません。手術をするなんて考えられなかったんだと思います。僕にもわかりますよ。ユリは重たい人でした。突飛な行動も多いし、親切にされれば誰でも好きになってしまう。僕はただこう伝えただけなんです。それは寂しいからじゃなくて、怒ってるからなんだよって。君は怒りのせいで死にたくなっているんだよって。僕がいつもそうですから」

彼は水で喉を潤した。私は彼の次の言葉を待った。「かなり脱したつもりなんですが、相変わらずこういう話はキツいんです」

「ええ」私は待った。彼が口を開いた。

「僕は、十歳でした。両親が亡くなって引き取られた子供でした。誰も僕を救えませんでした。おじはいつもこう言ってたんです。誰かに借りを作ったら、返さなきゃいけないって。どうやって返すつもりなのかって。救急に担ぎ込まれて医者に通報されるまで、二年。あの二年が僕を完全に変えました。別の人になったんです」

彼は弱々しく笑った。彼はこれまで三回自殺未遂をし、毎回命を取り留めていた。インタビューではこう語っていた。死にたい衝動に襲われる以外の時間、僕は幸せだった。大切に思ってくれる人がいて、食べたいものが頭に浮かんで、買いたいものもたくさんある。死にたくなるのは衝動的にだった。毎日毎日が憂鬱で悲しいわけじゃない。僕は楽しかった。衝動はごくたまに突き上げてきた。そうやって急に突き上げてきた過去が幸せな日常を破壊して、支配しても、僕はそれをただ手をこまねいて見ているだけだった。おじに、今の自分まで支配されたくない。僕は、支配されない。

「自分の話をしました。初めてでした。言いましたよね？　ユリは、僕の話を一生懸命聞いていました。病院で撮った写真を証拠に使った話をしたんです。証拠を集めるように言いました。無理矢理だったという証拠を探すんだと。ところが、そういう話はすでに性暴力相談所で聞いたって言うんです。そこでも証拠集めをするように言われたと。当然ですよね。なので他にも被害者がいるかもしれないという話をしました。よく探してみたほうがいいよって。そしたら、別の被害者が一人、いることはいると」

私は顔を上げた。もう一人いる、とは。どういうことだろう。話は私の予想を超える方向へ進んでいた。

「誰ですか？」

カン・スンヨンは首を横に振った。「ただ友達だって言っていました。大学の同級生だけど、どうせ助けてはもらえないって」

「どうして？」緊張で口がカラカラになりながら、やっとの思いで聞いた。

「絶対にそのことを話したがらないからと。それに、自分のことをその友達に知られるのも嫌がっていました。あの子にだけは知られたくないって。自分を責めてました。情けなくて恥ずかしい。全部知ってたのに引っかかってバカみたいだ。明らかに疑って、警戒もしていたのに、やさしくされて油断したと。そこまで悪い人じゃないだろう、なんか行き違いがあったんだろう、そう思ったそうです。僕にはどういう話かわかりませんでした。もともとその男と何かあったんでしょう。でも話してはくれませんでした。おそらく、そのもう一人の被害者を守るためだったんだと思います。僕の印象では、ユリはあっけらかんと話しているように見えて、本当に大事なことは絶対に言わない人でした。いずれにしろその友達は誰も手出しのできない相手とつきあっているから安全だって。影響力がある男だとか。わからないな。事情がわからないので、ただ言われた通りに理解しただけです。話はここまでです。ずっと後悔していました。もっと力になれなかったことを。あの時僕がもう少し積極的に動いていたら、何か変わっていたんじゃないかと思ってます。ユリは死ななかったんじゃないかとも。事故があった時一緒にいたかもしれないですしね。告発の証拠整理でも、気持ちを聞くのでもなんでもいい。少なくとも彼女はひとりじゃなかったはずだって。だから一生懸命考えました。その男は誰だったのか。教授の息子とか大学の関係者だったんだろうか？　そういう相手だから、ユリはあんなに気兼ねしていたのか。知りたかったんです。でも、ユリが亡くなって当事者のいない状況では何もできませんでした。だからキム・ジナさんに連絡をもらった時はうれしかった。今からでも手伝えることがあったらやりたいんです」

彼は慎重に言葉を続けた。「ひょっとして誰のことか、わかりますか？」

私は、少し前から息を殺していた。

うちの学科で、誰にも手出しできない相手とつきあっていた女子学生。ひとりきりだ。私は手でコップを摑んだ。体が戦慄《わなな》いていた。


あんたなの？

あんたも、なの？


「まさか」

私はつぶやいた。体がずっと震えていた。さらに強くコップを握った。ああいうことが、あったの？　あんたにも？


「でも、自信がないと言っていました。誰が信じてくれるだろうって、ずっと。最後に会ったのは十二月の初めです。集められるだけ証拠を集めたと。思いつく限り全部書き出したし、診療記録もとった。でも、それで大丈夫だろうかってずっと不安がるんです」

「誰も、信じてくれないって？」私は泣きかけていた。

「ええ。それにその男に会うと、レイプとは思えなくされてしまうと。錯覚だって言ったら泣いてました。本当にそう錯覚させられるって。記録が役に立つのかも自信がない。最初から告発のつもりでつけた記録でも、人によってはレイプを誘ったように見るんじゃないか。見知らぬ誰かが急に襲って逃げていったという記録じゃありませんからね。準強姦は立証が難しいですし。ああ、本当にこの単語は嫌だ。レイプに『準』がつくなんてありえますか。男はこんな態度だったそうです。嫌だってハッキリ言わなかったじゃないか。言ったと言うと、お前がいつ本気で嫌だって言った？　こうです。みんな同じですよ」

私は顔を両手で覆った。この席に出てきたことを急に後悔した。違う、そんなはずはない。またナーバスになっているだけだ。私がまた変なふうに考えているだけだ。もう一度あの声を思い浮かべた。あんたは私を認めるのが嫌なの。あんたは私を苦境に陥れたいだけ。そう、事実だよ。私はあんたに嫉妬していた。妬んで、憎んでいた。だからまた今もこんなありえないことを考えてるんだ。違う、そんなはずない。

「僕のおじのことですが」カン・スンヨンが言った。「毎回、僕に手紙を書かせていました」

私は手を下ろして彼を見た。屈強で隙のない体軀。ひょっとしたらこの人は、だから体を鍛えているのではないだろうか。二度とあんな目に遭わないように。もちろんこの人も私も知っている。誰かに好き勝手されていい人間など存在しない。だが、世間ではそういうことが起きる。誰かには明らかに、好き勝手にしていいと思う対象が存在する。自分をその悪意のリストから除外してくれるもの。なんとかしてその視線から逃れさせてくれるもの。強くなればいいのではないか。十歳から十二歳。誰からも庇護を得られない、小さな少年。幼く、か弱い体。彼は自分の体を憎んだのかもしれない。自分がもう少し強かったなら、相手を振り切れるぐらい、ほんのもう少し強かったなら。なぜだろう。なぜ最後まで自分の罪にするのだろう。自分は何も悪くないのに。なぜいつも自分のせいで自分をダメにしている気になるのだろう。

「手紙の中身は簡単でした。僕が望んでおじと関係を持った。僕が悪いことをしたからおじに殴られた。全部僕が悪いってわけだ」

　私はみじろぎもせずに座っていた。この人は、こんなことをどうしてこんなふうに淡々と話せるようになったのだろう。彼は、自分がユリについて知っていることはそれで全部だと言った。ユリの死を心から悼んでいた。ひょっとしたらユリを性的な対象と見なかった唯一の男性かもしれない。ユリはこの人から慰めを得ただろうか。それとも暗澹とした未来を見ただろうか。ともかく、ユリがその状況から抜け出そうと努力していたことは明らかだった。自殺騒ぎを起こし、記録をつけ、相談もした。他に何をしたのだろう。ユリ。

　ユリ。そして、スジン。

　違うと思うにはあまりに辻褄が合いすぎている。たとえ小説が作り話だとしても、だからこそ前後の物語がなければ存在しえないじゃないか。スジンとユリ。ひょっとしたら二人は、まさにそのせいで親しくなったのかもしれない。だがヒョンギュ先輩とつきあいだしたスジンが、ユリのために積極的に表に出るはずがない。スジンはなかったことにしたかったろうから。まっさらな画用紙。台無しになった絵を破り捨てて、新しい絵を描くための白い画用紙。だったらユリはどうしただろう。スジン以外に別の被害者がいないか、知りたかったはずだ。そう、その人を探そうとしたはずだ。

　別の人。ユリとスジンではない、別の人。

　その時、カン・スンヨンが思い出したように言った。

「ああ、そういえば、その男がユリにしょっちゅうこんな言い方をしていたらしいです」

「どんな、ですか?」私は尋ねた。緊張した声が、かすかに上擦っていた。

「ユリが泣いたり、つらそうにしたりするとこう言ったと。気を悪くしないで聞いてくれ。お前は被害者意識が強い」

私はしずかに座っていた。何も言わなかった。何も思わなかった。何もできなかった。体が震えた。実はずっと震えていた。もうわかった。もう本当に、完全に理解できた。

カン・スンヨンが驚いた声で私に聞いた。

「キム・ジナさん、大丈夫ですか？　どうしたんですか、その顔?」

私は席から立ちあがった。吐気が込み上げてきた。カフェの外に走った。目の前に電柱が見えた。私は電柱の下に喉からせり上がってきたものを吐き出した。空きっ腹に飲んだコーヒーがそのまま溢れ出した。


実は最初からわかっていた。そうかもしれないと思っていた。でも、思いたくなかった。なぜならそれは破り捨てた画用紙だったから。私にとっては、なかったことだから。

私には、起きていないことだったから。

あの時、あんたは怒っていた。夏の日、猛暑で目の前がかすんでいた日。あんたを見たという私の言葉に怒り狂っていた。あの時は口をすべらせたと慌て、申し訳なく思うだけだった。

だから嫌がらせをされても黙っていた。自分が引き受けるべき問題だと思っていた。大昔、私があんたを冷たく切り捨てたから。その復讐をされているのだろうと思っていた。なぜ別の方向から考えられなかったのだろう。実はあんたが怯えていたのだと。本当に恐ろしい事実があかるみに出そうで恐怖におののいていたと、なぜ思えなかったのだろう。

あの時、あんたは私の前に現れた。路地から突然に。でも本当は私を待っていたように見えた。あんたは私に、助けてもらえないかと言った。ただ数回話したことがあるからではなかった。通りがかりに偶然会ったからではなかった。私に助けてくれと言いたくて、あんたは長い間待っていた。私にしか相談できないことがあったからだ。

キム・ジナは、嘘つきだ。

そう言うのはたったひとりなのに。最初から私はわかっていた。わかっていながらずっとわからないふりをしていた。もしかしたら事実かもしれないから。二度と顔を合わせたくなかった。完全に忘れて生きたかった。あんたは私の人生で、なかったことになっているから。そうしなければならないから。そんなことは叶わない。きれいな画用紙。破って捨てた白いスケッチブック。私は新しい絵を描きたかった。実際の私はその下絵を隠すためにあらゆる色を上から塗りたくっていただけ。でもわかっていた。下絵とちゃんと向き合わない限り、いくら上から塗っても画用紙は余計滅茶苦茶になるだけだということを。なかったことにはできない。それは私に本当に起きたことだから。

あんた、そしてあんた、そして別の人。

お前は嘘つきだ。

別れた日、ドンヒが私に言った言葉だ。

15　スジン

スジンが家に足を踏み入れるなり水音が聞こえてきた。浴室からだった。夫は早く帰ってきながら連絡もよこさなかった。スジンは部屋に入りたくなかった。三日前、ジナにぶたれた右頬がまだひりついていた。気のせいだとわかっていても、鏡を見るたび顔が石みたいに硬くなっている感じがした。

人が人に。

ジナの声が聞こえてくるようだった。笑える。実際のところ、言いたかったことをすべて吐き出せたわけではなかった。もっとひどい言葉を投げつけるべきだったのに。だが、あれ以上どう言えただろうとも思った。あの日、家に着いて氷で頬を冷やしながら、しばらくのあいだ机の引き出しを眺めていた。引き出しの奥の隅に、ユリの日記が押し込んであった。十一年前にのぞいたきり、ただの一度も見ていなかった。いつでも捨てるチャンスはあった。三回ほど引っ越しをしていたし、季節が変わるたびに大掃除をしていた。家具を二回ほど買い替えたから机も違った。そのたびスジンはユリの日記を別の場所へと移動させた。夫はスジンがユリの日記を持っていることを知らない。ユリの家を掃除したあの日以来、一度もあの子の名前を口にしたことはない。やるべきことは十分したというように満足げだった。生活が苦しい後輩を助けた時のように、友達に無条件で金を貸してやった時のように。すべてが終わったと知って安心する時のように。

大昔。ヒョンギュがスジンに好きだと告白した日、彼は言った。

「君は、人を怖がっていると思う」

あの時ヒョンギュはスジンにそう言った。つづけて彼は、そばにいてあげると言った。いつまでも隣にいてあげると。甘く、優しい言葉だった。彼は堂々として自信にあふれていた。万にひとつもスジンに拒否される可能性は考えないらしかった。彼がスジンを選択した。それで彼の世界は完成した。じゃあ、スジンの世界は？　もし彼が彼女のそばを離れると決めたら、その時もスジンはだまって受け入れなければならないのだろうか。だがあの時、スジンは深くは考えなかった。二人がそうなることを先に望んでいたのがスジンだったことも、あえて言わなかった。思ったより簡単に事が進んで内心驚き、目の前に訪れた幸運を大急ぎでつかみ取っただけだ。今まではそんなふうにしっかり握っているつもりだった。これは幸運なんだと。

彼が浴室から出てきた。温気が立ちのぼっていた。

「おかえり」タオルで頭を拭きながら彼女に声をかけた。

彼女は夫を見なかった。人が人に、どうしてあんなことが。キム・ジナは間違っている。人は人に、どんな真似だってできる。スジンはその真実を長い間胸に抱いて生きてきた。ドンヒを学科から追いやったと思ったのはスジンの勘違いだった。ドンヒは、勉強が忙しくて学科の集まりに来なかったのだ。人は誰でも自分中心に考える。人に噂されたり陰口を叩かれたりしたくなかったスジンは、つまはじきにすればドンヒを困らせられると考えていた。だがドンヒは自分とレベルの合わない学部生とつきあわないだけだった。彼は軍隊に入る前から大学院の学会などにさかんに顔を出し、将来設計にいそしんでいた。スジンがアルバイトの邪魔をしようが、ジナとのことでどんな噂を流そうが、動じることはなかった。

スジンを侮るようなことができなくなったのは事実だ。しかしそれだけだった。スジンはドンヒを踏みにじれなかった。彼は踏みにじられることがなかった。ドンヒには、自分がスジンに攻撃されているという認識さえなかったから。軍隊から戻ると、ドンヒは学科の学生会長を務め、新入生と恋愛し、人文学部トップの成績で奨学金をもらって大学院に進学した。そしてヒョンギュにたびたび連絡をよこした。ヒョン、何してます？　ヒョン、今日忙しいですか？　ヒョン、一杯やりましょうよ。ヒョンギュはドンヒを気がよくて賢い後輩だと思っていた。たまに二人で飲みに行っていることを知ってスジンは恐怖に包まれた。ひょっとしたら二人は別の話をしているのではないか。それとも二人は何か知っているのではないか。

一度、なにげなくヒョンギュに聞いてみた。ドンヒが自分の話をしたことはないかと。

ヒョンギュは言った。「ドンヒが君の話？　ああ、君はドンヒと同じ学年か」

スジンの話をされたことはないという答えだった。聞かれたことはあるけれど。

「ヒョン、彼女とうまくいってるんでしょ?」

ドンヒにとってスジンはヒョンギュの恋人に過ぎなかった。きっちりその分だけスジンを尊重していた。まるでドンヒは、彼が言う「ミス」をスジンにしたことさえ忘れているようだった。どうしてドンヒは平気でヒョンギュに連絡できるのだろう。スジンにどんな真似もしていないと思っているから。あるいは、スジンにどんな真似をしていても関係ないから。ドンヒとスジンの間にどんなことがあろうが、敬愛するヒョンと顔を合わせられなくなるほどの一大事ではないから。スジンは、ドンヒと会わないでほしいとヒョンギュに言えなかった。秘密を知られそうで怖かったからではない。ときどきスジンは、ヒョンギュとドンヒが別の種類の人間とは思えなくなることがあった。ドンヒをあんなに大切にするならば、ドンヒを見て大切にしたいと思う人ならば、結局はヒョンギュも同じではないだろうか。そんな疑いは最終的にユリへと行き着いた。

ユリの日記。おびただしい数の○×。ジナは言った。ユリは酷い目に遭っていたと。それはスジンがあの日記を見た瞬間、すでに思っていたことだった。思った瞬間蓋をした想像だった。スジンはヒョンギュを愛していた。彼女の人生でヒョンギュ以上にいい男はいなかったから、彼を愛した。彼女の人生でヒョンギュ以上に立派な人はいなかったから、彼を愛した。いや。スジンはこの世の誰のこともヒョンギュ以上に愛せる自信がなかった。彼女の愛情はヒョンギュとの時間に立ち止まり、そこでひたすら膨らんでいった。ある日突然うごめきはじめた細胞が次の日には指を広げ、さらに次の日には脚を伸ばし、生きた子供の顔を形作るように。生まれてからも絶えず成長を続ける生命体のように。ヒョンギュに向けられたスジンの愛情は生きてうごめき、成長を止めなかった。しかし、ただひとつだけ。ヒョンギュの顔に重なるユリとドンヒの顔が彼女を苦しめた。彼女はヒョンギュに自分の愛情すべてを差し出すことができた。自分のすべてを差し出すことができた。なのにその顔が、勇気の邪魔をした。果たして彼はお前が信じるに足る人間なのか？　実に十二年を。その時間を。苦しむたび、スジンは死を考えた。自分が死にたかったわけではない。スジンは、ドンヒが死んでしまえばいいと思った。交通事故に遭うとか誰かに刃物で刺されるとかして、無残に死んでしまうことを願った。スジンの秘密を知るユリが消えてしまったのと同じように。そのせいで何も問えなくなってしまったのと同じように。ドンヒが消えてしまったらいいと思った。そうしたらスジンは、完全に幸せになれるかもしれないのに。

「どうした？」

夫が聞いてきた。スジンは顔を上げた。無数の質問が彼女の口の中でぐるぐると回っていた。彼女は選択しなければならなかった。質問を全部吐き出せば、これまでとは別の未来を目にすることになるだろう。万が一何も聞かなければ、これまでと変わらない日常が続くはずだ。何事もなかったように。忘れてしまったように。彼女は答えた。

「何でもない」

食卓から立ち上がりかけた瞬間、夫が言った。

「何が何でもないんだよ？」

彼女が顔を向けた。夫は寂しげな表情でスジンを見つめていた。彼が言った。

「本当に、何でもないのか？」

そして夫は溜息をついた。食卓に近づき彼女の前に腰を下ろした。もう何かを心に決めているような、断固とした表情だった。

スジンは時折、なぜ人が自分から去っていくのか知りたくなった。母親、ジナ、そして今は夫まで。もちろん、そばに残ってくれた人のほうが多かった。祖母、友達、そして今までの夫。人生では彼女の心に刃を突き立てるより優しく撫でさすってくれる人のほうが多かったのに、彼女にはささいなかすり傷のほうが耐えがたかった。スジンは幸せだった。母親がいなくても幸せだったし、ジナが去った時も幸せだった。ドンヒがスジンにあんな真似をしてこっそり逃げ出した後も、なんとかうまくその時間を乗り越えた。スジンは不幸に浸っている人間ではなかった。不幸はほんのいっときスジンを揺さぶっただけ。だが、不幸のさなかにいると幸せだった瞬間をことごとく忘れてしまう。そのたびにある声が聞こえてくるからだ。これまでお前が手に入れたものは全部偽物にすぎない、消えてしまうにちがいないという警告。だから、警戒を緩めてはいけない。

「君を見ていると、気が休まらない」

夫が言った。スジンは一瞬で傷ついてしまった。いくら淡々と努力を重ねても、こんな言葉に傷ついてしまう。気が休まらない？　私はそうじゃないとでも？

「どうして？」スジンが尋ねた。

「どうしてだと思う？」

スジンはガタンと立ち上がった。彼はまるで、スジンが何か過ちを犯したような態度をとっている。自分で気がつけと、君が僕にどんな過ちを犯したか、とっとと答えてみろと。スジンはそれ以上やりとりをしたくなかった。ここで止めておこう。何日かすれば別の話ができるはずだ。しかしスジンは我慢しきれずに言い返した。

「自分が問題だとは思わないの？　あなたのせいで私が気まずい思いをしているとは考えないわけ？」

「僕のせいで気まずい？」

反復記号《ダ・カーポ》のような会話。スジンはもう一度思った。ここで止めにしよう。何の意味もないやりとりだ。彼女は答えた。

「そう、気まずいわ」きつい言い方だった。「気まずくてしょうがない。何が問題かも言わないし、どうしてそんなふうにしているのかの説明もない。下宿人みたいに家を出たり入ったりしてるだけじゃない。いったい何が問題なの？　話してくれなきゃわからないわよ！」

「そう、話さなきゃわからない」

彼が彼女の言葉を復唱した。そして黙り込んだ。スジンは唖然とした。こっちの気持ちを引っかきまわしておきながら、当の彼は何も明かさないのだ。スジンが部屋に行こうとすると、彼が再び話し始めた。

「子供がほしいって、なんで素直に言わない？」

スジンはその場に立ち尽くした。なんと言えばいいかわからなかった。だがすぐに頭を整理してゆっくりと答えた。

「何の話？　私は平気だって言ったじゃない」

彼がスジンを見つめた。「僕が知らないと思う？」

言葉が出なかった。頭の中が真っ白になり、もう本当に何も考えられなかった。このやりとりをおしまいにしたかった。部屋で眠りたかった。朝になったら何事もなかったように目覚めたい。夫と朝食をとって、カフェに出勤して、誠実に一日を過ごしたい。あなた、何を知っているの？

「君が保育園の子供たちをこっそり見てること、知ってるよ」

スジンは返事をしなかった。

「友達のホームページで毎日子供の画像をチェックしてるのも知ってる。カフェで空き時間ができると、ショッピングモールに行ってベビー服を見てることも知ってる。デパートで赤ちゃん用スニーカーを手に取って眺めていることも知ってる」

スジンは言い返そうとしてやめた。どう言葉を尽くしても、彼に理解させることはできないだろう。ヒョンギュとスジンの子供。スジンの望む状況でスジンが望む相手と、つまり、彼女自身が作り出した未来。そう、スジンは子供が欲しかった。もしかしたらホルモンのせいかもしれないと思った。子供を産むように生まれ落ちた女の本能が、歳を重ねるにつれ頭をもたげるのかもしれない。だったら望んでいないともいえた。スジンの頭に浮かんだこととはいえ信用できないから。おまけに、子供について考えるといつもユリの日記が一緒に浮かんできて不安になった。この人の子供に、私が耐えられるだろうか。私の子供を、私が信じられるだろうか。だからヒョンギュが子供のできにくい男だとわかった時、彼女はひそかに安堵した。正直安心した。だが、スジンは自分の考えすべてを疑ってもいた。子供を欲しいと思う気持ちや欲しいと思わない気持ち、全部十二年前のあの事件と結びついている気がした。手術をしたから、今度は自分の選択で子供を欲しがっている気がした。手術をしたから、今度ぐらいは自分の選択で子供を持たないようにしている気がした。あの事件のせいでスジンは自分の本当の気持ちがわからなくなったらしかった。だからずっと眺めていた。子供たちの画像、声。本当に私は、彼らを望んでいるのだろうか。そうすればするほど余計わからなくなった。混乱するばかりだった。ただひとつだけ、はっきりしていることがあった。彼女は彼に子供の話をしたくなかった。なぜなら彼を傷つけたくなかったから。彼女が欲しいと言えば、彼は自分を責め絶望するだろう。欲しくないと言えば、やはり自分のせいで諦めたと自分を恨むだろう。彼女はどちらも望んでいなかった。だが、このすべての感情を彼に説明することは難しかった。だから言わないほうを選択したのだ。

相変わらず彼女は押し黙ったままだった。彼は悲しそうな、もどかしそうな表情で彼女を見た。そして言った。

「ほら。君はいつも何も言わないよね。いつもそうだったじゃないか。君が信じてくれていないことに、僕が気がつかないと思う？　君はいつも、僕が心変わりするんじゃないかと思っているよね。不安がって、疑って。気がつかないと思う？　でもね、スジン。恨んでいいんだよ。いくらでも恨むべきだ。そうすれば次が見えてくる。これは僕らの人生だよ。別々の人生じゃなく、それぞれの人生を一緒に生きるってことなんだ。それでも僕は待った。君が先にその話を持ち出して、話し合いができるようになることをね。僕のことを、ずっと褒められてばかりの人生だと思ってるんだろ。欲しいものを何でも手に入れてきたって。でも、これまでで一番の夢は君なんだ。君が僕を丸ごと信じてくれること。僕が君を愛しているのと同じくらい君が僕を信じてくれたら、そうしたら僕は何でもできると思って生きてきた。いつかは変わるだろうって」

ゆっくり、淡々とした口調だった。スジンはようやく口を開いた。声がくぐもっていた。

「私の何が、変わらなかったっていうの」

彼は彼女をじっと見つめていた。彼女が愛する人。傷つけたくなかったから何も言えなかったと、この人にどう説明すればいいのだろう。私はいつも、丸ごとすべてをあなたに差し出したかったのだと、あなたと出会った瞬間からいつも、二人での人生を生きてきたつもりだと。どう言えばいいのだろう。彼が言った。

「ハ・ユリの日記、君があれをずっと持っていることを、僕は知ってるよ」

二人は互いに見つめ合った。ひどく長い間、スジンは疑ってきた。疑いは木の葉の葉脈のようにあちらこちらへ伸びていった。だがいつもわかっていた。疑いの茎の部分をきつく握りしめているのはスジン自身だということを。疑いを解いてしまえば、後で同じ目にあった時に絶望し、二度と立ち上がれないだろうから。わかっている。キム・ドンヒはスジンの人生でなんでもなかった。ひどく深くて疼く傷を残しはしたが、スジンはその時間を乗り越えてきた。生き残った。キム・ドンヒごときには決してスジンの人生を支配できなかった。スジンが恐れるのはただひとりだった。

リュ・ヒョンギュ。彼女がすべてを差し出したい人。あなたが私に背を向けたら、その時は絶対に耐えられそうにないから。

16 メリーアン、メリーアンたち

はるかに遠いアメリカ南部のある小説。その物語を書いた女性は言った。唖《おし》はいつも、人の話を聞いてばかりだったと。人々は彼がそうやって自分を慰めているのだと言った。だが彼が本当に望んでいたのは、友人のもとへ帰ること。彼が愛し、信じ、いとおしむ、また別の唖のもとへ帰ること。果実やキャンディーを選び、なじみの通りを歩き、一日を終えること。彼らは互いの話を抱きとめていた。

私たちは唖だった。

メリーアンだった。

『ジェーン・エア』を最初に読んだ時のことを覚えている。それは勇気に関する物語だった。私はその本をスジンに貸してあげた。スジンは私に返してくれた。私たちは勇気について語り合った。これから私たちはジェーン・エアになるんだと、みじんも疑っていなかった。

スジンは私に、なぜ呼び出したのかとは聞かなかった。彼女は席についていて、私が入ってくるのを見ると軽く肯いた。私はスジンの向かいに腰を下ろした。彼女に、来てくれてありがとうと伝えた。しばらく私たちはそんなふうに座っていた。

何日か悩んだ。果たしてその話をスジンにすることは正しいのか。そしてそれにどんな意味があるのか。「真心は伝わる」というのはただの定型表現だ。本心を明かせば自分の気が晴れるから、訴えるだけなのかもしれない。ただ自分がすっきりするために秘密を打ち明けるなら、真心とは関係のないことだろう。

はじめはなにも言うまいと思った。私たちはもう多くの時間を超えてきていた。カン・スンヨンは言った。私たちが過去に支配される必要はないと。正しいと思う。でも、もしまだ過去が終わっていなければどうだろう。まだ私が、止まった時計の上を歩いているとしたら。

私はイ・ジンソプのことを考えた。彼は私の過去の上に重なった、また別の過去だ。私を殴ったあとで彼はいつも落ち込んでいた。赦しを乞い罪悪感を和らげたがっていた。私にプレゼントをくれた。私の生活レベルでは手が届きそうにないバッグ、服、ネックレスや何かを贈ってくれた。彼の収入でも負担だったはずの物だ。心から悪いと思ってプレゼントをくれるのだろうと考えた。だから受け取った。嘘だ。そういう品物への欲が私にもあった。それに、彼に傷つけられたことを考えれば当然それくらいは受け取ってもいいと思った。罠だった。暴力が続くほどにプレゼントは増えていった。私はデートでお金を出さなくなった。たまに自分でプレゼントを選ぶこともあった。彼がしぶると皮肉を言った。私をあんなふうに殴っておいて、この程度もダメなの？　最低ね。最低。私を殴る資格ないわよ。
　謝罪の品だったはずのプレゼントは、どこかの時点から、殴られる前にあらかじめ渡される代価となった。私は怖かったから警察に通報できなかったと言っていた。その通りだ。さんざん見返りを受け取っておきながら、いけしゃあしゃあと通報したと言われるのが怖かった。人々に、女たちに。女が自分で自分を安く売り渡していると言われるのが怖かった。つまり誰にも助けてもらえないことが怖かった。最低だった。最低なのは私だった。私を支配しているのは彼ではない。自分についての記憶だ。

　あの日、スジンと会った瞬間も私は嫌悪に包まれていた。過去と未来。そしてあの時自分が言おうとしていたことすべてを嫌悪していた。でも、言わなければならなかった。

　最初のボタンをかけ違えると、服は台無しになってしまう。それは間違った考え方なのだそうだ。ボタンを外して、またかけ直せばいい。もちろんまた失敗することもある。そしたらまた外してかければいい。カン・スンヨンのアドバイスだった。人生はいくらでもやり直せるし、変えられる。
　でも、自分はボタンをちゃんとかけて生きてきたと錯覚していたら？　どこで間違ったか気づかずにそのまま生きていたら？　つまり、ずっとボタンをかけ違ったままにしていたら？

あるいは、ボタンのかけ違いに見て見ぬふりをして生きていたら？

それでもカン・スンヨンは言うだろう。ちゃんと顔を向けなきゃいけない。ずっと知らんぷりをしていたらボタンはズレたままだし、いつかは絶対に窮屈になってしまうと。もちろん彼は、希望を感じさせないことは決して言わないはずだ。でも、知らんぷりをしている時間が長いほど、窮屈な思いをする時間もやはり長くなるとは言うはずだ。

だから私はスジンに伝えなければいけなかった。彼女から何かの答えを引き出したり、同意を求めたりするためではない。ずっと前に、とっくに彼女に伝えていなければいけなかったことを、今さら切り出すだけのことだった。なぜならそれが私にとってのかけ違った最初のボタンだから。これは一方的に相手の理解を求めて伝える本心ではない。文字通り、かけ違ったボタンだ。よじれた姿がありのままに伝える真実。

「二十一歳の時だった」私は切り出した。スジンが私をじっと見つめた。目をそらさなかった。「彼氏とつきあいはじめて一週間くらい経った頃、初めて旅行に行った。西海《ソヘ》（日本表記「黄海」）の海辺だった。焼いた貝を食べて、旅館に行った。なんでそこで気がつかないのっていう人もいると思うけど、私は本当に知らなかった。どういう事が起きるか。女友達と遊びに出かけるのと変わらないと思ってた。もちろん、男と女が二人になったらどんなことをするかを知らないほど馬鹿じゃなかった。でも、自分がセックスをすることになるとは考えてもいなかった。他人と自分は違うと思ってたんだね。いつかは経験するだろうけど、今じゃないと思いこんでた。彼も同じだと思ってた。自分がつきあっている人だから。全部自分と同じに考えるだろうって当たり前に信じてた。彼にもそういう気配はなかったし。私たちはいろんな話をした。学生生活、就職、親、食べ物のこと、毎日してるような話。なのに部屋に入ったら雰囲気が変わった。

彼が待ちかまえていたみたいに、ごく当たり前みたいに、私の服を脱がせようとした。私は慌てふためいた。そしたら、こう言った。『お前もそのつもりでここに来たんだろ』

私は違うって答えた。でも自信たっぷりには言えなかった。自分の意志でついてきたのは確かだったから。そしたら彼は言った。

『いいよ、わかった』

そしてすぐベッドに寝っ転がってこう言った。『あ〜あ、なんかお前、すごいクールだと思ってたのに、無茶苦茶ダサいんだな』

私って田舎の出身じゃない？　今でこそそういう言葉はあんまり気にならないけど。あの頃はダサいっていうのが嫌だった。洗練されたくない人っていないよね。私もいつも夢見てた。颯爽としたキャリアウーマン。クールな女の人。そうなりたかったし、なると思ってた。私はそう言われて傷ついた。冷え冷えとした空気になった。なのに、彼のほうがもっと怒っている感じだった。平気だって言ったくせに、ものすごく不満そうで。私は不安になった。嫌なことを嫌だと言っただけで、どうしてそうされるのかわからなかった。自分が何か悪いことをしたのかと思った。もしかして、私が彼に誤解の余地を与えたんじゃないか。そこまで確信してるってことは私から何かを感じたってことで、自分でも知らないうちにこの人を誘惑してたんだろうか。そんなことを考えながらベッドに座ってたら、彼がすごく寂しそうに言った。

『俺がそんなヤツに見えたなんて、ちょっと悲しいよ。俺はお前を尊重しているつもりだったのに、今お前、俺をクズだと思ってるだろ』

その瞬間ものすごく悪いことをした気がした。そんな、って。私は彼氏を傷つけたと思って焦った。このまま万が一別れることになったらどうしよう？　そうも思った。この話は誰にもしてない。ダナにもしなかった。話すのはあんたが初めて。なんで言えなかったかっていうと、私、怖かったから。捨てられたくなくて恋愛にしがみついてる女だ、同じ女として恥ずかしい、そう言われそうで怖かった。だって、ユリを見てたから。ユリがさんざんいろんなこと言われてどう蝕《むしば》まれていったか見てたから。覚えてる？

ユリのせいで他の女がいい迷惑だって言葉。ああいう女は守ってやる価値もないし、助ける必要もないって言葉。女のプライベートなことを言いふらす男のことは批判するくせに、ユリを悪く言う男たちはそのままにしてた。女性の権利を分けてやる対象じゃなかったから。あの子はただ誰かに愛されたかっただけだし、そのためにはまず自分を大切にしなきゃならないってことを知らなかっただけなのに。覚えてる？

私もユリに、そういうひどいことを言った。あの時はわかってなかった。誰かにいい人だと見られたがる気持ちって、誰かから痛めつけられてもされるままになってる気持ちと似てるかもしれないってことをね。

そうやって、静かにベッドに横になって十分くらいしてからだった。彼が私の上に覆いかぶさってきた。私は手で彼の胸を軽く押し返した。どいてってつもりで。でも、すっかり心が弱ってたし混乱してたから、強くは拒めなかった。自分がどんな状況に置かれているか全然わからないのに、どんな行動がとれると思う？　彼が私の手首を強く摑んだ。痛かった。放してって言って手を動かしたのに。スジン、私あの時まで、男の力がそんなに強いもんだって知らなかったんだよ。一度も男に殴られたことがなかったから。男に力一杯殴られたら、潰れた豆腐みたいに体がぐずぐずになるって知らなかった。自分が抵抗すれば、ありったけの力で抵抗すれば、男に困った事態に追い込まれてもいつでも逃げられると思ってた。彼は背が高かった。体で、私をほとんど押さえつけてた。いくら力を入れて暴れても絶対に勝てないとわかった。私は抵抗するのをやめた。どうせその状況からは逃げられないし、おまけに彼に悪いとまで思ってたから。そんなんじゃ、もう何もできないよね。それから、私は一睡もできなかった。今私は何をしたんだろう。何が起こったんだろう。自分を本当にダサいとも思った。このザマは何だって。自由奔放に男とつきあって別れられなきゃいけないんじゃないの。なんで私はこんなになってるの。私はあれを、どう受け止めたらいいかわからなかった。そういう関係が、四か月間続いた」

スジンは何も言わなかった。私は水を一口飲んで続けた。

「私は恰好いい人だって見られたかった。人からこう見られたいって思う私に、本当の私の意見を奪われてしまった。でも自分ではあれが恋愛だと思ってた。愛してる感じも、愛されてる感じもしなかったのに、誰かがそばいることだけが大事だと思っていた。彼は、私が本当に嫌がっている時でも関係を持ちたがった。本当に『嫌だ』って言った日も。生理の時も、体調が悪い時も。彼は私から望みのものを手に入れた。そして私も、自分が望んだんだと思ってた。私もしたかったんだ。だから一緒にいるんでしょ。路上で刃物を持った強盗にいきなり服を脱げって脅されたわけじゃないんだから。死ぬギリギリまで抵抗しても彼がやめなかったたってわけじゃないんだから。ズルズル言いなりになってる自分を、認めたくなかったんだと思う。そういうのは恥ずかしいから。いまどきそうやっていいなりになっている女がいるなんて、それがこの自分なんて。そんなふうに見られたくなかった。私は朝鮮時代の女じゃない、現代的な女だ、自分のやりたいことをする女だ。セックスなんかたいしたことじゃない、たいしたことじゃない。あんなことなんでもない。なんの意味もない。でもね、大丈夫じゃなかったよ。だから時々泣いた。無理矢理あれをされた後で、その状況が理解できなくて泣いた。自分の人生だし自分の体なのに、何ひとつ自分で制御できていないのが信じられなかった。だから誰にも言えなかった。私も私が信じられないのに、誰が私を信じてくれると思う？　彼は困ったような顔をして私を見てた。アイツは本当に私が理解できていなかった。どうしてそうなのか、何が問題なのか、まったくわからないらしかった。ただもう私に問題があるってことになってた。アイツは心配そうな口ぶりで、私に、こう言った」

スジンと私はしばらく見つめあった。幼い頃、私たちは田畑の周りをよく一緒に歩き回った。目の前の巨大な田畑はひたすら広くて、見ているだけで胸が張り裂けそうになった。夕暮れには世界がまるごと緋色に染まった。一日の最後の光をふくんだ空気からは乾いた人の肌のにおいがした。私たちは風をいっぱいに吸いこんで、畦道の端まで走った。赤く染まった夕方は、愛に満ちた笑い声のように優しかった。

幼い頃を思い出すといつもその瞬間が頭に浮かんだ。世の中への好意と期待でいっぱいだった少女たち。私たちはあまり話さなかった。私たちは啞だった。何も話さなくても、私たちは世間の話を取り込んでいた。手を伸ばすと太陽が揺れた。あの頃は信じていた。私たちが望めば何でもできると。もし過去のある瞬間に一度だけ戻れるとしたら、私は迷わずあの時を選ぶはずだ。あの時に戻って、スジンと手をつないでかけっこをするはずだ。腕を組んで村を練り歩き、みんなの話をすっかり飲み込むはずだ。果物とキャンディーを互いの手に握らせ、ひたすら長い田畑の端っこを歩き続けるんだ。そうできる機会が訪れるなら、私にとって大切なものを何でも、いくらでも、差し出すことができると思う。

私は再び口を開いた。

「ドンヒはこんなふうに言った。気を悪くしないで聞いてくれ。お前は被害者意識が強い」

最初のボタン。

だが、私がスジンに伝えたかった本当の話はこれではなかった。私は呼吸を整えた。スジンは黙っていた。私は彼女の名前を呼んだ。

「スジン」

スジンが答えた。

「うん？」

この席に来た理由はただひとつ。本当に伝えたい言葉があるから。私は、古い記憶のように懐かしいあんたの顔に向かってほほえみかけた。たとえあんたがこれを受け入れなくても平気。

なぜならこれは私の心を軽くするためのものじゃないから。私の本心を伝えてすっきりするためじゃない。必ず、あんたに言わなければならない言葉だ。だから言おうと思う。あんたには受け入れる義務もないし、理解する必要もない。でも私には義務がある。なぜならこれは私たちの間にあったある出来事、私がしでかした何かを認めるということだから。私に何があった？　どんなことをしでかした？　これが本当の私の物語だ。私の最初のボタンだ。キム・ドンヒに、そしてイ・ジンソプに、私が心から求めるものだ。彼らが絶対に私に伝えるべきだと思う言葉。でも一度もまともに聞けなかった言葉。私もやっぱり、あんたに決して言わなかった言葉。その言葉はいつも心の中におさめられていた。

私は言った。

「スジン、あの時あんたをあそこに置きざりにして、ごめん」

本当に、ごめん。

三部

17　そして、イヨンに

最後の物語だ。

数日後、スジンから電話がかかってきた。私たちは会った。彼女はユリの日記を渡してくれた。そしてとてもたくさんの話をしてくれた。彼女にあった出来事について。

ほどなく、彼女たち夫婦が別居したという噂を聞いた。スジンが何か誤解をして二人の仲がぎくしゃくしたという。そういう話は瞬く間に広がる。人々は、スジンが大きな過ちを犯したと囁いていた。

あの日、スジンからヒョンギュ先輩の話は出なかった。だから私は人々の話からスジンの身に起きたことを推測するしかなかった。噂の中のスジンは神話の主人公のようだった。夫の顔を見てはならぬという言葉に背いた妻。夫の正体を知りたがるなという助言に耳を貸さなかった娘。嫉妬に目が眩んだ姉たちの言葉にまんまと引っかかった愚かな女。彼女は夜更け、夫の顔の上に蠟燭《ろうそく》をかざした。夫の翼に落ちた一滴の蠟が、結局は神の呪いを呼び覚ました。だから、なんでほじくり返すんだって。見るなと言われたら最後まで見ちゃだめなんだよ。バカな女。その程度の入れ知恵に足をすくわれて幸せを蹴散らした女。なんで彼の愛情を信じなかったの？　そうだった。女は物語の最後まで、しまいまで、そんなふうに愚かだった。絶対に飲んではいけないという言葉に背き、永遠の眠りにつく薬を飲み干してしまったのだから。神々の前で。そうだった。彼女はこれ見よがしに薬をあおった。これ以上お前たちが浴びせる呪いには振り回されない。これはお前たちが下す死ではない。自ら選択した永遠の眠りなのだ。

私たちは運命に縛られていることから目を背けようとして、自分が何かを選択したと信じる。しかしつまるところ運命を前に私たちができる唯一のことも、やはり選択かもしれない。私はかなり長いあいだ、妻の元に戻った夫が、彼女を眠りから目覚めさせる場面だけを記憶して生きていた。

私はスジンの幸せを祈っている。彼女がどんな選択をしてもそれは彼女のためのものだ。スジンが自分の意志で選択したのだ。彼女の幸せを祈るという言葉を証明したくて言うのではない。あの日、スジンが私に直接そう言っていた。

スジンの話が終わった後で、私は自分の計画を話した。彼女は真剣に肯いていた。計画の助けになるなら自分のことを出してもかまわないと言った。本当に平気かと聞くと、平気なわけじゃないと答えた。まったくうれしくない。家族のことが噂になるのは心配だと言った。でも助けが必要なら表に出ることはできる。どうせすべきことなら、しなくちゃと。

「最近、はじめて真っ当な時間を過ごしてる気がする」

彼女が言った。私はどういう意味かわからず、ただ聞いていた。彼女はこうも言った。今まででいつも何かを選択してきたつもりだった。でも実際は、自分には鍵があると思いこんでいただけだった。自分が通ってきたドアだから自分で開けられる。本当はどのドアも開かない偽物の鍵を手にして、そう自分を慰めていただけだったと。でももう違うと言った。ドアは鍵でだけ開くものではないから。スジンは続けた。

「何をしようが、私は大丈夫だと思う。もちろん、うまくいかないこともあるだろうけどね。でも、大丈夫なはず」

その瞬間わかった。本当にスジンは大丈夫だろう。そしておそらく私はスジンの物語を知ることはできないのだろう。小さな噂、ひそやかな陰口、のぞき見的な暴露話のメモはあちらこちらを飛び交うだろうが、それでは何ひとつわからないだろう。なぜなら私たちがもう一度友達になり、互いの思いを打ち明けあうことはないはずだから。笑えることにそういうのはなんとなくわかる。他のことはわからなくても、そういうことはそんなふうにわかる。だから私ができるのは、あの日のスジンの話を思い出して何かを楽観することだ。自分の中にそんな記憶があるという事実が、私にはうれしい。

実際に私たちはそれ以降二度と会わなかった。彼女の消息、つまりスジンとヒョンギュ先輩がどうなったかも、まだ聞けないでいる。

どれほどの時間が経ったのかと聞かれれば、どうだろう。

今があの日からどれほど経っているかについては、話したくない。

本当に最後の物語はこれだ。

あの年の、冬から春にかけての出来事。私はソウルの部屋を引き払ってアンジンに引っ越した。小さな旅行会社に就職し、月に一度両親の顔を見にパルヒョンに帰省した。年越しの料理作りを手伝おうと台所に足を踏み入れ、母から大目玉を食らった。狭い台所なんだから、隣で邪魔しないでテレビでも見ていろと言われた。私は聞いた。

「本当にいいの？」

何を言い出すのかというように母が私を見た。私は顔色をうかがいながらもう一度言った。

「本当は手伝ってほしいのに、なんとなく言わないだけかもしれないでしょ」

母は呆れ顔でこう返した。

「いつ母さんが何も言わなかった？　しないでって言ったじゃない」

そしてゴミ出しを頼まれた。「あんたはそういうことを手伝ってくれればいいから」

外に出るついでにアイスクリームを買ってくるように言われた。私はドアの外に出た。ぼたん雪が降りしきっていた。

空気の冷たさが少しずつ緩み始めたころ、ダナと大阪へ旅行に出かけた。京都の嵐山という竹林がたくさんある場所へも足を延ばした。森を抜け、出入り口で売っていた生クリームのロールケーキを食べた。緑の竹の葉の上にケーキがのっていた。

帰ってきてからイ・ジンソプにメールを送った。今はどんなやりとりをするつもりもないし、今後もおそらくそうかもしれないと。だが言いたいことがないわけではない。今していることが終わっていつか考えがまとまったら連絡するから、今すぐの対話は要求するなと伝えた。そして付け加えた。

「これですむと思わないで」

ふと理解できた。ようやく、真っ当な時間を過ごせている気がした。

彼から返事はなかった。

私はやりかけだったことを続けた。まず、ユリの日記を細かく読み込んだ。カン・スンヨンと伴奏者、ユリを知る人すべてを訪ねて記憶を聞き取った。録音もした。その中には私も含まれていた。証言と日記の記録を照らし合わせた。依然推測の部分は多かったが、明らかに事実と思われることもあった。ユリが印をつけた日付のすぐ翌日、彼女の手首に痣ができているのを見た人がいた。学科の飲み会に来ていたユリが途中でドンヒを見かけ、逃げるように出て行くのを見た人もいた。ユリがドンヒと座って話しこんでいるのを見た人もいたし、ドンヒの前で泣いているのを見た人もいた。ドンヒがユリにキレているのを見た人もいた。

だがかなり昔の話であり、証拠として採用されるには記憶は信ぴょう性と信頼度に欠けた。正確なものを見つけたかった。私はしばらく人々を訪ねて回り、最大限感情を交えずにそのまま書き取るよう努力した。日付をはっきり覚えている人は皆無に近かったが、それでも大まかな時期を記憶している人がいた。私は彼らの目撃談とユリの日記を突き合わせた。ドンヒを避けていたらしい場面が目撃された時期を整理すると、ユリがさかんに病院通いをしていた頃と重なった。ユリがドンヒと一緒にいたり、彼女が泣いたりしているのが目撃されたのは日記に×がいっぱい記された頃だった。私はそんなふうにして目撃談と内容を分類し、ユリの日記と照合し、時期を整理した。すると曖昧だった絵がはっきりしてきた。多くのことが見えた。ユリに何があったかを知らない人より、気にかけていなかった人のほうが多かったというそんなことが。

私がユリと最後に会った日も記した。十二月八日。

前日の十二月七日に、ユリは×を書いていた。カレンダーに記号が書かれた最後の日だ。

古い遺跡を復元するように、日付と事件を過去から現在へと掘り起こした。あやふやだった輪郭がくっきりとした形をとって一つの図を示した。ノートはユリが強制的に関係を持たされていたことの記録に違いないと確信した。次の段階に移ることができそうだった。

つまり、より明確な証拠を見つけ出せる地点。性暴力相談所の相談記録やユリを診察した産婦人科医の証言、そして、ユリが相談したに違いない教員、イ・ガンヒョンの証言が得られそうだった。

私は警察や検事ではないし、被害当事者でもなかった。その地点まで行けるか確信はなかった。被害者のユリは、もう自ら証言することができないから。だがユリの日記の復元は、単にユリとキム・ドンヒのあいだにあったことだけを明らかにするためではなかった。それは一つのかけらだった。四方に砕け散ったガラス《ユリ》のかけら。砕けてしまって誰も完全な形をイメージできないと思い込んでいた、古いかけらのもともとの姿。私はそれをつなぎ合わせている最中だった。

春だった。

アンジン大学の入口に立つと、頭上から白い桜の花びらがはらはらと舞い落ちてきた。私は花の香りを吸い込んだ。それは私が記憶するアンジンのにおいだった。湖の生臭いにおい、雨の日の散歩。緑色のシミがこびりついたスニーカーの踵を踏んで、私はひたすらここまで歩いたものだった。雨で地面に散った花びらが見たくて。白くふかふかした道の真ん中を歩きながら、自分の体にまとわりつく饐えたにおいを消していった。何があったのか。どんな記憶が残されたのか。

私は人文学部の校庭に向かった。前日電話で聞いていた通り、その時間、キム・イヨンは人文学部の壁に壁新聞を貼っていた。私は彼女に向かって歩いた。
キム・イヨンに用意してきた言葉を伝えた。ユリと私について。そして、名前を明かすことはできないが、もしあなたが望むなら自分のことを証言してもいいと言ってくれているまた別の友人について。つまり女たちについて。女たちの証言によって得られるかもしれないいくつかの可能性について。そして、その可能性に勇気を得て名乗り出るかもしれないまた別の女たちについて。

キム・イヨンはおそるおそるユリの日記を受け取った。注意深く広げた。まさにこの物語が始まった瞬間だ。そう。ありふれた結末。どうせ私は物語のクリシェのような人間だ。そうじゃないだろうか。どこにでもいる人。どこででも起きること。さしてすごくも珍しくもない事件。だが、常に存在してきた人。これが私のやり方だ。誰かにとってはひたすら手紙を書くことが、本の中にひとり埋もれることが、出来事を一つ一つ記録していくことがそうであったように、私にできる何かであり、すべて。

だが、時にそのすべては捏造された記録にもなりうる。自分がされたことを書く時にではない。自分がしでかしたことを書く時にだ。私はいくつかのヴァージョンの記憶を書き続けている。なぜならクリシェはドアを閉めて出て行くところまでしか登場しないから。閉められたドアを開けるため、あるいはドアをまた閉めてしまうために何をすべきか、誰にもわからない。だから私は、あんたの名前で何かを書いたりもする。

みんなに読んでほしがっていた、でも誰も読めなかった、あんたの物語。あんたの物語の中で、私たちは狭い路地に一緒に立っている。ぼんやりした光が地面に落ち、長い影があんたの肩をつかむ。あんたは私の名前を呼ぶが、私は振り返らない。歩いてゆく。

ジナあ！

ジナあ、助けて。

私は前を見て歩く。想像している。目の前に広がる巨大な田畑を。ひたすら広くて、見ているだけで胸が張り裂けそうなそれを。そうすることで自分の体にまとわりつくあんたの声を振り切るために。とっくに生臭さに湿った自分の体から、饐えたにおいが漂っていることを忘れるために。

でもある瞬間、気が変わる。振り返る。あんたが目の前にいる。私はあんたを見つめながらまた歩き出す。なぜならその物語の中で、私はどこにでもいる人。どこででも起きることを経験した、さしてすごくも珍しくもなく、常に存在してきた人だからだ。そうしなければいけないからだ。だから私は、こういう物語の最後にありがちな言葉であんたに応える。


いいよ、ユリ。


二十一歳。

透きとおった瞳。

だが物語はそれでは終わらない。終わらせるのはやっぱりあんただ。すべての物語のきっかけを作った人、古びた未来をもう一度広げてみせた人。ひょっとしたら今こそ本当の物語が始まるタイミングかもしれない。なぜなら物語の最終章。すべてが終わってしまったあの瞬間、答えを抱いていた人はあんただから。そう。ここからはあんたの番だよ。

18

ユリ

日付：2006年12月15日

救急室　患者所持品保管袋

登録番号：19049
患者名：ハ・ユリ
所持品目録：バッグ、財布、学生証、化粧品ポーチ、文書（書類—課題レポートと記載あり）
受取人：なし（廃棄）

✚アンジン大学病院

最終課題
コンテンツ創作実習
2006年12月15日

タイトル：別の人

ユーラシア文化コンテンツ学科
2005年度入学　ハ・ユリ

―　作家の言葉　―

自分の限界を定めない。私は毎日、そう念じて生きている。

ユリの冥福を祈る。

カン・ファギル

訳者解説

受け入れがたい暴力にさらされたあとも、人生は続く。
そのとき記憶はどう働くのか。人をどう変えるのか。

本書は、二〇一七年に発表されたカン・ファギルの長編小説『別の人』の全訳である。三十代前半のジナは、恋人から受けたデートDVをネットで告発するが、逆に彼女のほうが誹謗中傷にさらされる。無数の書き込みの中に大学時代の出来事を暴くようなひとつを発見して、ジナはかつて暮らした街、アンジンへと向かう――。

著者のカン・ファギルは一九八六年生まれ。二〇一二年に短編小説「部屋（방）」でデビューして以来、一貫して女性が抱く恐怖と不安をテーマに小説を書き続けてきた作家だ。本書は、二〇二一年一月の時点で刊行されている唯一の長編作品であり、日本に紹介される初めての作品である。

韓国でも社会問題化するデートDVを題材に、女性を取り巻く暴力構造を正面から描ききった本作は、二〇一七年にハンギョレ新聞社主催のハンギョレ文学賞を受賞した。選評で審査員の一人は「最近急浮上しているヤングフェミニストの声が、具体的につめこまれた作品」と評している。

韓国文学の「ヤングフェミニスト」

作品が韓国社会にどう受け止められたかを見る前に、まずこの「ヤングフェミニスト」という言葉について、また、ここ数年の韓国文学をとりまく状況について触れておきたい。

二〇一六年五月に起きた江南駅女性殺人事件によって、韓国社会は大きなパラダイムシフトを迫られた。犯人が〈誰でもいいから女性を殺したい〉と考えていたことが報じられると、事件は単なる無差別殺人ではなく、女性嫌悪《ミソジニー》殺人だとの声が上がった。それまで有形無形の暴力にさらされてきた女性たちの不安は「女であるだけで命すら奪われる」という究極の形をリアルな殺人事件として共同体験することになった。

その体験を裏付けるかのように同年の秋刊行されたのが『82年生まれ、キム・ジヨン』である。どちらかというと人文書のテーマだったフェミニズムが物語の言葉で、身に迫る形で伝えられたことで、フェミニズム・ムーブメントはますます加速した。「自分はフェミニストだ」という集団的なアイデンティティが生まれ、大規模なデモが行われ、オンラインでの活動が活発化する。その中心を担ったのはヤングフェミニストと呼ばれる二十代を中心にした世代だった。

社会の動きと呼応するように、フェミニズムを体感できる小説を発表する若手作家が次々と登場する。カン・ファギル、チェ・ウニョン、パク・ミンジョンら八〇年代生まれの彼女たちは「ヤングフェミニスト作家」と呼ばれた。

もちろん、それ以前にも韓国文学にフェミニズム小説は存在する。前の世代の作品とヤングフェミニストたちの作風の違いについて、文芸評論家のチャン・ウンスはこう指摘している。「以前のフェミニズム小説が女性の日常の探究、女性の感受性や感覚を浮き彫りにしたものだとすれば、最近の作品は理念的、戦闘的で、明らかに女性主義を掘り下げようという傾向がある」

そういう意味で、ヤングフェミニストとされる作家が精力的に作品を発表した二〇一七年は象徴的な年だった。韓国日報は一年の文壇を回顧し、〈文学界の世代交代がなされた年〉と総括している。本作はその二〇一七年に発表された作品である。

韓国での性暴力被害

物語は、職場の先輩であり恋人でもある男性から深刻な暴力を受けていたジナの語りから始まる。被害者であり、恋人の罪を勇敢に告発したはずのジナは、いま荒みきった生活をしている。勤めていた会社は辞めて部屋に引きこもり、まともな食事もせず、ただひたすら自分への悪意の書き込みをパソコンにかじりついて確認する日々。被害者である自分がなぜそこまでバッシングを受けなければならないのか、自分の落ち度はなんだったのかを知りたいからだ。

そして書き込みの中に、明らかに過去の自分を知っているとほのめかすようなコメントを見つけて、ジナは大学時代過ごした街へ向かう。

故郷に戻ったジナの足取りにしたがって、複数の女性たちが登場する。表向きは優雅なカフェの女主人でありながら、過去の性被害の記憶が夫婦生活にも影を落としているスジン。若年妊娠と中絶を経て恋愛断ちを決心したダナ。「息子」ではなく「娘」だったために将来の選択肢を狭められつづけ、女性嫌悪を内面化した女性教授のイ・ガンヒョン。そして、自分らしく前進することを決めた矢先にこの世を去ったユリ。非常に多声的なテキストだ。それぞれ異なる立場の「声」を手がかりに、ミステリーにも似た手法で物語は進んでいく。読みながら読者は、彼女たちの語りの独特さに気づくだろう。行きつ戻りつする記憶。必死に自分の内面をのぞき込み、感情を確かめようとする息づかい。そして思いいたる。ああ、これは体験したせいだと。登場する女性全員が、女性であるだけでなにがしかの暴力を体験しているからだろうと。

あまり知られていないが、韓国は女性の暴力被害についてその都度必要な法制度を整えてきた国である。DVを防止する法律は日本に先駆けること四年の一九九七年に、日本にはない性暴力に特化した法律は一九九四年に、それぞれ法制化された。二〇一九年には女性への暴力全般を定義し、いっそうの被害者保護を強化した「女性暴力防止基本法」も施行されている。本書には女性たちが同意なしに行われた性行為を「性暴力相談所」に相談する場面が何度か登場するが、その機関も法的根拠が整ったことで大幅に増加した。韓国女性家族部の発表によれば、二〇二〇年十二月の時点で全国一六七か所に設置されている(ただしほとんどは民間団体が運営)。対応するのは性暴力被害について六十四時間の専門教育を修了した性暴力相談員だ。体制として被害者保護が立ち遅れているわけでは決してない。

だが、一方で刑法はほぼ日本と同様。性行為の同意がないことのみを犯罪要件とする規定はなく、二〇二〇年五月まで「性交同意年齢」（性行為をするか否かを自ら判断できるとされる年齢）は日本と同じ十三歳だった。

刑法は罪の重さを定める法律である。たとえ被害者支援のスキームが法で整えられていても、加害者に科される刑罰が被害者の負った傷の深さに見合っていない場合、被害者はどう思うだろう。作中、自分の身に起きたことがなぜ「準強姦」とされるのか、スジンが煩悶する場面がある。

——彼女が調べたところ、ほとんどのレイプは女性が強い拒絶を示した時にのみ立証されていた。つまり、暴力的な状況で行われた時にのみレイプと認定された。そのことにスジンはひどく混乱した。女性が激しく殴られ、叫び声をあげ、脅され、つまり命の危険を感じた後の性関係のみがレイプと呼べるなら、スジンの経験したことは決してレイプではなかった。スジンはひどく殴られたわけでもなく、泣き叫んだわけでもなく、脅されもせず、命の危険も感じなかった。だが、望んでいなかった。望んでいなかったという事実を、なぜ加害者から受けた暴力のレベルで判断されなければならないのだろうか。理解できなかった。スジンにとってのレイプは単純だった。本当に簡単に区別がついた。被害者が望んでいない時に持たれた性関係。

まさにスジンのように。酒に酔い、意識を失い、何もできない状態の時にされること。

スジンの場合は準強姦に該当した。準。よりによってこの単語の前に「準」という言葉がつくのか？

（本書二〇四ページ）

社会が加害者を赦してしまえば、それ以上罪は問えない。だがいまだに傷はいえない。その傷の責めを負うべきは誰なのか。悪いことをしたほうが放免されるなか、悪いことをされたほうは延々と自分を責め、疑う。「あんた」が、悪かったんじゃないのか。「あんた」に、何か落ち度があったんだろう。だから、あんな目に遭ったんだろう。その落ち度を探せばいいんだ。そういう人間じゃなくなればいいんだ。

登場する女性たちは一人として同じ体験をしていないが、唯一の共通点がある。みな「別の人」になりたがっていることである。

韓国社会の性暴力被害女性をとりまく状況について、韓国を代表するフェミニストの鄭喜鎮《チョン・ヒジン》はこう表現したことがある。

「性暴力被害女性たちは、どのように表現すればよいのかわからない。性暴力について語ることは、あまりにも政治的な行為になるからだ。被害女性は性暴力の経験を語ることで〝運動家〟にさせられてしまうのであり、自分を被害者化（victimize）する視線に耐えなければならない。被害女性が簡単な法手続きを利用することすら容易なことではない。韓国社会は女性の被害と苦痛の深刻さを認めたり共感しない代わりに、女性を被害者化するのは慣れている。（中略）社会は、女性が被害状況に存在していたという事実そのものを暴力に対する同意や選択とみなしてしまう。このような論理で、被害女性は男性暴力の原因であり結果となる。女性が暴力的状況を〝選択〟し〝同意〟したという男性ファンタジーは、実際に暴力を選択した男性の責任を見えなくする」（『韓国女性人権運動史』、韓国女性ホットライン連合編、山下英愛訳、明石書店、二〇〇四）

十五年以上前の発言であるが、おそらく状況は大きく変わっていないだろう。『別の人』は発表後ベストセラーとなり、女性たちから熱い支持を得た。あるネット書店の調査によると、購入者の七〇％が二十〜四十代の女性である。

カン・ファギル作品の目線

訳者は社会福祉士として主に女性の相談に携わってもいる。現実に見聞きする暴力被害の生々しさがあるからかもしれない。翻訳の仕事であっても趣味の読書でも、性暴力が仔細に語られる作品は意図的に避けてきたきらいがある。被害が「物語」として消費されることに加担したくなかったからかもしれない。

なのに本書には圧倒的に引きつけられた。もしかしたらこの作品は、そういう体験の当事者にこそ贈られるべき物語かもしれないと感じた。作品のなかに聞きたかった言葉が見つかるかもしれないと。

理由は二つある。まず一つに、暴力による恐怖感は描かれていても、加害の場面が極力排除されていることだ。カン・ファギルはインタビューで、「暴力」を描く時の明確なルールについて触れている。

「私の小説で暴力が重要な主題だとはわかっているが、暴力的な場面は書かない。小説の話者は大部分が女性で、女性が多くの日常的な暴力にさらされていることを、小説として具現できると思うから。『レイプ』『倒れていた』『目をつむった』、そういう表現で十分暴力的だと考えているし、そういう単語で十分だと思う」（CINE21、二〇二〇年七月十五日より）

もう一つは、事件を特別な出来事、〈題材〉として扱わず、女性の人生にあたりまえに巣くう不安と位置づけていることだ。そういう目に遭った側が特別なのではない。どこにでもいる人。どこででも起きること。さしてすごくも珍しくもない事件でありながら、一向に減らずなくなりもしない。叙事的に描くことで、実は同じ苦しみを抱えている別な存在を感じ取ることができる。了解可能な誰かの存在は、孤独を減らしてくれる。

先の引用で少し触れたが、本作の題材の一つは「同意なき性行為」である。だがカン・ファギルはそこに女たちの同意があったのかどうかという投げかけはしない。なぜ女たちを同意不要の存在と見なすのかと問う。そしてこの問いは同意なき性行為のみならず、声を奪われたさまざまな存在をも浮き彫りにする。

人は、自分の存在を認められている時にはじめて欲望を口にできるものだろう。小さい頃から大人に「お腹がすいた？」「トイレいきたい？」「大きくなったら何になりたい？」などと無数の声かけをされることで欲望に名前が与えられ、自分がそれを主張してもいいのだと理解する。その経験の不在によって、イ・ガンヒョンは五十を過ぎた今も一歳のような心持ちで誰かが自分に問うてくれるのを待ち続けているし、ユリは自分の本音を最後まで口にできない。

この社会は誰かを同意不要の存在とみなしていないか。女性だけではない。終盤に登場する地方差別、児童虐待にも通奏低音のように問いは流れ続ける。

本書は小説である。だが内包されたメッセージは熱く強い。作家チョン・ヨウルのこの評が最も的を射ていると思う。

──この小説は遠くで照準を合わせる遠隔操作型兵器ではない。ひどく至近距離から私たちの鈍った心に鋭い直球を投げつける、原始社会の石斧のような小説である。ドローンではなくダイナマイトのような、矢よりも短刀のような小説だ。あまりに深刻化した「女性嫌悪」社会の空気のなか、日々更新されつづけるフェミニズムの最新型兵器。それが『別の人』だ。

受け入れがたい暴力にさらされたあとも、人生は続く。誰かに変えられた人生を今度は自分で変えるために、登場人物たちは絶望を引き受けて前へ進む。本書の最後のメッセージの「あんた（너）」は、はたして誰に発せられているものか。その意味を深くかみしめていただきたい。

＊＊＊

単行本で読めるカン・ファギルの作品としては、他に『大丈夫な人（괜찮은 사람）』（二〇一六）、『ホワイト・ホース（화이트 호스）』（二〇二〇）の二冊の短編集がある。いずれも女性の日常にひそむ不安や戦慄を小説に昇華させた作品が収められている。本作もそうだが、カン・ファギル作品には、おそらくは彼女の故郷である全州《チョンジュ》や日本植民地時代の建築物が残る群山《グンサン》がモデルであろう架空の都市「アンジン」がたびたび登場する。自身が女性として育ってきた地方都市の因習をたくみに作品にとりこんでいるといえるだろう。

デビューから九年。昨年には短篇小説「飲福（음복）」で「若い作家賞大賞」を受賞し、着実に作家としての地歩を固めている。現在は祖母、母、娘という三代の女性を主人公にした壮大な家族小説の執筆中とのこと。カン・ファギルが紡ぐ物語に新たな一ページが加わるはずだ。

なお、いくつかこの場を借りてお断りをしておきたい。本書には、「つんぼ」「唖」といった現在不適切とされている表現が登場する。作中で登場人物が置かれた状況、その言葉の衝撃によってもたらされた心情を正しく伝えるためそのまま訳出した。また、韓国では数え年で年齢を数えることが多いが、本作では年齢に絡みつく記憶と感情が重要なモチーフとなっていることからこちらもそのまま訳出した。ご了承いただきたい。

原注がある以外にも、作品の中にいくつかの物語が登場している。著者によれば、念頭にあった作品は以下の通りである。

16　メリーアン、メリーアンたち　二九九ページ
『心は孤独な狩人』　カーソン・マッカラーズ著
17　そして、イヨンに　三一〇ページ
ギリシア神話「エロスとプシュケ」

度重なる問い合わせにも真摯にお答えくださったカン・ファギルさん、翻訳チェックをしてくださったたすんみさん、鄭眞愛さん、本書を「つらい物語」「重い物語」ではなく「大切な物語」と呼び、丁寧に編集してくださったエトセトラブックスの松尾亜紀子さん、ありがとうございました。

最後に。暴力被害を経験した多くの方の直接的な言葉が翻訳作業の原点でした。深謝いたします。

二〇二一年一月

小山内園子

カン・ファギル

姜禾吉

1986年、全州市生まれ。2012年、短編小説「部屋(방)」でデビュー。

以後、一貫して女性を襲う理不尽と絶望を書き続け、韓国のフェミニズム作家の先頭を走る存在。

2017年、短編小説「湖—別の人(호수－다른 사람)」で第8回若い作家賞、

初の長編である本書『別の人』で第22回ハンギョレ文学賞を受賞。

「最近急浮上しているヤングフェミニストの声が、具体的につめこまれた作品」と評され、ベストセラーとなる。

2019年、イギリスで発行された韓国文学ショートストーリーシリーズに短編「Demons(英題)」が選ばれ、

大きな話題となった。

2020年には「飲福(음복)」で第11回若い作家賞大賞を受賞。

他の作品に、『大丈夫な人(괜찮은 사람)』(2016)、『ホワイト・ホース(화이트 호스)』(2020)がある。

現在、祖母、母、娘という三代の女性を主人公にした壮大な家族小説を執筆中。

小山内園子

おさない・そのこ

1969年生まれ。東北大学教育学部卒業。

NHK報道局ディレクターを経て、延世大学などで韓国語を学ぶ。

訳書に、姜仁淑『韓国の自然主義文学』(クオン)、

キム・シンフェ『ぼのぼのみたいに生きられたらいいのに』(竹書房)、

チョン・ソンテ『遠足』(クオン)、ク・ビョンモ『四隣人の食卓』(書肆侃侃房)、

キム・ホンビ『女の答えはピッチにある　女子サッカーが私に教えてくれたこと』(白水社)、

イ・ミンギョン『私たちにはことばが必要だ』

『失われた賃金を求めて』(すんみとの共訳・タバブックス)がある。

This book is published with the support of
the Literature Translation Institute of Korea (LTI Korea).

別の人

2021年3月30日　初版発行

著　者　カン・ファギル
訳　者　小山内園子

発行者　松尾亜紀子
発行所　株式会社エトセトラブックス
〒155-0033　東京都世田谷区代田4-10-18-1F
TEL: 03-6300-0884
https://etcbooks.co.jp/

装　幀　鈴木千佳子
DTP　株式会社キャップス
校　正　株式会社円水社
印刷・製本　モリモト印刷株式会社

Printed in Japan
ISBN 978-4-909910-10-3